MAIN

DATE DUE

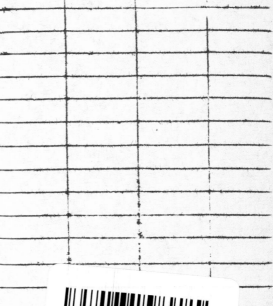

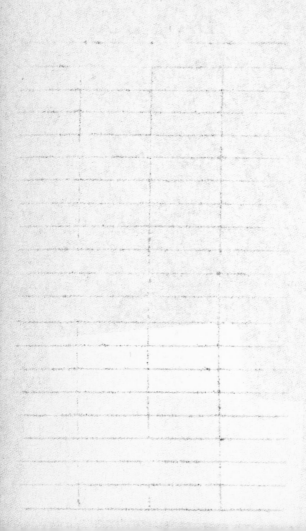

Miguel Delibes
La sombra del ciprés
es alargada

Miguel Delibes

La sombra del ciprés es alargada

Premio Nadal 1947

Ediciones Destino
Colección
Destinolibro
Volumen 73

© Miguel Delibes
© Ediciones Destino, S.A.
Consell de Cent, 425. 08009 Barcelona
Primera edición: abril 1948
Primera edición en Destinolibro: diciembre 1979
Segunda edición en Destinolibro: febrero 1981
Tercera edición en Destinolibro: septiembre 1983
Cuarta edición en Destinolibro: septiembre 1985
Quinta edición en Destinolibro: diciembre 1986
Sexta edición en Destinolibro: julio 1988
Séptima edición en Destinolibro: noviembre 1989
Octava edición en Destinolibro: octubre 1990
Novena edición en Destinolibro: octubre 1991
Décima edición en Destinolibro: abril 1993
Undécima edición en Destinolibro: julio 1994
ISBN: 84-233-1028-0
Depósito legal: B. 27.866-1994
Impreso por Talleres Gráficos Duplex, S.A.
Ciudad de Asunción, 26-D. 08030 Barcelona
Impreso en España - Printed in Spain

¿Por qué esta ansia, este amor,
estos supremos anhelos en el hombre?
¿Por qué existe un destino de amar,
bárbaro y triste, en la ruina de carne
que movemos?

M. A. ALCALDE. *Hoguera viva.*

Libro primero

Capítulo primero

> *Un amigo hace sufrir tanto como*
> *un enemigo.* (Proverbio árabe.)

Yo nací en Ávila, la vieja ciudad de las murallas, y creo que el silencio y el recogimiento casi místico de esta ciudad se me metieron en el alma nada más nacer. No dudo de que, aparte otras varias circunstancias, fue el clima pausado y retraído de esta ciudad el que determinó, en gran parte, la formación de mi carácter.

De mi primera niñez bien poco recuerdo. Casi puede decirse que comencé a vivir, a los diez años, en casa de don Mateo Lesmes, mi profesor. Me acuerdo perfectamente, como si lo estuviera viendo, del día que mi tutor me presentó a él...

Se iniciaba ya el otoño. Los árboles de la ciudad comenzaban a acusar la ofensiva de la estación. Por las calles había hojas amarillas que el viento, a ratos, levantaba del suelo haciéndolas girar en confusos remolinos. Hicimos el camino en la última carretela descubierta que quedaba en la ciudad. Tengo impresos en mi cerebro los menores detalles de aquella mi primera experiencia viajera. Los cascos de los caballos martilleaban las piedras de la calzada rítmicamente, en tanto las ruedas, rígidas y sin ballestas, hacían saltar y crujir el coche con gran desesperación de mi tío y extraordinario regocijo por mi parte.

Ignoro las calles que recorrimos hasta llegar a la placita silente donde habitaba don Mateo. Era una plaza rectangular con una meseta en el centro, a la que se llegaba merced al auxilio de tres escalones de piedra. En la meseta crecían unos árboles gigantescos que cobijaban bajo sí una fuente de agua cristalina, llena de rumores y ecos extraños.

Del otro lado de la plaza, cerraba sus confines una mansión añosa e imponente, donde un extraño relieve, protegido en una hornacina, hablaba de hombres y tiempos remotos; hombres y tiempos idos, pero cuya his-

11

toria perduraba amarrada a aquellas piedras milenarias.

Cuando descendimos del coche experimenté una sincera vocación de ser auriga. Tenía el cochero un aspecto imponente encaramado en su sitial delantero, con los pies cubiertos por una media bota encharolada y unas polainas blancas protegiéndole sus piernas delgadas y sin forma. Pero mi tío, que no debía sentir hacia él el mismo respeto que yo, le despidió tan pronto pusimos nuestras humanidades en tierra.

—Antes de nada —me dijo mi tío al verse a solas conmigo—, para cuando lo necesites, sabe que tu padre se llamó Jaime y tu madre María. —(En toda mi vida tuve otra idea de mis padres. En adelante, siempre que sus nombres debían figurar en algún documento, lo hice constar así, añadiendo, entre paréntesis, «fallecido», aun cuando, en realidad, nadie me hubiera asegurado tal desenlace.) Acto seguido mi tío desvió sus consejos hacia otro lado—: Estáte formal; procura causar a este hombre una buena impresión; no enredes ni te hurgues en las narices. En fin, pórtate como un caballero.

Dicho esto, nos acercamos a la casa, cuya fachada no podía ser más deprimente. (Tenía sólo dos pisos y, debajo, un entresuelo con ventanas bajas en vez de balcones. La parte izquierda de la casa tenía una sola fila de huecos aun cuando su superficie era más amplia que la de la derecha, recordando, por su especial asimetría, el desequilibrio de la faz de un tuerto.) Mi tío anduvo un poco desorientado desde que entramos en la casa. Todo se le hacía mirar y remirar con atención todas las puertas con que tropezábamos. A tal punto llegó su falta de dominio de la situación, que me subió hasta el segundo piso sólo para preguntar si vivía allí don Mateo Lesmes. Le dijeron que el señor Lesmes vivía abajo, en el entresuelo, y tuvimos que deshacer el camino andado, sin rechistar. (Pensé, para mí, que en contra del sistema de mi tutor, si se ignora el piso de la persona que buscamos, resulta más provechoso preguntar abajo que subir hasta el último piso, para luego, a lo mejor, tener que volver a bajar. No le dije nada, sin embargo, porque ya me había encarecido, en reciente ocasión, que le molestaba que un mocosuelo como yo tratase de enmendar sus decisiones.)

Antes de llamar, mi tío me estiró la corbata y me advirtió de nuevo sobre la necesidad de que me comportara correctamente en presencia de don Mateo; después tomó el llamador en su mano y la vieja casa retembló bajo el eco de dos poderosos golpes. Cuando me entretenía mirando las estrechas y polvorientas escaleras que arrancaban de mis pies, se abrió la puerta y mi tutor, tomándome de la mano, penetró en la casa. Una mujer indefinible nos había abierto. Quedóse parada al vernos entrar tan resueltamente, agarrándose, con cuatro dedos, las dos puntas bajas de su delantal. Al cabo de un rato nos espetó:

—¿Por quién preguntan ustedes?

(Recuerdo el gozo que me produjo este primer triunfo de mi honorabilidad. Nunca, hasta el momento, me llamaron de «usted», y el hecho de que aquella mujer me parangonase en dignidad con mi tutor me ocasionó un íntimo regocijo. Entonces no advertía yo lo raro que hubiese sido que la mujer dijera: «¿Por quién preguntan usted y el niño?», en vez de: «¿Por quién preguntan ustedes?»; de aquí que considerase aquel trato como el mayor triunfo, hasta entonces, de mi yo personal e independiente.) Mi tío respondió que buscábamos al señor Lesmes. La señora, con cara inexpresiva y sin soltar las puntas de su delantal, nos dijo que su «marido» acababa de salir, pero que no tardaría en regresar porque esperaba nuestra visita aquella tarde.

Al oír mi tutor que la mujer hablaba de «su marido» la saludó cortésmente, deseándole buena salud. Ella contestó, sin inmutarse, que lo mismo nos deseaba a nosotros, indicándonos, acto seguido, que pasáramos y nos sentáramos. Lo hicimos en una salita muy linda y aseada y, una vez allí, la señora nos dejó solos, pidiéndonos perdón antes de hacerlo.

Entonces pude fijarme a mi antojo en lo que me rodeaba. Los muebles se parecían mucho a los de la sala de la casa de mi tío. En ambas, sobre todo lo demás, predominaban los asientos. En ésta había un pequeño sofá, forrado de raso rojo, lo mismo que las sillas y las butacas. Encima del sofá había un espejo con marco dorado, rematado por un copete de dibujos retorcidos. En un rincón, un velador negro de patas gruesas e historiadas, con un mármol encima, sostenía una extraña cajita y un osado florero lleno de rosas de tela con muchas manchitas de mosca. Los tabiques y el techo estaban decorados de un vivo papel rameado. En el ángulo opuesto al del velador había un piano negro abierto, mostrando los dientes cariados de sus teclas, con mucho adorno encima. Al lado del piano una librería baja con varios tomos de *La Ilustración Española y Americana.*

Mi tío se sentó con una pierna sobre la otra en una de las butacas. Yo lo hice en el sofá, muy cerca de él, con un cierto temor hacia aquella casa que, en adelante, iba a ser mía por bastante tiempo. Ninguno de los dos dijimos nada durante diez minutos que tardó en regresar don Mateo. Cuando éste entró, mi tío se levantó y yo le imité.

Era don Mateo un hombre bajito, de mirada lánguida, destartalado y de aspecto cansino. Sonrió a mi tío al estrecharle la mano y a mí me acarició el cogote con fría cordialidad. Luego nos sentamos los tres y mi tutor y don Mateo se enredaron en una conversación interminable sobre enseñanza, carreras y honorarios. Mientras la conversación giró sobre los dos primeros temas me pareció observar que don Mateo hablaba sobre ello con la laxitud y desgana de quien cumple una obligación habitual. Cuando se abordó, en cambio, el tema de los honorarios, sus ojos, naturalmente apagados, se animaron con una chispita de codicia. De esto deduje que don Mateo no era un hombre a quien sobraran recursos para vivir. Por mi parte, lo único que saqué en limpio de aquella hora interminable fue que mi tío deseaba desentenderse de mi educación y que don Mateo se encargaría de ella hasta que yo concluyese el Bachillerato. Otra conclusión que extraje de aquel juego de palabras fue la de que yo quedaría de pupilo en casa del señor Lesmes en tanto se completaba mi formación moral e intelectual, es decir, más o menos, durante siete largos años. Estas conclusiones iniciales favorecían a mi tío Félix y perjudicaban a mi maestro y a mí. La definitiva favorecía a don Mateo y perjudicaba a mi tutor, siéndome a mí indiferente; el señor Lesmes podría retirar mensualmente del Banco 800 reales en concepto de honorarios y gastos de manutención. Mi tío justificó su desapego hacia mi pobre humanidad alegando las muchas dificultades que le creaba su nuevo cargo de representante de no sé qué casa comercial.

Una vez rematados estos extremos mi tutor se puso en pie, aprovechando los breves instantes que restaban hasta su inminente despedida en ensalzar y loar mis cualidades físicas, espirituales e intelectuales, cosa que hasta este día jamás oyera en sus labios. Ante mi asombro don Mateo sonrió, asegurando que observaba en mi cara esas maravillosas dotes que mi tío Félix acababa de atribuirme un tanto arbitrariamente. Eran tan falsas unas y otras manifestaciones que, a pesar de mi corta edad, no dejé de ver que las de mi tío las patrocinaba su ferviente deseo de deshacerse de mí y las de mi futuro maestro los pingües honorarios y gastos de manutención que mi alimento físico e intelectual le procuraría. A poco mi tío estrechó la mano de aquel hombre, quien, por su parte, retuvo la de mi tío con un calor impropio de dos personas que acababan de conocerse, aprovechando además la solemne despedida para volver a acariciarme el cogote, esta vez con el calor interesado que pondría un granjero en dar el pienso a su vaca de leche. Todo quedó en que yo me incorporaría a la vida íntima de don Mateo en la noche del día siguiente.

En las veinticuatro horas que siguieron viví una vida de expectativa. No hallaba en mis juegos las sensaciones arrobadoras de mejores días, y únicamente mi próximo destino ocupaba todos mis pensamientos. Después de comer, mi tío me ordenó preparase mis cosas en compañía de Elena, su vieja criada. Así lo hicimos y antes de las ocho partía yo de aquella casa en el mismo coche de caballos que la tarde anterior.

Cuando me apeé en la puerta de don Mateo me invadió una sensación de soledad como no la había sentido nunca. Me hacía el efecto de que nadie en el mundo daría un paso por afecto hacia mí. Yo era un estorbo que únicamente por dinero podía aceptarse. Cuando llamé débilmente en la puerta del señor Lesmes mi mano temblaba. No ignoraba que con un paso más, franqueando aquel umbral, inauguraría una era decisiva de mi existencia. Salieron a recibirme don Mateo y su esposa. Aquél me acogió con una sonrisa y me preguntó por mi tío; ésta me saludó fríamente sin dejar de agarrar las esquinas de su delantal, como si en realidad no se hubiese movido de la postura en que la dejáramos la noche anterior.

No me pasaron a la salita del piano como yo esperaba. (Más tarde me convencí de que era ésta una de esas habitaciones de estar donde no se está nunca.) Me condujeron a un cuarto de pequeñas proporciones, situado enfrente de la salita y con una ventana, también pequeña, que daba a la plaza. Casi pegada a la ventana había una camilla, con brasero ya, a pesar de estar a últimos de septiembre, y junto a la puerta, una especie de trinchero con copas y tazas colocadas allí con intención evidente de lucirlas. El resto del mobiliario lo constituían unos taburetes de madera y una butaquita de mimbre, situado todo alrededor de la camilla. Además, lo que ya me resultó más interesante, en un rincón de la habitación, se levantaba una especie de trípode sosteniendo una pecera de cristal verdoso que encerraba dos pececillos de color encarnado. Los miré con simpatía porque me pareció que también ellos estaban prisioneros como yo en manos de aquel hombre chiquitín que se llamaba como un apóstol de Cristo.

Lo que me chocó sobremanera fue ver la mesa dispuesta para cenar, cuando aún no eran las ocho y media de la noche. Imaginé que entraba en una de esas vidas de orden que tanto me disgustaban. Así y todo hube de resignarme y sentarme a la mesa ante la indicación de mi maestro. Esperé impaciente a que viniesen mis compañeros de mesa, pues mi curiosidad advirtió, nada más entrar, que había en ella cuatro platos, y, que yo supiera, no éramos más que tres los comensales. Al aparecer mi maestro con una niñita como de tres años de la mano, lo comprendí todo y se me cayó el alma a los pies. Era la hija del matrimonio y para mí un trasto que en modo alguno deseaba. La sentaron en una silla, a mi lado, después de poner debajo tres grandes cojines. Don Mateo me presentó a la chiquilla, apuntándome con el dedo —un dedo manchado de tiza— y diciéndole «que éste era el nene que papá prometiera traerle». La niña sonrió acentuando sus flácidos mofletes y, naturalmente, no cesó en toda la cena de darme golpes en un brazo con un tenedor usado y repetir «nene, nene», hasta un centenar de veces. No tuve otro remedio que sonreírle, aunque su calificativo no me agradase demasiado.

Aquella misma noche me enteré de varias cosas. La mujer de don Mateo se llamaba Gregoria y no era amiga de palabras ni aun en el seno íntimo de la familia. Don Mateo tenía la carrera de maestro, carrera que explotaba de una manera original. Era, además, el prototipo del maestro de reglas fijas, inconmovibles, y de mezquinos horizontes. Sus primicias pedagógicas me las brindó la misma noche de mi llegada.

—¿Sabes leer, Pedro? —comenzó.

—Sí, señor.

—¿Sabes escribir?

—Sí, señor.

—¿Sabes sumar?

—Sí, señor.

—¿Sabes restar?

—Sí, señor.

—¿Sabes multiplicar?

—Sí..., señor.

—¿Sabes dividir?

—Sí, señor.

—¿Conoces la potenciación?

—No, señor.

Sonrió suficientemente y añadió:

—¿Ves, chiquito? De esta manera tan sencilla puedo adivinar en un momento hasta dónde llegan tus conocimientos. (Me libré muy bien de decirle que todo eso podría haberlo sabido sin gastar tanta saliva preguntándome directamente, y de una vez, si conocía las cuatro reglas. En este detalle está perfectamente retratado el procedimiento pedagógico de don Mateo. Era enemigo de conceptos generales, de ideas abstractas. Él quería el conocimiento particular y concreto; la rama, aunque ignorásemos el tronco de donde salía.)

Antes de acostarme, aún tuve una satisfacción aquella noche. Conocí a Fany. Fany era una perrita ratonera con psicología de gato. Era faldera, amante del fogón y mimosa para reclamar los desperdicios de la carne. No obstante, en sus manifestaciones de cariño era perro desde el hocico hasta la punta del rabo. Noté que todos en aquella casa amaban al animal más de lo que, aparentemente, se amaban entre sí. Yo también le cogí cariño porque, por lo menos, demostraba la alegría de vivir que no existía, al parecer, en los pechos de los demás habitantes de la casa.

Cuando poco más tarde don Mateo me acompañó a mi cuarto y se despidió de mí deseándome buenas noches, volví a experimentar la angustia de soledad que me acongojase una hora antes. Encontré mi habitación fría, destartalada, envuelta en un ambiente de tristeza que lo impregnaba todo, cama, armario, mesa y hasta mi propio ser. Temblaba al desnudarme, aunque el frío no había comenzado aún a desenvainar sus cuchillos. Me daba la sensación de que todo, todo, hasta las paredes y el techo de la habitación, estaba húmedo de melancolía. Por otro lado, nadie se preocupó de llevar a aquel cuarto la caricia de un detalle. Todo raspaba, arañaba, como raspan y arañan las cosas prácticas. No existía una cortina, o una estera, o una colcha, o una lámpara con una cretona pretenciosa. Allí todo era rígido como la vida y útil como la materialidad del dinero lo es a los espíritus avaros. Me resigné porque esta vida arrastrada, materializada, estaba forzado a vivirla unos cuantos años. Y al apagar la luz y llenarse de lágrimas mis ojos —que aguardaron a las tinieblas para no escandalizar a la materia que me envolvía—, mi pensamiento quedó muy cerca; dentro de la misma casa, pero, casualmente, fue a parar a Fany y a los dos pececillos rojos que nadaban en la pecera verde.

Capítulo II

Don Mateo dirigía en su casa una academia sobre estudios de segunda enseñanza. Tenía otro profesor, además de él, que daba las clases de letras. Distribuidos en tres habitaciones, los escasos alumnos que a ella pertenecíamos teníamos ocupada la mañana desde las nueve, en que nos levantábamos. Recuerdo que los alumnos que preparábamos el ingreso, con ser sólo tres, constituíamos la clase más numerosa. Además, no sé si por aquello de que al comenzar una obra se pone siempre en ella mayor empeño, don Mateo y el otro profesor ponían un especial cuidado en nuestra formación. Con los dictados, análisis gramaticales y las cuentas de dividir por decimales pasábamos la mayor parte de la mañana, ocupando la tarde en realizar los trabajos y resolver los problemas que quedaban pendientes en la primera mitad del día.

Abstraído en esta clase de vida transcurrieron los primeros meses. Después de vencer las dificultades y monotonía de las semanas iniciales, aquello fue haciéndose incluso agradable. Encontraba en ello una fuente abundante de distracción, a pesar de que en los días que me levantaba del lado izquierdo se me hacía mi tarea demasiado cuesta arriba.

Cuando hacia las dos marchaban a sus casas todos mis compañeros, yo me refugiaba en la habitación práctica y áspera que me designaran el primer día. Doña Gregoria me había encendido ya el brasero cotidiano, y allí, arrimado a la pequeña camillita, iniciaba mis trabajos hasta que me avisaban para comer.

Las comidas eran siempre las mismas. Me refiero al clima, no al contenido, aunque éste, realmente, tampoco fuese muy variado. Doña Gregoria se sentaba frente a mí, erguida como una espingarda y con su busto seco, únicamente abombado por la disposición de las costillas.

A mi izquierda se sentaba la pequeña Martina, siempre con dos roderas encima de su labio superior que nacían en los agujeritos de su nariz y concluían en la boca. (Me recordaban por su disposición y suciedad las huellas que deja en la nieve un carromato con el eje de sus ruedas torcido.) De espaldas a la ventana y a su derecha, frente por frente con el trinchero, que exhibía sus estantes cargados de porcelana barata, ocupaba su asiento el cabeza de familia y academia: don Mateo Lesmes. Su pequeña humanidad, lenta de costumbre para todo, se movía inquieta, apresurada, a las horas de las comidas. Y no es que comiese con glotonería. Al contrario. Su comida era siempre frugal y el vértigo que ponía en devorarla parecía provenir de una idea innata en él de que no valía la pena perder el tiempo para cosa de tan leve importancia como era el comer.

Mientras duraba el refrigerio se hablaba poco. Bueno, creo que en aquella casa se hablaba poco durante todo el día, y no digo la noche porque la fría esposa del maestro y su tierno vástago soñaban alto. En las primeras noches sus gritos nocturnos me estremecieron. Dormía la familia en un cuarto vecino al mío y los ruidos de uno y otro se comunicaban a la habitación contigua y con tan sincero detalle, que sería necesario, yo supongo, para explicarlo de una manera fehaciente y clara, la exposición de una elevada teoría física.

La noche de mi ingreso en aquella casa me asaltaron horribles pesadillas. A eso de las tres me despertó un grito sobrecogedor. Escuché y percibí que partía de la habitación de al lado. Era Martina, la niña de don Mateo. Entre otras palabras ininteligibles me pareció que pronunciaba con una insistencia molesta el «nene, nene», que alcanzara su cien representación durante la cena.

Tardé mucho en dormirme después de este descubrimiento. Tanto que pude darme cuenta de que la charlatanería de la pequeña era lo que se puede apellidar un «mal de herencia», congénito. A poco de los gritos de la niña comenzó a hablar doña Gregoria. Lo suyo no eran palabras o voces entrecortadas. Eran parrafadas largas, interminables, como si estuviese pronunciando un discurso a media voz. Advertí que sus preferencias estaban por la cocina, cosa que más tarde no me extrañó, porque en ella transcurría, sin exageraciones, toda su vida. Al principio, tan sentadas eran sus palabras, creí que hablaba con mi maestro. Rechacé esta idea al no escuchar la contestación de éste y oír, por el contrario, que el largo discurso de su esposa se prolongaba sin airarse, lo que no hubiera ocurrido de estar en sus cabales y no hallar contestación. Imaginé, en medio de mi insomnio, que yo no podría dormir en una casa animada por tales expansiones nocturnas, pero poco tardé en convencerme de que aquellos monótonos parlamentos de madre e hija servían para arrullar, más que para otra cosa, cuando se tenían los nervios bien sentados.

Como detalle curioso observé en mis silenciosas comidas el feliz instinto de conservación que animaba a la perrita Fany. Mientras consumíamos el primer plato, generalmente a base de purés o sopas, jamás rondaba nuestra mesa. Comprendía el animal que estos alimentos líquidos no eran para dárselos en mano y renunciaba a sus escarceos mendicantes empapada de la imposibilidad. Pero cuando el alimento sólido, de carne o pescado, llegaba a la mesa, Fany arribaba con él y nos plantaba sus dos patas delanteras en el regazo, ora a uno, ora al otro. El primer día no me atreví a darle nada. Dudé entre si atender a sus súplicas o demostrar mi urbanidad no cogiendo los recortes de carne con la mano. La perra insistió en sus pretensiones golpeando mi brazo con una de sus pezuñas, pero a pesar de que el resto de los comensales la hicieron blanco de constantes obsequios, yo no osé romper el fuego con una confianza que estimé excesiva. Pero mi rasgo de delicadeza no fue juzgado por doña Gregoria como se merecía. Seguramente me tomó por un glotón cuando me dijo:

—Pero, ¿no tienes nada que dar a Fany?

Me quedé confuso, ya que en mi deseo de no hacer ascos a nada y quedar como un muchacho ejemplar me había tragado, en un paroxismo de náuseas, los duros nervios de mi filete de carne. En adelante me ocupé de Fany como merecía, y hubo días en que repartí con ella mi porción a partes iguales, sin que por eso doña Gregoria se diese por ofendida. La perra no tardó en entender mi generosidad y, a partir de dos semanas, salía a recibirme todas las mañanas a la puerta de mi habitación.

También recuerdo ahora la curiosa actitud de don Mateo en las horas de las comidas. Él gustaba más de rumiar su silencio que los manjares que nos servían. Mientras esperaba, entre plato y plato, dividía en pequeñas porciones con su cuchillo la miga de su pedazo de pan. Mientras duraba esta operación su mirada era vaga, imprecisa, estaba ausente de su momentáneo quehacer. Seguramente pensaría y sacaría consecuencias de la experiencia histórica que hacía pocos minutos acababa de relatarnos. Al concluir la comida recogía en la palma de su mano —una mano negra, pequeña, peluda— aquellas miguitas blancas, que casi fosforescían en contraste con el color de su piel, se acercaba a la pecerita verde e iba dejándolas caer, una a una, con cruel parsimonia, procurando que los dos acuáticos prisioneros se repartiesen su ración equitativamente. Yo me acercaba entonces a la pecera y Martina, a mi lado, abría sus ojos en redondo como los peces al deglutir su alimento cotidiano. Era el espectáculo del día. A excepción de doña Gregoria, todos participábamos de él. Hasta Fany y Estefanía, una vieja señora, medio parienta y medio criada, que tuteaba a todos los de la casa. Fany también abría mucho sus dos ojos redondos al caer la miga de pan en la pecera, aunque me temo que su atención estuviese patrocinada más por la envidia que por la curiosidad. Cuando esta sencilla operación concluía, nos retirábamos todos en silencio, porque doña Gregoria dormitaba ya en una butaca de la sala isabelina después de acariciar la iniciación de su sueño con las notas finas y pegadizas que escapaban de la misteriosa cajita de encima del velador. Todas las tardes oía lo mismo y no se cansaba. Hasta llegué a sospechar que si el sonido de la caja de música hubiese dado un día una nota cambiada, doña Gregoria ya no hubiese podido conciliar el sueño.

El señor Lesmes y Martina sesteaban tumbados en sus camas. De Estefanía sé que, teóricamente, presumía de no dormir la siesta, aunque una tarde que me llegué a la cocina para sacar punta a un lapicero, la hallé cabeceando, sentada en un taburete, y recostada, lo mismo que Fany, sobre la tibia superficie del fogón. (Pensé que, aparte del nombre, ya existía entre ella y la perra otro punto de contacto.) No le dije nada de aquel descubrimiento, temeroso de herir su orgullo de mujer que se jactaba de no dormir después de las comidas. La dejé, sin despertarla, aunque intencionadamente «olvidé» las virutas de mi lapicero a su lado para que supiera al despertar que alguien, inopinadamente, la sorprendió en su siestecilla de tapada.

Don Mateo tenía otras manías además de las dichas. (Siempre he dado importancia a las manías, porque estimo que ellas son las que definen un carácter.) El señor Lesmes creía que los conocimientos de sus alumnos eran más amplios de lo que en realidad eran. Usaba una especie de estribillo que adhería a su conversación sin pensar si venía o no a cuento. Así, siempre que se hablaba sobre algo, me colocaba en la encrucijada de tener que dar la solución. «Eso lo sabes tú», me decía con una ansiedad tal, que a mí, aunque en verdad lo supiera, se me trababa la lengua y no acertaba con la respuesta. Esto le irritaba un poco, aunque él, con su dominio habitual de sí mismo, procuraba no se transparentase su irritación. A este propósito no olvidaré una noche en que doña Gregoria cerró la cuenta de los gastos domésticos realizados durante el mes. A punto fijo no sé a cuántos reales ascendían sus dispendios; lo que sé perfectamente es que al preguntar a su marido qué media representaban aquellos gastos, éste desplazó sobre mi cabeza la cuestión: «Eso lo sabes tú», afirmó con su acostumbrada seguridad, dándome el lápiz que asomaba siempre por el bolsillo superior de su chaqueta. Me cogió tan de sorpresa aquel problema que, a pesar de saber perfectamente que daría con la solución dividiendo los reales por los días del mes, me quedé parado esperando su ayuda. Él intentó hacerlo, pero, como siempre que se pone mayor calor que de ordinario en hacernos comprender alguna cosa, mi cabeza se llenó de sangre y ya no fue capaz de discurrir con clarividencia. Terminó por hacerla él, mirándome luego con un brillo de censura en sus ojos. Una oportuna trastada de Fany empezó por distraer la atención de todos. Doña Gregoria se ocupó después de la ímproba tarea de limpiar a Martina los mocos acumulados en las dos roderas a lo largo de las últimas veinticuatro horas y ya, a Dios gracias, nadie volvió a preocuparse de la media de gastos de mi celosa patrona.

En los siete años que duró mi vida en el seno de aquella familia no volví a ver a don Mateo ahogado en tanta preocupación como la que le agobió en las tres semanas que duró una grave enfermedad de Martina. Discurría por la casa pálido, desencajado, virtualmente aplastado por la losa de su pesimismo. Hasta en las clases, de ordinario tan puntual y avaro de tiempo, el señor Lesmes se transformó por completo. Se desdecía y contradecía en sus explicaciones con gran frecuencia, demostrándonos con ello que su espíritu no se balanceaba en aquellos días sobre el campo de la ciencia, sino que iba más lejos, hasta las laderas yertas donde la muerte se cobija, para rogarle que no madrugase tanto en hurtar aquella vida apenas iniciada.

Transcurridas dos semanas, la enfermedad hizo crisis y no tardamos mucho en volver a ver a Martina correteando por la casa, con sus dos velas permanentes colgadas de su nariz. Todos agradecimos aquel retorno a la vida de la niña, y doña Gregoria, mujer muy piadosa, encargó un triduo de misas en acción de gracias, a las que sólo faltaron Fany y los pececitos de la pecera verde. Los días de convalecencia fueron poco menos que festivos, y lo digo porque doña Gregoria no aguardaba a la noche para soltar su lengua. Parecía que también ella había recibido una inyección de vida, tal era su locuacidad y la alegría que escapaba de sus ojos. Eso sí, su busto, enjuto y pobre de ordinario, se hundió un poquitín más, como si sus costillas hubieran cedido unos milímetros a la loca pretensión de la muerte. Su locuacidad fue efímera. Duró lo que la alegría en la casa del pobre. Se diría que su verborrea se desató porque en estos días doña Gregoria durmió danzando por la casa. Eran muchas las noches pasadas junto a la cama de la enferma y el desquite fue ése: una somnolencia que la acompañaba a todas partes y que le hacía pronunciar unos discursos que ella, en su estado normal, hubiese guardado para sus sueños de por las noches.

Pero doña Gregoria era además una ama de casa excepcional. Si exceptuamos su mutismo hermético, que únicamente se rompía cuando había de pedir o criticar algo, la esposa de mi maestro apenas si tenía tacha. Físicamente no merecía un suspiro; moralmente era una mujer completa: ordenada, hacendosa, limpia, piadosa y madrugadora. Diariamente se las veía con la cocina, y sus quehaceres domésticos en ella eran tan historiados, que empalmaba, sin interrupción, unos con otros: el desayuno, la comida y la cena.

Rara vez se la veía fuera de casa si no era para sus visitas a la iglesia o sus compras matutinas en el mercado. Tenía pocas amigas y casi diría que ninguna, a no ser porque la enfermedad de Martina me demostró que, aunque superficiales, contaba al menos con tres: doña Marcela, doña Eduvigis y doña Leonor, la vecina del piso de arriba. Desde luego eran pocas pero, así y todo, sus espaciadas visitas no le hacían ninguna gracia a mi reconcentrada anfitriona.

A veces la sorprendí poniendo a sus amistades en trance de despedida.

—Bueno —solía decir levantándose—, entonces quedamos en eso; no se me olvidará. Y muchas gracias, Marcela, por tu visita.

A Marcela no le quedaba otra salida que buscar apresuradamente la puerta de la calle después de dar dos apretados y sonoros besos en las lacias mejillas de doña Gregoria.

Doña Gregoria, como un eco sincero y fiel de su marido, era también una mujer tristona. Lo que no sé es si lo era de natural o por reflejo. Podría ocurrir que tanto don Mateo como su mujer lo fuesen por naturaleza, y precisamente ello hubiese constituido el punto de atracción que acabara por llevarlos al altar. Tampoco era difícil que el pesimismo innato en alguno de ellos se hubiese transferido a su consorte en virtud de la todavía no expuesta teoría de los «caracteres comunicantes». Teoría que tenía su perfecta aplicación en un matrimonio sólidamente avenido, como era el de mis anfitriones, aunque ambos se empeñasen en disimularlo.

Martina era una mocosa de tres años como tantas otras. Parlanchina en grado sumo, como si adivinase ya que desde su pubertad tendría que empezar a medir las palabras. Me visitaba con frecuencia en mi habitación, generalmente para darme envidia con alguna golosina o anunciarme alguna novedad importante para la familia.

Una tarde me comunicó la próxima llegada de «otro nene». No tenía la menor noticia de ello, pero cuando don Mateo me lo confirmó sentí una gran alegría en el corazón. Venía, como yo, a comenzar el bachillerato y compartiría conmigo la habitación «áspera y práctica» que me fuera asignada el primer día. Al acostarme aquella noche no pude dormir de la alegría que bullía en mi interior. Experimentaba la necesidad de una presencia joven que compartiera conmigo aquella existencia monótona y fría. Los días siguientes no alenté más que para preparar la bienvenida al nuevo visitante.

Capítulo III

Como Martina me anunciara, dos días después llegó por
la tarde un nuevo niño acompañado de una señora vestida
elegantemente. Los recibió don Mateo en la misma sala
isabelina que utilizase para recibirnos a mi tío y a mí. Por la
puerta entreabierta pude ver que ocupaban hasta los
mismos asientos que ocupáramos nosotros tres meses
antes. Para mayor coincidencia creo que la conversación
giraba también sobre el mismo asunto: enseñanza, carreras
y honorarios. Desde la butaquita de mimbre del cuarto de
los peces donde me senté escuchaba a ratos la conversación
que tenía lugar en la sala.

La última parte, la de los honorarios, alcanzó íntegra mis
oídos, tal vez porque el señor Lesmes puso en sus palabras
una elocuencia desusada en él. Me pareció entender que la
madre de aquel muchacho abonaría mil reales mensuales
por la enseñanza y manutención de «su pequeño». A mi tío
le exigieron solamente ochocientos y, después de muchas
vueltas a la cabeza, terminé por justificar aquella desigual-
dad pensando que el recién ingresado tendría cara de tener
más apetito que yo.

Cuando los visitantes se levantaron y la puerta de la sala
quedó abierta de par en par pude contemplar a mi sabor el
aspecto de los recién llegados. La mujer era alta, espigada
y muy joven al parecer. Su rostro era bello, y hablaba con
una dulzura y suavidad tan grandes que sus palabras me
hacían el efecto de que eran pájaros multicolores con el
pico de oro, que salían danzando por la habitación en
cuanto ella abría la boca. El muchacho era rubio, muy
rubio, casi albino y con un gesto de cansancio en la mirada
que infundía compasión. Sin embargo, existía una atracción indefinible en su figurita frágil y pálida que animaba
a ponerlo sobre el piano como si fuese una estatuilla de
porcelana. Estuvieron allí parados unos minutos y después
oí cómo la señora pedía que le enseñasen nuestra habitación. Los tres se adelantaron hacia el fondo del pasillo y oí

abrir la puerta de mi cuarto. No pude escuchar los comentarios sobre él, pero a la noche, cuando nos acostábamos, vi que unas colchas de vivos colores cubrían nuestras camas y un tapete chillón, en el que predominaba el rojo, estaba extendido encima de la camilla. Aquella novedad me hizo pensar que de haber sido mi tutor y aquella señora quienes tuviesen que vivir con don Mateo, éste y su mujer les hubiesen atendido con mayor celo que el que ponían en servirnos a nosotros.

Mientras la señora, don Mateo y el chico se mantuvieron lejos de mi observación, me lancé a la ventana para ver nevar. La noche estaba obscura y los copos descendían lentamente, como si cada uno utilizara en su descenso un invisible paracaídas; luego se posaban sobre la plaza o sobre los añosos álamos con una lenidad de caricia y alguno, más alborotador, volvía a levantar su vuelo, arrastrado por el viento, para tornar a posarse unos metros más allá. La plazuela estaba desierta, blanca y silenciosa. La luz mortecina de un farolillo sumía en un claroscuro relevante las extrañas figuras medievales de la oquedad del caserón de enfrente. De pronto, observé, al pie de un álamo próximo, la obscura silueta de un hombre, con las solapas del abrigo levantadas sobre el cuello y un sombrero metido hasta los ojos. Estaba yo en la edad de los ladrones y de los fantasmas y aquella súbita aparición, negra e inmóvil, me sobrecogió. Indudablemente, aquel hombre esperaba a alguien, pues, de vez en cuando, pataleaba en el suelo con impaciencia y se sacudía los copos de nieve que caían sobre su abrigo. Le vi de pronto ponerse en movimiento. Avanzó sobre mi ventana y antes de que me diera tiempo a reaccionar estaba frente a mí, separado por una leve frontera de cristales, y haciéndome señas atropelladamente con las manos. Me quedé boquiabierto. No entendía las muecas de aquel ser extraño que tenía un copete blanco de nieve en las alas del sombrero. Él pareció percatarse a última hora de que yo era un desconocido y se alejó otra vez, pisando la nieve con marcada impaciencia y riéndose de mi terror. Le vi cobijarse bajo el farol de la esquina como si quisiese templar su cuerpo aterido con sus agudos haces de luz. No pude continuar vigilándole; a mis espaldas sonaban los acentos musicales de la voz de la visita y las respuestas inmediatas de mi maestro. Volví a sentarme en la butaca de mimbre y vi pasar al grupo por la puerta entreabierta. Se detuvieron ante la de salida a la calle. Escuché la zalamera despedida de don Mateo y casi seguidos los sonoros estampidos de dos besos centelleantes. Luego un hondo suspiro y varios contenidos sollozos, la puerta que se abre y se cierra y los taconazos firmes de una mujer airosa al descender los cuatro peldaños que la separaban del portal. Me incliné disimuladamente sobre el alféizar de la ventana y vi cómo la mujer salía presurosa a la calle y el hombre que se cobijaba bajo el farol corría hacia ella que le aguardaba. Él la tomó del brazo y observé que al hacerlo sonreía con la expresión de un hombre que ha alcanzado la integridad de una ilusión. Desaparecieron después tras una esquina, muy juntos, mientras los copos de nieve atusaban livianamente sus siluetas obscuras.

Al volverme, don Mateo estaba junto a mí y me increpó con acento airado:

—¿Qué miras, Pedro?

Me quedé perplejo. Contesté que miraba cómo caía la nieve y la belleza excepcional de la ciudad muerta. Respondióme algo así como que la curiosidad es mala consejera de la infancia, y al advertir mi expresión de inocencia, sonrió perdonándome. Al poco rato me dijo que fuese a ver al nuevo ingresado.

—Conviene que os llevéis como buenos hermanos —me anunció—; él ahora está triste y tú debes consolarlo.

Al dirigirme a mi habitación pensaba qué de particular tendría el que un hombre esperase a una mujer a la puerta de la calle y en que yo sorprendiese su encuentro desde la atalaya de mi ventana.

Encontré a mi compañero deshecho en llanto. Se había volcado sobre una de las camas y con la almohada pretendía ahogar la intensidad de sus suspiros. Me aproximé a él, tendiéndole una mano para volverlo hacia mí. Su respuesta me paralizó.

—¡Déjame —gritó—, no quiero ver a nadie!

Retiré mi mano y me senté en la cama de enfrente. Ignoraba de qué medios podría valerme para meter en razón a aquel muchacho rebelde. No me contestó cuando le pregunté su nombre y me dio cuatro voces al intentar contarle algo de las «maravillas» de la vida en casa de don Mateo. Estimé más eficiente no hacerle caso y, sin nuevas tentativas, me aproximé a la camilla y me puse a dibujar de memoria un paisaje nevado, hollado por las roderas de un carro arrastrado por una mula. Así transcurrieron varios minutos. A la media hora los sollozos de mi compañero perdieron su profundidad. Comprendí que los continuaba hipócritamente para evitarme la suposición de que su dolor había hecho crisis. Le molestaba, indudablemente, que yo calificase de versátiles e inconstantes sus sentimientos. Pero este cambio me animó y proseguí abstrayéndome, en apariencia, con mi dibujo, de todo lo que me rodeaba. Pasó otra media hora. Mi vecino se cansó de suspirar y le oí incorporarse a mis espaldas. No hice el menor caso. De vez en cuando él simulaba un sollozo cargado de aflicción. Seguidamente adiviné su mirada puesta en mi dibujo por encima de mi hombro. Ya estaba todo hecho. Aún aguanté en silencio varios minutos, hasta que él dio señales de vida rozándome intencionadamente la espalda con sus dedos. Entonces volví la cabeza:

—¡Hola! —le dije indiferente.

—¡Hola! —respondió—. ¿Sabes dibujar?

—Un poco; sólo un poco.

Rió él:

—Ese burro parece un perro.

—Es una mula —aclaré.

—¡Ah...!

Doña Gregoria asomó en este momento su rostro seco por el hueco de la puerta anunciándonos la cena. Me levanté:

—Vamos; ya verás qué bien lo vamos a pasar.

Sonrió con melancolía. Yo añadí:

—¿Cómo te llamas? Yo me llamo Pedro.

—Yo Alfredo.

Volvió a sonreír. Cuando penetramos en el cuarto de los peces, don Mateo y la niña estaban ya sentados a la mesa. Martina miró con ojos curiosos a Alfredo, y éste con amargo gesto de resignación a Martina. Alfredo se sentó entre la niña y yo. Doña Gregoria apareció de improviso con una sopera humeante entre las manos, y la colocó en el centro de la mesa. Se sentó y comenzó a servirnos. Martina concluyó pronto y al acabar se repitió la escena de mi llegada. Empuñó la cuchara usada y, una vez perdido el respeto al pelo albino de Alfredo, empezó a golpearle el brazo con ella, al tiempo que repetía con cansada insistencia «nene, nene, nene».

Don Mateo, después de carraspear, inició la investigación de los conocimientos del recién llegado. Todo, todo fue exactamente igual que lo fuera conmigo meses antes.

—¿Sabes leer, Alfredo? —le dijo.

—Sí, señor.

—¿Sabes escribir?

—Sí, señor.

—¿Sabes sumar?

—Sí, señor.

—¿Sabes restar?

—Sí, señor.

—¿Sabes multiplicar?

—Sí, señor.

—¿Sabes dividir?

—Sí, señor.

—¿Conoces la potenciación?

—Algo, señor.

(Esto me avergonzó mucho. Me arrepentí de haber contestado en su día un «no, señor» tan rotundo.)

—¿Y la radicación? —prosiguió el maestro.

—No, señor.

—¿Nada?

—En absoluto, señor.

—Pero, ¿nada, nada...?

El señor Lesmes quedó satisfecho, una vez más, de su procedimiento inquisitivo. Guardó silencio, rumiando sus conclusiones mientras su mano negra y peluda se ocupaba

31

activamente en migar un pedazo de pan. Doña Gregoria, una vez concluida la cena, levantó la mesa rápidamente y marchó a la cocina a ayudar a Estefanía. Don Mateo se levantó también al poco tiempo y nos envió a la cama, no sin antes deleitarnos con la breve comida de sus dos huéspedes acuáticos.

Al retirarnos Alfredo y yo escuchamos un leve ladrido. Alfredo me detuvo:

—¿Qué es eso? —me preguntó con curiosidad.

—¡Oh! ¿No conoces a Fany? —le dije—. Es lo mejor de la familia.

Cambiamos la dirección de nuestros pasos y entreabrí la puerta de la cocina. Fany salió disparada como una flecha y después de brincar sobre mí con un dinamismo circense se detuvo observando a mi compañero.

—¡Ah! No le conoces, ¿verdad, Fany? Es un amigo mío y pronto lo será también tuyo.

Alfredo se inclinó y atusó suavemente el lomo de la perrita. Ésta saltó sobre él poniéndole sus dos patas delanteras en el estómago. Sonrió Alfredo mientras tornaba a acariciarla. Entonces comencé a darme cuenta de que el círculo de nuestra naciente amistad se cerraba en Fany, la perrita ratonera de nuestro maestro. Las aficiones de Alfredo y las mías coincidían en ella y allí se solidarizaban. Me asusté al escuchar las voces airadas de Estefanía llamando al animal. Entreabrí de nuevo la puerta de la cocina y Fany se coló de rondón agitando el rabo en señal de despedida.

La pálida melancolía del rostro de Alfredo se animó con esta aparición.

—¿Vive aquí este perro? —me preguntó.

—Sí, vive aquí, pero es perra.

—Es lo mismo. Pero es de don Mateo, ¿verdad?

—Sí, sí; es de don Mateo.

No dijo nada más hasta que nos vimos en nuestra habitación. Allí, en tanto nos desnudábamos, fui advirtiéndole de las rarezas de aquella casa. Le puse en guardia sobre las posibles peroratas nocturnas de Martina y doña Gregoria para que no se asustase.

Me dijo que no le importaba porque él no solía despertarse hasta por la mañana.

Alfredo ocupaba la cama de junto a la ventana y al apagar la luz me dijo con voz opaca:

—Sigue nevando.

Entonces rememoré toda la escena que contemplara entre la nieve aquella misma tarde. El hombre agazapado junto al farol esperando a la señora que acompañaba a Alfredo; las muecas ridículas que me hizo aquél al verme asomado a la ventana, confundiéndome, evidentemente, con alguien. La salida de la señora y la sonrisa de satisfacción íntegra del hombre al tomarla del brazo.

La curiosidad terminó por vencer mi prudencia.

—¿Quién te trajo aquí, Alfredo? —musité al cabo de unos minutos, con un hilo de voz.

Alfredo tardó en contestar.

—Era mi madre —dijo al fin—; esa señora que vino conmigo era mi madre.

Me hizo el efecto que volvía a suspirar y que su suspiro tenía un deje de añoranza.

—Es muy guapa, ¿verdad? —añadió al cabo de un rato.

—Sí, es muy guapa... —Y, acordándome repentinamente de su voz, continué—: ...Además tiene una voz muy bonita.

Alfredo hizo una nueva pausa en la obscuridad. Luego dijo:

—Mi padre decía que al hablar parecía que cantaba.

Las palabras de mi compañero llegaban hasta mi lecho sofocantes y cálidas. Más que palabras parecía su voz el aliento de una hoguera. Hablaba con unción, con admiración, con orgullo. Al decir «madre» o «padre» se le llenaba la boca de complacencia.

—Es curioso —añadí recordando mi sensación de la tarde—, también a mí me pareció que sus palabras eran como pájaros con el pico de oro.

Le sentí reír ahogadamente en un impulso de íntima satisfacción. Seguidamente, como buscando un inmediato parangón, dijo:

—¿Tú tienes madre?

—No, no la tengo.

Debió interesarle mi orfandad porque oí crujir las sábanas como si su cuerpo buscara una postura más cómoda para escuchar. Pero yo no añadí nada. Al contrario, apunté la conversación hacia lo que a mí me interesaba. Lo hice con tiento, con miedo, como si a pesar de mis pocos años ya tuviese una sensación inconsciente de que pisaba terreno prohibido.

—Y el señor que esperaba a la puerta, ¿era tu padre?

Su voz tomó un tinte sombrío.

—¡No esperaba nadie a la puerta! —dijo cortante.

—Yo lo vi —insistí—; era un hombre con abrigo obscuro que se agazapaba junto a un farol para librarse de la nieve. Me hizo gestos cuando me miraba por la ventana...

—¿Que te hizo gestos a ti...? —se traicionó.

—Sí, ¿quién era?

Su voz volvió a desfallecer. Pero en su aspecto mortecino había una especie de filo brillante y amenazador; un margen de espera para hacer más efectista su imaginada venganza.

—No me hagas hablar de él —gimió—. Me acaloraría y no podría dormir en toda la noche. Es el culpable de que yo esté aquí, ¿sabes? Siempre viví tranquilo con mi madre hasta que llegó él. Llegó mirándome con desprecio como si tuviese autoridad sobre mí. Un día me rebelé, pero mi madre...

Guardó silencio como si el eco de la habitación le hubiese advertido y censurado su franca locuacidad. Hubo una pausa cargada de ansiedades inexpresadas. Su voz llegó de nuevo hasta mí, excitada y vibrante.

—¡No me hagas hablar de él! ¡Te lo suplico!

Se lamentó su cama bajo el peso de su inquietud. Chirriaron los muelles, que parecieron amansarse al escuchar el suave roce de las mantas contra su cuerpo. Después volvió el silencio.

—Voy a rezar —dijo de pronto—. ¿Tú no rezas?

—Sí, sí rezo...

Callamos de nuevo. Yo agradecí a Dios esta inesperada posibilidad de confidencia. Sentía una cierta protección al imaginar la quieta presencia de aquella criatura pálida y sumisa en la cama de al lado. Súbitamente se oyó un grito.

—¿Quién es? —preguntó atemorizado.

—Es la niña Martina; no te asustes.

—¿Grita todas las noches así?

—Muchas veces; ella y doña Gregoria son sonámbulas; hablan dormidas.

—¿Quieres que nos durmamos nosotros? —apuntó en su deseo de olvidarse de todo.

—Sí, vamos a dormirnos; debe de ser ya muy tarde. Hasta mañana...

—Adiós...

Le oí volverse en la cama. Luego todo quedó tenso en la noche. Casi se oía el volar estremecido de los copos de nieve en su constante indecisión entre el cielo y la tierra.

Capítulo IV

Los días de Navidad trajeron un deseado paréntesis a nuestros estudios. Yo no abandoné la casa de don Mateo y Alfredo se limitó a comer dos días en compañía de su madre.

Nuestra amistad, en cortas semanas, se había anudado sólidamente. Apenas podía concebir yo cómo había soportado el peso de aquella casa sin la presencia viva de Alfredo. Ahora todo era distinto: las cosas tenían sus contornos, su voz, su latido, que compulsábamos y saboreábamos los dos juntos. La confianza prolongaba nuestras vidas en aquella espontánea disección nocturna de nuestras ideas, nuestros sentimientos y los variados hechos de cada día.

Las dos semanas de vacación trajeron una nueva luz a mi alma. Nunca había vivido una Navidad por dentro, matizada por el color y el sabor palpitante de cada jornada y cada hora. En esta ocasión se me abrió una perspectiva nueva, ignota y caliente. Doña Gregoria montó, sobre un tinglado, un belén reducido, poblado de figuritas polícromas e inmóviles para recreo de Martina. Con el corazón en suspenso, Martina, Alfredo y yo fuimos viendo cómo aquel pequeño mundo abigarrado nacía a la vida, crecía y se multiplicaba. Entre matojos de musgo, verdosas cordilleras nevadas de harina, el señor Lesmes puso una nota de vitalidad colocando los dos pececitos rojos de la pecera en el seno de un lago artificial. Martina palmoteó de júbilo en su infantil inconsciencia al ver que aquel juguete cobraba vida y movimiento, sin importarle un ápice que los pescadores que merodeaban en la orilla fuesen de tamaños más pequeños que los peces que trataban de pescar. A Alfredo y a mí esto nos desilusionó un poco. Sólo a fuerza de imaginación logramos taponar la brecha de nuestro desencanto, dando a los ingenuos pececitos rojos de la pecera la categoría suprema de ballenatos encerrados en un lago. Aprobada esta ficción volvimos a poner nuestros cinco sentidos en el belén. Siendo los peces ballenatos, aquello tenía ya un aire admisible de verosimilitud.

Frente al belén pasamos los mejores ratos de nuestras vacaciones. Martina solía subirse en una silla y con aparatosa lentitud nos preguntaba por la condición de cada grupo, de cada figura, de cada miembro...

—¿Quién es ése?

La atracción fantástica del portal, desmoronado y humilde, se ejercía tensa sobre la niña, que no daba pábulo a su inquietud.

—¡Dios!

—¡Dios! —repetía Martina la palabra abrumada de omnipotencia. No comprendía cómo aquel Gran Señor de que su madre le hablaba podía encerrarse en una pella de barro rosado.

—¿Y por qué está ahí?

—Por ti... y por mí... y por todos...

—¿Y por mi papá y por mi mamá?

—También.

—¿Y por el tío Cosme?

—También.

—¿Y por el abuelo?

—También.

—¿Y por...?

Teníamos que interrumpirla para que no se extendiese en la enumeración de todos sus conocidos. Pero la niña, entonces, comenzaba a desarrollar el hilo de su curiosidad por otro cabo.

—¿Y por qué a ese pastor le falta un brazo?

—Se cayó en un abismo y se le rompió...

—¿Y por qué?

—Estaba persiguiendo a una oveja que se le había perdido y se extravió en la noche...

—¿Y por qué?

—Porque la noche estaba muy obscura.

—¿Y por qué?

—Porque no había luna. Las nubes la tapaban y no la dejaban respirar...

Desde su silla, Martina nos dirigía la mirada de incomprensión de sus dos ojos redondos. Suspiró hondo para evitar ser asfixiada como la Luna. Seguramente ignoraba la niña lo que era la Luna, el abismo y la obscuridad. No obstante, seguía inquiriendo, inquiriendo, porque a nuestras palabras, anudadas unas a otras, les daba ella algún sentido aislado y fantástico que nosotros no alcanzábamos a comprender. Sin duda su infantil imaginación tejía en torno a aquellas figuritas y a nuestras confusas explicaciones alguna leyenda maravillosa que la embriagaba, haciéndola temblar de gozo.

Doña Gregoria nos sacó varias tardes a ver Nacimientos. Las calles estaban cubiertas de una capa de nieve helada y la ventisca azotaba las esquinas con frenesí de látigo. En las calles abiertas se afilaban los punzones del frío hasta hacernos saltar lágrimas. Apenas se veía gente fuera de las casas. Todo estaba envuelto en una fría palidez que hacía más estrecha nuestra unión en torno a doña Gregoria. Martina caminaba torpemente, agarrada de la mano de su madre, enroscada la bufanda del señor Lesmes alrededor de su boca y sus narices; Alfredo y yo aprovechábamos cualquier descuido de nuestra acompañante para hacer equilibrios de patinadores sobre la nieve dura y reluciente.

En aquellos paseos navideños, persiguiendo nuevos perfiles y expresiones en las figuritas de arcilla que poblaban los infinitos Nacimientos, aprendimos Alfredo y yo a conocer el sabor agridulce de una leal y sincera amistad de infancia. Doña Gregoria, en estos momentos, constituía un mundo aparte, silencioso y frío, como el clima que oprimía la ciudad. Sentí entonces frecuentemente el escalofrío que produce la confidencia al caer en un pecho abierto a la intimidad. Alfredo me correspondía, si cabe, con mayor efusión. Sus palabras siempre alegres parecían nuevas al salir de sus labios. Él no entendía muchas de las cosas que le rodeaban. Las personas eran un imponente misterio que se había resignado a no conocer. Adoraba a su madre con un instinto casi animal, pero por ello más expresivo y encantador. A veces me hablaba de ella con tal entusiasmo que me hacía palpar con unos dedos internos, invisibles, el trágico bajorrelieve de mi orfandad desprovista de recuerdos. Sólo a su lado empecé a percatarme del sentido trágico de una gran rama separada de su tronco, de una vida desgajada de su origen mismo. Cuando Alfredo, caminando por sus pasos naturales, abocaba a la actual situación, se interrumpía juntando sus cejas blancas en una línea vertical. De aquel hombre extraño apenas si sabía dar la razón de su maldad. Le envolvía uno de esos impenetrables misterios que tan frecuentemente enturbiaban la mirada de Alfredo al contemplar a los hombres. Instintivamente sabía de su perversidad. Había quebrado su dicha de un solo golpe y ello era suficiente. Pero ¿por qué su madre no comprendía tan diáfanamente como él el grado de perversión de aquel hombre? ¿Por qué intentó repetidamente hacérselo ver como un amigo fiel, leal e incluso protector? Alfredo no lo entendía; no podía entender cómo su madre, tan dulce, tan blanda, tan parecida a él, se resignaba a vivir separada de su hijo por mucha que fuera la coacción que aquel hombre ejerciese sobre su voluntad pusilánime y débil. Existía un punto obscuro en este hecho a la ingenua observación de Alfredo: ¿Cómo un corazón podía inclinarse hacia otro corazón desconocido postergando un tercer corazón merced al cual pudo, durante muchos años, alentar el primero? Alfredo, con su pueril fantasía, no podía comprender esto. Desconocía, en absoluto, que pudiera existir para el hombre un móvil más fuerte que el amor sin exigencias carnales. Seguramente para Alfredo no existía aún la pasión turbia que, mal contenida, todo lo avasalla. Ignorando esto, a Alfredo se le cerraba absolutamente el camino lógico y razonado que le permitiera esclarecer este hecho incomprensible.

Tampoco yo estaba en condiciones de adivinar qué era lo que allí, en aquellas relaciones irregulares y sin fundamento aparente, podía acontecer. No me explicaba, igualmente, que una relación sagrada, vinculada con un lazo de sangre, pudiera ser anulada por una relación caprichosa y sin eslabón visible que la justificase.

El día de Navidad se me aclararon, empero, algunas cosas. Fue aquél uno de los dos días en que Alfredo salió a comer con su madre. Yo ocupé la mañana en acompañar a doña Gregoria y a Martina a felicitar las Pascuas a sus parientes. Antes fui el encargado de escribir la tarjeta de felicitación y una fotografía que Martina dedicaba a su abuelo y a sus tíos.

Doña Gregoria pasó muchos días ocupada con el retrato de la niña. Según creo, el pobre fotógrafo hubo de repetir varias veces el ensayo hasta que mi patrona le concedió el visto bueno. Fríamente analizada, aquella obra de arte no respondía a la realidad. Martina había salido favorecida en el trasplante. Las anchas roderas que habitualmente señalaban el camino de la nariz a la boca habían desaparecido y con ellas el sarpullido desagradable que le quedaba cuando su madre anulaba las roderas con un oportuno esponjazo. Además, a mi entender, Martina había sido colocada con tan poca naturalidad, que, sin verla, se adivinaba a su alrededor la mano del artista esforzándose en restar espontaneidad a la niña a fuerza de querer presentarla en actitud sencilla y natural. (Estaba subida en una silla de rejilla abrazando el respaldo con su brazo corto y regordete. Una capelina blanca, rematada, como su vestido, por un encaje historiado y costoso, caía sobre sus hombros. Cubría sus pies con unas botitas blancas, abotonadas a un lado y por cuyo borde superior asomaban los calcetines de una blancura inmaculada. La silueta de la niña se destacaba sobre un fondo gris que iba paulatinamente difuminándose hasta llegar a convertirse en blanco.)

Doña Gregoria me dictó, con una media sonrisa, la dedicatoria de la fotografía. Me indicó también el ángulo bajo derecho como el lugar oportuno para estamparla. Me esmeré cuanto me fue posible para no estropear la obra de arte, empleando una letra que reservaba para las grandes ocasiones:

«*Martinita —escribí— va a dar un beso a su abuelito José y a sus tíos Cosme y Rosa.*»

Por encima de la dedicatoria anoté la fecha: *24 de diciembre de 190...*

Y en la esquina superior derecha: «*Martinita, 38 meses.*» Hecho esto tendí gozoso la fotografía a mi rígida anfitriona. Doña Gregoria sonreía con la baba colgando mientras leyó lo que ella acababa de dictarme. Y tan bien debió de parecerle que, arrepentida sin duda de haber concluido tan pronto, me volvió la fotografía para que añadiese bajo la dedicatoria: «*...Y a todos un abrazo.*» Luego me ordenó que la leyese toda entera, lectura que escuchó con la voluptuosa delectación que pondría un novel al escuchar unas palabras de elogio de un maestro consagrado.

A continuación nos ocupamos en escribir una tarjeta alusiva a las fiestas que conmemorábamos. Se trataba de una pintura del portal de Belén, interpretado a base de mezclar detonantes coloridos, entre los que destacaban por su profusión el rosa y el azul purísimo. Doña Gregoria me dictó, lo mismo que con la fotografía, el contenido del mensaje, terminando por firmar Martina llevándole yo la mano. Todo acabó, como podía esperarse, de una manera lamentable al dejar caer Martina sobre la tarjeta un estupendo borrón que nos costó Dios y ayuda disimular. Concluidos todos los pormenores, Martina y yo, conducidos por doña Gregoria, nos lanzamos a la calle.

El día era frío y aunque el sol se había asomado durante unas horas, no pudo con la nieve ni el hielo que forraban la ciudad. Salimos a la Plaza de la Santa por la puerta del Alcázar. La plaza estaba transformada en una gran pista de hielo. Los gorriones piaban desaforadamente desde los aleros pidiendo algún alimento para no sucumbir en aquellas jornadas blancas y heladas. En la esquina, la casa nueva descolgaba sobre la calle sus miradores rebordeados tambíen por un filo blanco de nieve. En el mirador del segundo se apiñaban curiosas las señoritas de Regatillo, chillonas y retozonas como otra bandada de gorriones. Al pie de los miradores un gomoso, con rizados bigotes, bombín y el característico bastoncito de Javà, rondaba a las beldades. Doña Gregoria fulminó con una mirada terrible a las «descocadas» jóvenes.

—Día llegará —observó entre dientes— en que los hombres tendrán que subirse a los árboles...

Seguimos avanzando calle abajo, precedidos por las nubecillas de aliento que salían de nuestras bocas. Martina, medio a rastras de la mano de su madre, exhibía por encima de la bufanda apretada contra su nariz dos ojillos redondos y fulgurantes. Una vez en casa de su abuelo, la naricita y la boca de la niña fueron liberadas de su mordaza. Brincó a los brazos del abuelo y hubo un momento en que la perdí de vista oculta entre las barbas pobladas sin medida del viejo.

—Felices Pascuas, papá.

Doña Gregoria y el viejo se abrazaron fríamente. Apareció a poco la tía Rosa, larga, huesuda, anatómicamente exacta a mi patrona. Cuando las bocas de las dos hermanas se unieron, expresando recíprocamente los buenos deseos que la una sentía respecto a la otra, tomaron una semejanza extraordinaria con esas varas unidas en el extremo superior que se utilizan para sostener los emparrados. Luego la tía Rosa cogió en sus brazos a Martina y la besó hasta diez veces con ferocidad (ella no tenía descendencia), tanteándole seguidamente las partes más ocultas de su cuerpecillo.

—Hermana —dijo de pronto—, esta niña sigue siendo de la calidad del tordo: la cabecita pequeña y el culo gordo.

Sonrió doña Gregoria, complacida, agarrándose por la fuerza de la costumbre las anchas faldas de su lindo vestido nuevo. En tanto, su hermana reanudaba sus manifestaciones afectuosas hacia la pequeña sobrina. De repente, el viejo abrió una puerta y nos mandó pasar y sentarnos. La habitación, amplia y cuidada, tenía dos balcones sobre la calle. Las personas respetables se sentaron alrededor de una camilla, ocupando una butaca y un sofá forrados de raso azul. Yo, un poco avergonzado en aquella reunión familiar a la que no me ataba el menor lazo, me dejé caer sobre una silla alta, un poco apartada, con las piernas balanceándose en el vacío. Entonces doña Gregoria abrió el bolsero sacando la fotografía de Martina y la postal que yo escribiera unas horas antes.

—Martina os trae esto con motivo de la Navidad...

El abuelo debió de sonreír porque sus barbas se estreme-cieron un poco. Sacó con parsimonia unos lentes peque-ños, ovalados, con montura de plata, y los acomodó sobre el caballete de su nariz. Martina miraba hacer a su abuelo sin darse exacta cuenta de su participación en aquel acto. Doña Gregoria tendió el sobre a su padre; yo me sofoqué pensando que mi persona, inadvertida hasta este momen-to, iba a pasar ahora a primer plano. Volvieron a estreme-cerse los pelos del abuelo. Sonreía. Doña Rosa miraba al vejete con la boca abierta. Leyó el abuelo en alta voz el contenido de las cartulinas y sus lentes temblaron de emoción. Doña Rosa hizo un rebujo a la pequeña Martina, comiéndosela a besos.

Inopinadamente ocurrió lo que me temía.

—¡Qué bonita letra! ¿Quién ha escrito esto? —dijo el abuelo.

Al tiempo que hablaba, su barbilla puntiaguda me señalaba.

Me sofoqué. Abrió su sonrisa, complacida, doña Gre-goria:

—Pedro, ha sido Pedro, uno de los mejores alumnos de Mateo —haciendo converger las miradas sobre mí.

—Está muy bien, muchacho —de nuevo miró, analizán-dolas una por una, las letras de la misiva—; muy bien, muy bien. Esto te honra.

A doña Gregoria se la notaba impaciente; de súbito dijo:

—Anda Pedro, asomaos al balcón Martina y tú a ver si veis llegar al tío Cosme.

Adiviné que doña Gregoria deseaba añadir algo sobre mi persona que no quería que yo oyese. Martina llegó a mi lado con sus pasos menudos y vacilantes y me tendió la mano. La tomé y nos acercamos al balcón.

—Podéis mirar a través de los cristales; sin abrir, que hace mucho frío. Tal vez desde el otro balcón lo veáis mejor...

Quería alejarnos algo más doña Gregoria. Todo su interés se centraba ahora en poner distancia, cuanta más mejor, entre sus labios y mis orejas. Martina y yo nos trasladamos al otro balcón. La niña pegó su naricilla contra el cristal empañado. Sus manecitas se restregaron contra el cristal consiguiendo un hueco transparente. Fingía yo abstraerme en la desmañada actividad de Martina y en la llegada del tío Cosme (a quien no conocía), mientras, en realidad, la inquietud de mis sentidos se concretaba sobre la conversación que en voz muy baja se desarrollaba en derredor de la camilla.

—Mira... nene... nene.

Apuntaba Martina los balcones de enfrente. Unos niños nos hacían muecas desde allí.

—Sí, nene, nene. (Escuchaba. Algunas palabras perdidas llegaban hasta mí: «huérfano de que os hablé...» «...con otro...» «huérfano también...».)

—Otro nene, mira... otro nene.

—Sí, otro nene («...si lo tenemos con nosotros es sólo por un acto de misericordia...» «...la madre vive de mala manera con un hombre...» «...comprenderéis»).

Se oyó el ruido de un coche que pasaba por la calle y que eclipsó por completo el murmullo de la voz de doña Gregoria.

—¡Arre caballo!...

Se alejaba el carruaje. Poco a poco logré captar de nuevo la onda de voz de mi patrona: («...mil reales» «...lo de menos...» «...misericordia...»).

Retumbó la voz del viejo, mancillando el tono confidencial de la conversación:

—¡Caramba, no tanta misericordia...!

—Chist...

Volvió el tono pausado, rumoroso, íntimo, como el roce de la corriente de un río contra los sauces de la orilla. La voz de doña Gregoria se afilaba al adivinar un resquicio por donde poder introducir la palanca de la crítica... («comprenderéis que el hijo de una mujer así...» «...enveredarlo, educarlo...»).

Llegó en aquel momento el tío Cosme, sin que ni Martina ni yo cantáramos su presencia. Su llegada alteró el rumbo que había tomado la reunión. Sin duda él no era apto para alternar en aquellas conversaciones de alcance privado que tan sólo podían discutir los miembros de una misma sangre.

Confieso que cuando se hizo la hora de marcharnos me sentí liberado de una tirantez anormal y molesta. El abuelo refrendó la solemnidad de la fiesta entregando a Martina una reluciente y minúscula moneda de oro. Advertí un codazo de doña Rosa a su padre y, casi instantáneamente, cómo éste se hurgaba en los bolsillos de su chaleco y extraía de él una moneda de plata de dos reales que colocó en mi mano apretándola después, como diciéndome que conservase y no dilapidase aquel tesoro que me concedía en premio a mi caligrafía excepcional.

Ya en la calle volvimos a ser un trío helado que luchaba con la distancia, un grupo que repasaba las calles, solamente por necesidad. Continuaban en su mirador las señoritas de Regatillo, inquietas y cacareantes. Habían entablado conversación con el gomoso que, a juzgar por las estridentes carcajadas de las jóvenes, debía de ser un ingenio más que regular. Los ojos de mi patrona despidieron rayos al fijarse en el mirador colgado. Se sentía humillada, desprestigiada, en su sexo, en su amor propio, en su educación esmerada de hembra hecha para estatua y no para pedestal.

Al llegar a casa estalló la ira de doña Gregoria, mal contenida, golpeada en el lugar más vulnerable de su dignidad.

—Mateo, esas tiorras nos están avergonzando; están introduciendo en la ciudad costumbres y hábitos que no son nuestros, que atentan contra nuestra manera de ser, contra nuestra dignidad, contra nuestro pudor e, incluso, contra nuestra reputación...

Su caja torácica se inflaba y desinflaba a breves intervalos; se estremecía su anatomía, sin carnes, con ruidos de huesos rotos. El marido escuchaba lánguido, la mirada perdida por el suelo y el mechón de su pelo rebelde poniéndole una cresta en la cabeza.

—No sé de quién me estás hablando.

—¿De quién se pueden decir las cosas que yo he dicho?

—¿De las Regatillo?

—De las Regatillo, claro.

—Ésas acabarán robando a la ciudad la poca substancia incontaminada que aún le queda...

Seguía la acerba crítica cuando me encerré en mi cuarto. Voces atipladas, desacostumbradas en aquella casa, me alcanzaban sin que yo me preocupara de localizar su sentido. Para mí aquella ofensiva oral contra las al parecer simpáticas señoritas de Regatillo no tenía la más mínima importancia. Sólo una cosa me preocupaba entonces: la vaga sensación de que Alfredo era un huérfano en un grado aún más bajo que yo, con la orfandad más deplorable y sensible que la mía, en cuanto que la suya no era la muerte quien la dictaba. Desbrozaba la conversación oída en casa del abuelo de Martina, tratando de concretarla en su punto fundamental, definitivo. Su madre vivía «de mala manera» con un hombre. Esto es lo que había dicho doña Gregoria al referirse a la madre de Alfredo. No lo entendía bien, aunque el instinto ya me indicaba qué podía haber de malo en las relaciones entre un hombre y una mujer.

Me encontraba acodado en la ventana mirando la plaza desierta y tiritando de frío. La casona de enfrente se me imponía con cada una de sus piedras amarillas, vigorizadas por un pulso de siglos. La hornacina rellenaba en parte su concavidad con el relieve de los cuatro guerreros, dos vencedores y dos vencidos. Me fijé en ellos con más detenimiento que de costumbre. Don Mateo solía referirse a ellos cuando afirmaba «que fueron más serios y mejores que nosotros». Los vencedores, a caballo, pregonaban con sus largas trompetas el triunfo; los vencidos se humillaban de rodillas, cargando con el peso de la derrota. Allí estaban, inmortalizados en piedra. Recordé a la madre de mi amigo, a las señoritas de Regatillo, a mi propia anfitriona... Sí, decididamente, ellos fueron más serios y mejores que nosotros... Tenía razón el señor Lesmes. Cuando menos, más serios; bastante más serios que nosotros...

Capítulo V

Nada dije a Alfredo de mi descubrimiento del día de Navidad. Lo contrario hubiese equivalido a poner las cosas peor de lo que estaban, ya que hay cosas que se soportan mejor en la penumbra que perfiladas en toda su ingrata sinceridad. A Alfredo le cabía aún la duda que afectaba no sólo a la relación de su madre con «el hombre», sino a toda posible relación irregular, en abstracto, entre cualquier hombre y cualquier mujer. Dejé por ello correr los días sin dejarme ganar por la vanidad de partir con mi amigo un descubrimiento que le tocaba tan de cerca.

Por otra parte, las conversaciones sobre nuestras familias iban espaciándose cada vez más, sin que ni nosotros mismos nos percatáramos de que era nuestra propia vida, la vida que vivíamos, la que desplazaba de nuestras mentes la idea de toda otra preocupación. Tampoco su madre, ni mi tío, aparentaban, por otra parte, ningún interés en evitar este apagamiento de nuestra admiración y cariño hacia ellos. Vivían su vida con absoluta independencia. Ambos faltaban de Ávila, casi sin interrupción, desde nuestros respectivos internamientos en casa de don Mateo. La madre de Alfredo no pasó por allí pasadas las Navidades, y mi tío, aparte una relampagueante visita en el mes de marzo, apenas si volvió a acordarse de que, a retaguardia de sus ocupaciones y devaneos, quedaba un sobrino y pupilo a quien, siquiera por ley, tenía la obligación de controlar y educar. Alfredo recibía cartas con relativa frecuencia; yo, tan de tarde en tarde, que terminé por perder el poco gusto con que antes recibiese la correspondencia de mi tío, y, algunas veces, dejé transcurrir varias semanas sin abrir, ni picarme la tentación de hacerlo siquiera, las cartas que mi tío pergeñaba en Barcelona.

Fruto lógico de esta tibieza hacia ellos fue el fomento de la amistad recíproca que nos unía a Alfredo y a mí. De mi parte, puedo afirmar que experimentaba casi de una manera física el acercamiento creciente de nuestros espíritus. El día que, por cualquier circunstancia, nos fallaba alguno de los habituales ratos de expansión confidencial, me parecía que me obligaban a cargar con un lastre insoportable que impedía el ascenso normal del globo de mi optimismo pueril. Estábamos ya hechos como la mano y el guante, para encontrar uno en el otro la forma y, el otro en el uno, el calor.

La vida proseguía monótona en casa de don Mateo. Nada se alteró con la aparición de la primavera, el mismo plan de estudios, las mismas comidas vacías y, casi siempre —excepto cuando doña Gregoria tenía que pedir o criticar algo—, silenciosas, idénticos alaridos nocturnos y las mismas fugas de nuestras almas hacia Fany o los pececitos rojos de la pecera verde, que continuaban, también, alimentándose de la caridad espectacular de nuestro maestro.

Se alteró un tanto el curso de las cosas con los éxitos de Alfredo y mío en nuestra primera prueba intelectual. El hecho de salir airosos en los exámenes puso en fiesta aquella casa tan apagada y uniforme de ordinario. Por segunda vez en el curso —el día primero de año fue la otra— doña Gregoria nos hizo vestir de gala para asistir al banquete conmemorativo. (A punto fijo no puedo decir que aquellas comidas, a las que todos asistíamos emperifollados, tuvieran otra finalidad que dar ocasión a doña Gregoria para acabar de gastar un traje negro de cuerpo corto, ajustado a la cintura y que, ocasionalmente, le brindaba la oportunidad de lucir un pecho opulento de matrona, falseado por sabe Dios qué secretos procedimientos.) Alfredo y yo nos pusimos nuestros trajes de marinero, luciendo, por el escote, los petos rayados de azul y blanco que nos daban cierta apariencia de animales exóticos. Enfundamos nuestras piernas en unas medias negras altas y cubrimos los pies con unas botas de charol abotonadas hasta arriba y a un lado. El señor Lesmes se compuso y acicaló su persona con mayor celo que de costumbre, aunque el traje con que se presentó a la mesa era el mismo que usaba diariamente. Martina, a quien estos festejos jamás pillaban de sorpresa, se presentó ante nosotros embutida en el trajecito blanco de la capelina que le sirviese para la fotografía y hediendo profundamente al perfume de violeta que doña Gregoria solía derramar sobre su pechuga en los acontecimientos trascendentales.

Corrió la alegría en aquella cena como en ninguna otra ocasión. Para don Mateo nuestros aprobados tenían, si cabe, mayor importancia que para nosotros. En la prueba se ventilaba sencillamente el ser o no ser de él y del resto de su distinguida familia. El hecho de salir airosos trascendía a la ciudad, pequeña y comentadora, en provecho de su academia y de su eficiencia pedagógica.

Don Mateo llegó a los postres con un visible júbilo bailándole en el rostro. No trataba de disimularlo; estaba satisfecho y su contento irradiaba de él como la luz y el calor del sol, naturalmente. Brindó con champaña por nuestro futuro, añadiendo que sería apacible si no ambicionábamos demasiado. «Siempre es más fácil perder que ganar —terminó—, y por eso conviene quedarse en poco.» Le aplaudimos y cuando se sentó se puso a migar el pan de los peces en su palma tersa y morena. Cortó, además, un pedazo de pastel de hojaldre, estimando que nuestros amigos acuáticos también tenían derecho a festejar esta solemnidad familiar. Después, doña Gregoria hubo de sujetarlo. Trataba de cambiar el agua de la pecera por vino blanco, alegando que también los peces debían disfrutar de este privilegio excepcional. Poco más tarde, nuestra patrona se lo llevó a la cama mientras Martina miraba extrañada a su padre en quien, seguramente, sorprendía una alegre vitalidad desacostumbrada. Así concluyó el día en que conmemoramos nuestro primer éxito estudiantil. Por primera vez Alfredo y yo tuvimos la alegría de compartir un acontecimiento que entonces juzgábamos trascendental para nuestras vidas. Como rúbrica de aquel día feliz nos dimos un abrazo entrañable en el que cabía tanto la liberación de nueve meses de acción como la perspectiva de la jornada estival que se abría ante nosotros sedante, reconfortadora y fácil.

Capítulo VI

Uno de los mejores recuerdos que guardo de mi vida es el de aquel primer verano de estudiante en Ávila, alentado por la fragancia de una reciente y cordial amistad y olvidado en absoluto de los estudios que me alicortaron en los nueve meses precedentes. Ávila renacía bajo la cálida caricia de mayo; sus torres, apuntadas de sol, modificaban por completo el aspecto general de la ciudad. (Diríase que se trataba de un muerto resucitado, dispuesto a vivir la nueva vida en la integridad que absurdamente había desperdiciado antes.) Las piedras amarillentas de sus vetustos edificios parecían reaccionar alegremente al contacto de la brisa templada que a oleadas descendía de la sierra. La gente abandonaba sus conchas y se apiñaba bajo el sol, avariciosa de sus rayos, ansiosa de captar su cálido resuello en toda su intensidad, a conciencia de que más tarde habría de faltarle y añoraría estos días transparentes en que la ciudad se ofrecía desnuda, despojada de su manto de nieve.

Nuestra vida en esta época tampoco se caracterizó por la variedad. Alfredo y yo nos movíamos coaccionados por los actos ya vividos. Hallábamos en esta conducta iterativa un encanto superior al hecho de disfrutar lo no frecuente, lo extraordinario, lo excepcional, a no ser que esto, por su carácter relevante y atractivo, nos animase a dejar con gusto la distracción cotidiana.

Apenas desayunados solíamos dejar la casa de don Mateo. Fany nos acompañaba en nuestras excursiones mañaneras que rara vez variaban en su itinerario. Nos agradaba salir al paseo del Rastro cuando el sol comenzaba a dorar el verdeante valle del Amblés. Por el paseo, bordeando la muralla, llegábamos hasta los marjales del Adaja, donde gustábamos de matar las horas hasta que se hacía el momento de comer.

La irradiación que a aquellas horas se desprendía de la Naturaleza tonificaba nuestros espíritus para el resto del día. El paseo del Rastro se empinaba como un balcón sobre el valle. Arrimados a la verja, Alfredo, Fany y yo, llenábamos nuestros ojos de la plenitud del día. Frente a la muralla se levantaban, escamoteadas por la bruma, las estribaciones rocosas y azuladas de la sierra, como otra ciudad amurallada que desafiase a la nuestra a singular combate. En sus crestas aún se agarraba la nieve con una apariencia, poco airosa, de ropa blanca tendida a solear. A nuestros pies, unos metros más abajo de nosotros, se diseminaban los edificios y conventos hasta llegar al campo cultivado de cereales y legumbres, partido en multitud de trozos de distintos verdes, brotando, ubérrimo, de la madre tierra.

Descendíamos luego alegremente siguiendo la pendiente del Rastro, atraídos ya por el cauce del Adaja. Los vencejos volaban a miles, chirriantes y negros, por encima de nuestras cabezas. En su vuelo, vertiginoso e irreflexivo, se lanzaban contra las almenas de la muralla para salir después despedidos en dirección contraria como pelotas rebotadas en un frontón. Al final de la muralla, descolgándonos por las rampas de la izquierda, llegábamos a las márgenes del Adaja. El río venía decrecido por la fuerza del estío. Su caudal se estilizaba por momentos, como una persona atacada de tisis galopante. Las aguas, al retirarse, dejaban al descubierto el terreno pantanoso y grisáceo del marjal. Todas las mañanas había allí alguien acarreando tierra que luego utilizaría para fines que me eran completamente desconocidos.

Ya en la ribera del río se intensificaba la diversión. (Hay algo en el agua y en el fuego que atrae singularmente la atención de los niños.) El mero hecho de contemplar cómo el volumen del agua se deslizaba entre las dos orillas ya suponía para nosotros algo tentador y digno de admirarse. Fany, a nuestro lado, ladraba al agua, a las ranas que se zambullían estrepitosas en las charcas que la retirada de las aguas había dejado aisladas, a las hojas de los árboles que arrastraba la corriente... Fany, en esos instantes, agradecía el privilegio de vivir. Parecía estar empapada de la dificultad que encierra la aparición de un ser vivo sobre el mundo. No ignoraba que si su padre se hubiese relacionado con otra perra diferente de su madre, ella no estaría ahora allí, ladrando a las ranas, a la corriente, a las hojas verdes que flotaban sobre el río... Conocía al parecer toda la gama de dificultades y azares a que obedece la presencia sobre la tierra de todo ser vivo. En su mismo bisabuelo podría haberse quebrado la cadena cuyo último eslabón era ahora ella y no otro. Tal vez por todo esto Fany exteriorizaba el júbilo de vivir, pregonándolo en sus ladridos agudos y sin fundamento.

Nosotros solíamos aprovechar el encendido entusiasmo de Fany para arrojarle pequeños palitos al centro del río. La perra dudaba siempre al principio. Vacilaba, con las dos patas delanteras sumergidas en el agua, ladrando a más no poder. En último extremo se decidía y nadaba hacia el palito con la rapidez que le permitía su poco eficaz estilo perruno.

Nosotros acostumbrábamos a tumbarnos entre los juncos, charlando de las cosas que nos afectaban. Como era natural, la casa en cuyo seno nos movíamos ocupaba frecuentemente nuestras preferencias. Me interesaba a mí sobremanera el concepto que a Alfredo merecían las personas o las cosas que yo también conocía. Alfredo era observador, aunque pocas veces encontraba justificación a los detalles y acontecimientos que observaba diariamente. Para él todo eran hechos positivos, sin causas ni efectos.

A menudo pretendía que le desarrollase algún punto concreto tocado por nuestro maestro en los momentos en que solía pensar pronunciando, en voz alta, su pensamiento. Cierto día inquirió de mí la razón por la que el señor Lesmes creía «más serios y mejores que nosotros» a los pétreos monigotes de la hornacina. Me las vi y me las deseé para aclararle unas ideas que yo entendía, aunque no las supiese expresar. Le expliqué que don Mateo con esto sólo pretendía enfrentar dos edades, dos conceptos de vida, dos civilizaciones. Él entendía que el hombre de cinco o diez siglos antes vivía más en la realidad que el actual. Se afanaba en levantar murallas, conventos o catedrales, porque tenía un concepto más serio de la vida: conservar la existencia, para llegar a Dios. Nuestro maestro condenaba la frivolidad del hombre moderno, el cual se dice hijo de

Dios pero cifra toda su ilusión en disfrutar la existencia terrena. En consecuencia, el hombre actual se limitaba a conservar los monumentos del antiguo y únicamente levantaba teatros, cafés y otros lugares de esparcimiento con una raíz exclusivamente material.

Alfredo me escuchaba con los ojos cerrados, como si velándose la contemplación del cielo le fuera más sencillo asimilar mi discurso. En cierta ocasión en que machacábamos sobre el mismo tema me dijo:

—Don Mateo parece hijo de las piedras de Ávila.

No le respondí, pero en sus palabras vi encerrada una perfecta definición, una idea alambicada y concisa, de lo que era la psicología del señor Lesmes.

Nuestra conversación era interrumpida diariamente por la llegada de otros compañeros. Habíamos establecido una amistad relativa con otros muchachos de nuestra edad. Nos reuníamos a veces hasta ocho o diez, aunque no siempre fuéramos los mismos. Con su llegada la diversión tomaba otro carácter. Nos descalzábamos y vadeábamos el río entre gritos y frecuentes chapuzones. Algunos días pescábamos hasta media docena de pececitos que asábamos en una hoguera, participando luego todos del sobrio festín. La jornada concluía llegándonos hasta el puente para admirar, desde lejos, la profusión de luces y el sordo murmullo que escapaba de la fábrica de harinas. (Aquella fábrica ejercía sobre todos un inexplicable poder de sugestión. Nuestras imaginaciones forjaban a su costa las más insensatas figuraciones, por más que no existiera motivo para ello fuera de aquellas bombillas brillantes en pleno día y del misterioso rumor que brotaba de sus entrañas.) Desde allí nos lanzábamos en tropel a la «conquista» de la ciudad. Nos considerábamos un ejército medieval galopando sobre ágiles corceles, cuya única meta estribaba en asaltar la muralla y «despojar al enemigo» de su fortaleza. Al llegar ante los muros, cada cual con su vara a guisa de espada o lanza, nos deteníamos. Alguien arengaba con voz vibrante a «los ejércitos»; después comenzábamos a trepar por las piedras que, espontáneamente, sirvieran de cimiento a la muralla.

—¡Al ataque!

Nos desperdigábamos todos al escuchar esta voz. En cada pecho alentaba una ilusión realista de hacer nuestra la fortaleza, de rebasar sus sólidas defensas. Disparábamos los arcabuces imaginarios contra los enemigos, igualmente fantásticos, que asomaban las cabezas entre los vanos de las almenas. Los gritos de victoria se confundían con los lamentos de los «heridos» y los penetrantes ladridos de Fany asustada. Poco tardábamos en conquistar la plaza. Tal vez un cuarto de hora, tal vez menos. Inevitablemente la fortaleza terminaba por caer en nuestras manos. Luego desfilábamos por las calles de la ciudad, con el gesto adusto y fiero, persuadidos íntimamente de la verdad de «nuestro heroísmo». Al entrar en casa, doña Gregoria nos saludaba siempre con la misma pregunta:

—¿Dónde habéis estado?

La respuesta era unánime:

—En el Rastro.

La patrona se sentía satisfecha. Quizá si supiese de nuestras excursiones a los marjales, de los vadeos del Adaja o de las simbólicas conquistas de la ciudad, no nos pondría tan buena cara. Mas ella tenía una fe ciega en nuestra palabra. Si le asegurábamos que veníamos del Rastro, en el Rastro habíamos estado y no había más que hablar.

Los viernes de todas las semanas alterábamos nuestro programa usual con motivo del mercado de ganado que se celebraba fuera de la muralla, en su ángulo noroeste. La animación de tales días en la ciudad se nos contagiaba a todos. Gustábamos de acudir allí a saborear las mil incidencias a que el acontecimiento daba lugar. Los serranos bajaban hasta la muralla con sus listadas alforjas al hombro, precedidos por sus rebaños de carneros vigilados por experimentados marotos. Había allí rebaños de vacas, de yeguas, de marranos negros. Aquí y allá se alzaba la voz de algún quincallero voceando sus bagatelas. Entremezclados con la muchedumbre, multitud de lisiados pregonaban sus muñones o sus desperfectos físicos, como si se tratase de otra mercancía, para llamar a la caridad a los asistentes. Los gitanos, muy abundantes, hacían gala de su habilidad logrando mantener tiesa sobre sus cuatro patas a la res en tanto cerraban el trato con sus compradores...

Pero lo que más nos atraía a nosotros de aquel enjambre inquieto, aureolado de una polvareda espesa y maloliente, eran los narradores de crímenes. De entre todos, la Bruna disfrutaba de nuestras preferencias, ya que, al interés avasallador de sus relatos unía el mérito de recitarlos cantando y acompañada por las notas agrias y desafinadas de la guitarra de su marido ciego. La Bruna era una mujer muy popular. Siempre tenía en torno suyo una multitud ávida y curiosa que coreaba con profundos lamentos el dramatismo aterrador de sus canciones. Se le atribuía a la Bruna una fecundidad asombrosa. Había quien afirmaba que la Bruna había llenado de hijos las cunetas de todas las carreteras de España. Nunca le preocupaba el momento. Traía el hijo por sus propios medios allí donde la sorprendía el trance. La criatura, con el cordón umbilical colgando, era adoptada siempre en el pueblo más próximo al lugar del parto. De esta sencilla manera la Bruna no había perdido aún su libertad, y su voz cascada podía seguir sonando por los ámbitos del mundo entero. A más de esto, la Bruna tenía buen cuidado de variar de repertorio, con el fin de que sus incondicionales continuasen prestándole el calor de su ferviente apoyo. Jamás se presentó en público un viernes sin que una copla nueva figurase en su extenso repertorio. Tengo para mí que la voz de la Bruna tenía mucha influencia en el decrecimiento que se apreciaba aquel año en las compraventas de los mercados de los viernes. La gente se movía inquieta entre las bestias hasta que las notas de la Bruna comenzaban a congregar público a su alrededor.

> *Aquellos marinos,*
> *que unas horas antes,*
> *bravos y arrogantes,*
> *cruzaban el mar...*

La tragedia del «Reina Regente» cobraba en la expresión desgarradora de la Bruna unas proporciones inconmensurables. Brillaban los ojos del público y un estremecimiento recorría, uno tras otro, a toda la multitud allí apiñada. Mas la emoción de los oyentes se centuplicaba cuando el relato recaía sobre alguna criatura tierna y desgraciada. Sobre todo uno que hablaba del secuestro de un niño inocente por su madrastra. A Alfredo era ésta, también, la copla que más le llenaba, tal vez por estimar su realidad vital muy semejante a la de aquel muchachito maltratado.

(La madrastra, atizada por sus instintos criminales, concebía, incluso, la siniestra idea de encerrar al niño en un arca. Su existencia allí, mísera e incómoda, adquiría una fuerza sobrecogedora cuando al muchacho le llegaba la hora de cumplir una función fisiológica):

> Cuándo se han visto
> tantas maldades...
> Un bote le ponían
> «pa» que hiciese sus...
> necesidades...

La multitud hipaba, sollozaba, se encongía, se estremecía y la Bruna, inmutable, proseguía, proseguía su copla desoladora. A veces otorgaba la Bruna el privilegio de elegir las coplas al público limosnero. Bastaba con arrojar sobre la gorra casposa del marido ciego una moneda de dos céntimos acompañada de la solicitud oral.

—¡Bruna! «El Renegado de Valladolid.»

Y la Bruna interpretaba, a satisfacción de todos, «El Renegado de Valladolid».

Previendo esta oportunidad Alfredo se acompañaba todos los viernes de varias moneditas de dos céntimos. En la primera ocasión arrojaba una sobre la mugrienta gorra del ciego, al tiempo que voceaba:

—Bruna, «El niño secuestrado en un arca».

Y la Bruna recomenzaba su canción, cada vez con más sentimiento, más dolorida de aquella acción criminal de una madre desnaturalizada.

Casi siempre que nos deteníamos para escuchar a la Bruna —invariablemente todos los viernes— demorábamos, sin darnos cuenta, el regreso a casa. Doña Gregoria nos reñía sin palabras, censurándonos con los ojos, privándonos, tácitamente, de la salida del día siguiente.

La noche de un viernes, de uno de aquellos viernes en que la Bruna repitiera hasta seis veces la copla del niño secuestrado, ante la petición onerosa y reiterada de Alfredo, éste, ya en la cama, me dijo:

—¿No crees que de mi vida podría cantarse también una copla?

Me reí ahogadamente.

—Tú no estás en un arca.

—Pero a mi manera yo también estoy secuestrado.

Me reí sin ganas, tratando de restar importancia a sus palabras.

—La gente se aburriría con tu copla.

—No lo creas; la Bruna sabría cargar las tintas sobre «él». Es un malvado.

Suspiró profundamente y añadió:

—Yo no sé qué hay en esa copla del arca que me veo en ella.

Me volví a reír, cada vez más forzadamente. No dijo más. Le oí acomodarse en la cama de al lado. Me dormí con la sensación de que Alfredo, con los ojos muy abiertos, proseguía dando vueltas en su cabeza a la posibilidad de que la Bruna sacase una copla melodramática a su existencia.

Capítulo VII

Encauzado el verano por unas veredas tan uniformes se nos fue como una ilusión, cuando casi no habíamos empezado a saborearlo. Me acordé de mayo y de cómo había pensado entonces que las vacaciones estivales eran una cosa a la que apenas si se les veía el fin. Transcurridas ya, empecé a darme cuenta de que nada hay largo en la vida por muy largo que quiera ser. Había vaciado un año de mi existencia desde el día que mi tío me llevara a casa de don Mateo a bordo de una carretela descubierta. De entonces acá me quedaba la huella de unos cuantos días, muy pocos, que destacaban sobre la uniformidad de los demás con características peculiares. Opiné, para mis adentros, que si la vida normal se componía de otras sesenta unidades como ésta, tenían mucha razón los que afirmaban que la existencia era un soplo, el transcurso fugaz de un instante, una realidad que sólo daba tiempo para meditar que, aun pareciéndonos mentira, ya habíamos vivido la vida que nos correspondía.

Con el nuevo curso surgieron algunas novedades en las costumbres de aquella casa. Seguramente la más interesante fue la que adquirió el señor Lesmes de sacarnos las tardes de los domingos a dar un paseo largo. Doña Gregoria rara vez nos acompañaba. La dejábamos en casa leyendo *La Ilustración*, escuchando las notas de su caja de música, o preparando la pasta de las croquetas para la cena.

Uno de los paseos de que conservo clara memoria fue el que dimos el día de Todos los Santos hasta Cuatro Postes. Ocurrió en él algo fuera de todo hábito: Don Mateo se nos volvió del revés con una sinceridad desconcertante.

Recuerdo que iniciamos la excursión descendiendo por la calle de Vallespín hacia la puerta del Oeste. Al pasar frente a la puerta principal de la Casa de los Polentinos, nuestro maestro se detuvo, apuntando a la fachada con la contera de su bastón. (Tenía un aire deslucido y lánguido envuelto en su traje negro, asiendo con su mano izquierda la mano de Martina y apuntando, con el bastón en la diestra, la vieja mansión.) Como si fuese un cicerone de alquiler nos relató con pelos y señales la evolución de aquel palacio. Al cabo de diez minutos concluyó por decirnos que de la casa en cuestión no supervivía más que la portada y un retazo de la fachada principal.

—Lo otro —terminó— fue recientemente destruido. —Se volvió a mí, que le escuchaba cansado, y me dijo perentoriamente—: Tú sabes cuándo fue destruido.

No lo sabía; no intenté adivinarlo tampoco, porque había mil posibilidades de errar en un plazo de diez siglos. Por ello creí preferible, y no muy desacertado, contestar ambiguamente que en la Edad Moderna.

No se molestó por mi respuesta; se contentó con dirigirse a Alfredo, demandando lo que no había obtenido de mí.

—Eso lo sabes tú.

Tampoco lo sabía Alfredo, quien, siguiendo mi ejemplo, manifestó, titubeando, que en la Edad Contemporánea. Don Mateo dio un respingo:

—Eso es como no decir nada.

Nos callamos los dos.

—La mansión de los Polentinos fue destruida durante la Guerra de la Independencia, que fue... (me señaló a mí).

—...En mil ochocientos ocho.

Seguimos andando calle Vallespín abajo. Sentía yo en los pies, a través de las suelas agujereadas de mis zapatos, las guijas del suelo. La inclinación de la calle nos conducía, sin quererlo, casi corriendo. Martina chupeteaba un caramelo y el polvo del camino se pegaba en los límites pringosos de su pequeña boca. Al salir de la muralla nos sorprendió el zumbido trepidante de la fábrica de harinas. Nos miramos Alfredo y yo, y ambos desviamos después las miradas hacia las lucecitas que brillaban allí, en las ventanas, entre correas sin fin y mecanismos atrayentes y desconocidos. Pasamos el puente y ya en la carretera de Salamanca nos desviamos a la derecha. Teníamos Cuatro Postes al alcance de la mano. Ascendimos el promontorio y don Mateo se sentó en el pedestal de la cruz. Nosotros lo hicimos a su alrededor.

—Mirad —nos dijo de repente señalando frente a él.

La ciudad amurallada, quieta en aquella tarde de noviembre, ofrecía desde allí un aspecto sugestivo y misterioso. Caía por sus extremos como si estuviese colocada a horcajadas de alguna gigantesca cabalgadura. La catedral y otros edificios altos se empinaban, destacando sobre las casas vecinas, lo mismo que los días excepcionales del año transcurrido resaltaban en mi memoria sobre la uniformidad gris de los demás. Don Mateo contempló la ciudad durante un gran rato; luego, mirándonos a los tres, dijo:

—En este punto alcanzaron a Santa Teresa cuando huía con su hermano a tierra de moros.

Los ojos de Martina, redondos y claros, estaban clavados en la liviana humanidad de su padre.

—¿Y por qué?

—Escapaba para sufrir martirio por Dios.

—¿Y por qué?

—Porque era muy buena; una santa; una gran santa...

(En este instante comencé a presentir que Ávila no era una ciudad como las demás. Tenía sus raíces clavadas en la Historia, a diferencia de otras. La Historia la vigorizaba en su secuela moderna, le proporcionaba su substancia vital, la coloreaba de un matiz especial, con la verde e impresionante pátina del tiempo...)

Merendamos después. Había algo en la luz aquel día que rimaba perfectamente con el ambiente de la ciudad. Quizá todos lo notábamos inconscientemente. Y de aquí nuestro silencio; un silencio que parecía desusado, blanco, poroso.

—El día que yo tenga dinero no viviré aquí.

Don Mateo miró a Alfredo como si de sus labios hubiera salido una blasfemia. Alfredo no se dio por aludido.

—Esta ciudad es aburrida, se cae de vieja.

El señor Lesmes no apartaba su mirada de Alfredo.

—¿No te gusta Ávila?

(Instintivamente miré hacia adelante. El promontorio de Cuatro Postes se despeñaba a nuestros pies hasta alcanzar el río. Junto a éste se elevaban las copas aún verdes

de susurrantes arboledas. Más allá, el terreno se encarama-
ba otra vez hasta llegar a la muralla sólida y amarilla.
Encima y a los lados el silencio, un espeso silencio
preservado por las nubes grises inmóviles en el cielo.)

—No; no me gusta esta ciudad. Aquí sería lo mismo
tener dinero que no tenerlo. No hay lugar para gastarlo.
Y sin gastar dinero no se puede ser feliz...

Sus palabras adquirían en aquel clima el valor detonante
de las amapolas en un campo. Se escapaban del ambiente,
desentonaban por su ambición de este clima sin apetencias.

—Hacen falta años para percatarse de que el no ser
desgraciado es ya lograr bastante felicidad en este mundo.
La ambición sin tasa hace a los hombres desdichados si no
llegan a conseguir lo que desean. La suprema quietud con
poco se alcanza, meramente con lo imprescindible.

Tenía el señor Lesmes la cabeza ladeada, recostada en
uno de los brazos de la cruz de piedra. Una sonrisa de burla
estremecía los labios de Alfredo. Sentí su codo contra mi
pierna, repetidamente, haciéndome señas.

—Tal vez el secreto —añadió don Mateo— esté en
quedarse en poco: lograrlo todo no da la felicidad, porque
al tener acompaña siempre el temor de perderlo, que
proporciona un desasosiego semejante al de no poseer
nada. Debemos vigilar nuestras conquistas terrenas tanto
como a nosotros mismos. Son, casi siempre, la causa de la
infelicidad de los hombres.

Martina jugaba a mi lado con un montón de blancas
piedrecitas. El codo de Alfredo seguía incrustándose en mi
muslo con leves intervalos. Adiviné que pensaba en los mil
reales que mensualmente retiraba del Banco don Mateo
para atender al alimento de su cuerpo y de su inteligencia.
La insistencia machacona de mi amigo hacía gorgoritear la
risa en mi garganta. Un brillo triste iluminaba las pupilas
del señor Lesmes conforme iba hablando.

—No es lo mismo perder que no llegar. Si os dan a elegir,
quedaos con lo último. El hombre acostumbrado a dos, si
le dan tres será feliz; si desciende a uno, apenas percibirá la
diferencia. El habituado a diez si baja a tres difícilmente
sabrá acomodarse a esta férrea limitación; si llega a veinte

no por ello se incrementará su dicha, porque hay una raya en que, rebasada, las conquistas no proporcionan utilidad.

Súbitamente me contemplé como un ser que empieza a usar de la razón con lógica y clarividencia. Noté que mi cuerpo se destapaba como una botella y se hacía receptor de toda clase de influencias externas. Creo que, por primera vez, observé en un juicio humano la prodigiosa relación de causalidad, la lógica de un discurso razonado y fundado hasta la consecuencia extrema. Mas el codo de Alfredo contra mi muslo me hizo pensar que, pese a todo, también podría sonreír; o reír francamente a carcajadas hasta que el amargo pesimismo de nuestro maestro se deshiciese en la atmósfera como el humo.

Martina había conseguido ya un aparente montón de piedrecitas blancas, y ahora lo admiraba con una especial reverencia. Fany hurgaba en unas basuras próximas. La tarde iba cayendo. Vimos encenderse detrás de la muralla el primer farol. Después surgieron otras muchas luces, verdosas, inciertas.

Me asusté al volver a escuchar la voz de don Mateo.

—Para el hombre de fe la dicha no es de este mundo. Se acomoda a los malos medios ante la esperanza de un buen fin. Y quizás esta esperanza le facilite mayor motivo de dicha que la que puede obtener aquel que busca, sin saciarse, hasta la última gota de placer. No; la realidad de la vida terrena no es para el creyente, pero tampoco para el vicioso. Para aquél la vida es una esperanza y un hastío para éste. La vida terrena es del hombre neutro; de quien no ha puesto la base de su felicidad en nada caduco, finito, limitado, aunque tampoco en una vida ulterior; de quien ha hecho de la vida una experiencia sin profundidad, altura, consistencia ni raíz...

Se detuvo un momento y prosiguió:

—Éste sería el ideal del cuerpo, el ideal del hombre si todo fuese materia. Mas habiendo detrás un alma, merced a la cual el cuerpo alienta, supone una aberración vivir sólo para el mundo.

Sonó un ladrido de Fany detrás de nosotros. De reojo observé a Alfredo, cuya cara estaba iluminada por una media sonrisa de escepticismo. Martina descendía a gatas del promontorio. Don Mateo la vio y se levantó de un salto. Tomó en brazos a la tierna criatura y la besó en el trasero manchado de tierra. Oí una voz junto a mí.

—Vaya sermón.

Alfredo apenas podía contener la risa. Al ponerme de pie me obsequió con un tremendo pellizco en el brazo y un guiño expresivo.

Habló don Mateo:

—Creo que ya es hora de marchar.

El señor Lesmes retornaba, poco a poco, a su habitual y reservado estado de ánimo. La transición fue tan paulatina que me pasó casi inadvertida. Tomó el capacho con las sobras de la merienda y me lo confió a mí. Luego, agarrando a Martina de la mano, inició el descenso de la leve prominencia precedido por Fany, trotona e inquieta.

En el puente nos ocurrió un suceso lamentable. Un carro cargado de naranjas pasó a gran velocidad junto a nosotros. Tan rápidamente se nos echó encima que a punto estuvo don Mateo en dar la voltereta por la acitara. El susto de Fany se transformó, pasado el primer instante, en una ira incontenible que la impulsó a lanzarse en pos del caballo ladrándole junto a los cascos. Hubo un momento en que la vi entre las ruedas. Don Mateo la llamó, pero la perrita, obcecada, continuaba su estéril persecución.

—¡Fany!

El grito de Alfredo, interpolado de angustia, me estremeció. La perra se detuvo un instante y miró atrás. Todo lo demás aconteció en un segundo. La rueda del carro cargado aplastó una de sus pequeñas patas contra la calzada. Fany aulló de dolor y quedó tendida en la carretera, lamiéndose la pata lesionada mientras el carro se perdía en la obscuridad. Corrimos todos hacia el animal, que se estremecía en el suelo. Martina, Alfredo y yo llorábamos. Me conmovió aún más la aguda desesperación de la pequeña Martina. Yo abracé al animal izándole con cariño. Su pálida mirada agradecida renovó mis lágrimas que ya no me esforzaba en contener.

El trayecto hasta casa fue muy semejante a una procesión fúnebre. Yo en medio, con la perrita apretada contra mi pecho, rodeado de ojos empañados. Sólo don Mateo supo en esta ocasión imponerse a su tristeza; pero la expresión de su mirada de aquella tarde, cuando nos hablaba recostado en la cruz, había regresado a sus ojos. El timbre de sus palabras, empero, era absolutamente normal.

—Fany quedará coja.

Se marchitó la última esperanza. En un principio juzgué cruel al señor Lesmes, pero un instante después le perdoné, pensando que era aún más cruel alentarnos con una esperanza infundada.

—Aquí tenéis la demostración de lo que antes os decía. (Aquilaté cuánto había cambiado el mundo en un minuto. Ahora Alfredo no me presionaba con el codo, ni sonreía escépticamente. Y, sin embargo, el motivo subsistía.) Si Fany hubiera nacido coja de dos patas hoy se sentiría feliz de poder disponer de tres. Pero Fany hace poco utilizaba sus cuatro patas...

Dejó la frase en el aire, pero todos, excepto Martina y seguramente la propia Fany, le comprendimos. Evidentemente había un riesgo en la abundancia e incluso en la misma normalidad.

Aquella noche, cuando don Mateo se puso a migar la cena de los peces, sus manos morenas y pequeñas se movieron más nerviosas que de costumbre.

Capítulo VIII

Estoy seguro de que Alfredo, antes de dormirse aquella noche, sólo pensó en Fany. (Lo habíamos preparado todo concienzudamente para pernoctar. La perrita nos escrutaba con sus ojos melancólicos, haciendo el cálculo correspondiente e inevitable de si, en medio de todo, no la compensarían de tener una pata de menos, aquellas raciones extraordinarias, la posibilidad de dormir en un jergón mullido —privilegio que no conociera desde su arribada al mundo— y las miradas de conmiseración en que todos envolvíamos su patita machacada e, incluso, todo su ser físico.) Para Alfredo el lamentable acontecimiento del puente fue, sin duda, el suceso del día, el suceso que más le impresionase desde su internamiento en casa de don Mateo. De los demás actos de la tarde no le restaba ni el más liviano rescoldo; todo quedó enterrado tras la aguda percepción física, y la correspondiente impacción espiritual del atropello de Fany por una carreta. Probablemente ni se acordaría ya, tampoco, de que no hacía cinco horas que se desternillaba de risa y de que su codo se clavaba en mi muslo para subrayarme, irónico, todo lo que a mí pudiera pasarme inadvertido. Nada de esto recordaba ya Alfredo. Únicamente la imagen de Fany postrada, posiblemente dolorida, debió de ocupar un momento su cabeza antes de dormirse. El resto, las demás sensaciones de aquella tarde quedaron atrás, tan atrás en la historia de mi amigo, que de seguro no volvería a recordarlas hasta que un día, vacío por dentro y por fuera, le asaltasen estas rememoraciones que, en virtud de una sensación más realista y vigorosa, habían quedado postergadas en su día.

Alfredo roncaba a mi lado. Roncaba a los cinco minutos de tumbarse en la cama, olvidado de las horas efervescentes de la tarde. Sus ronquidos sonaban en la habitación regularmente; se iniciaban gruesos y guturales para terminar en un breve silbido, cada vez más agudo. Mi imaginación, un poco acorchada, daba a sus ronquidos la forma de un cono con la base en la boca de mi amigo y el vértice en cualquier ángulo obscuro del techo de la habitación...

Por mi parte yo no podía dormirme. Para mí el accidente de Fany no había sido un hecho aislado de los demás acontecimientos del día. Constituía un eslabón más en la sórdida cadena de causas y efectos que se me había manifestado por primera vez aquella tarde; la consecuencia externa del claro razonamiento de mi maestro. Entre las palabras de éste y el percance del puente había más de causalidad que de casualidad; más de relación que de azar. Adivinaba, detrás de todo ello, la mano de Dios mostrándome por señas lo que la vida era y lo que de ella cabía esperar. Advertía diáfanamente que mi cabeza abandonaba el cómodo sesteo de la inercia de doce años y penetraba en un período de anómala actividad. Cesaba de moverme a impulsos, por instinto; el cerebro se erigía en centro rector de cada uno de mis actos y voliciones. Percibí, con toda claridad, el rompimiento del sello que hasta hoy había vedado el funcionamiento normal de mi cabeza, envuelta y sin mancha como una cosa sin estrenar. Ahora todo era distinto. Yo ya no sólo intuía, razonaba. Columbraba para la vida un alcance diferente al limitado horizonte color de rosa que, hasta este momento, limitara sus perspectivas. Por asociación de ideas, mi pensamiento escapó hasta la fábrica de harinas del otro lado de la muralla. Configuré mi cerebro de una manera semejante a aquel misterioso mecanismo, que ejercía sobre nosotros un inaudito poder de sugestión, adaptándolo a las proporciones de mi cráneo. Diminutas correas sin fin, engranajes minúsculos, lucecitas de colores, señalando bajo mi cráneo la repercusión de la actividad del mundo, enlazando unos hechos con otros que quizá a primera vista no tenían ningún punto de unión. Me encontraba a mí mismo como revestido de una capa de experiencia que Alfredo, por ejemplo, aún no había llegado a adquirir. Empezaba aquella noche a usar de la razón. Mi interior estaba de estreno, lo mismo que lo estaba mi exterior en la jornada bulliciosa del Domingo de Ramos. Presentí que comenzaba a hacerme hombre por dentro, hombre capaz de delimitar su consistencia espiritual en un instante dado, de relacionar «su actualidad» con todos sus precedentes y consecuentes, de dirimir la contienda íntima entre el bien y el mal, de tomar decisiones por sí mismo... Y noté que quien me había despertado era mi maestro con sus bien centradas palabras sobre la felicidad. Mi cabeza ya podía dilucidar entre la dicha y la desdicha. Sus circunvoluciones actuaban ahora bajo el riego de una substancia que secretaba la razón. Analizaba el mundo y la vida desde un ángulo diferente al utilizado durante los doce años anteriores. Me sentía capaz de sopesar, ponderar y decidir; en una palabra, de valerme por mí mismo.

Y todo ello lo debía a la fría exposición de don Mateo. Había asimilado su lección en todas sus facetas, sus determinantes y sus consecuencias. Sus palabras se habían volcado sobre mi ser, empapándole como si fuese una esponja. Casi me dolía la cabeza al iniciarse esta etapa discursiva. Percibía yo claramente, debajo de los huesos de mi cráneo, el palpitar de la vida, la puesta en marcha de la razón, la iniciación de una corriente poderosa que me hacía sentirme otro distinto del que hasta ahora había sido.

Un grito angustiado del otro lado del tabique detuvo el curso de mis cavilaciones. Martina debía soñar con perritos atropellados a cientos por conductores inexpertos y sin escrúpulos. Se contuvo la respiración gutural de Alfredo para retornar poco después más simétrica, más acompasada que antes. Pensé en la fuerza lógica de las aseveraciones del señor Lesmes. La felicidad o la desdicha era una simple cuestión de elasticidad de nuestra facultad de desasimiento. La vida transcurría en un equilibrio constante entre el toma y el deja. Y lo difícil no era tomar, sino dejar, desasirnos de las cosas que merecen nuestro aprecio. Aquí estribaban las posibilidades de felicidad de cada humano: en que su facultad de desasimiento fuese más o menos elástica, en que el hombre estuviese más o menos aferrado a las cosas materiales. Por ello tal vez el secreto básico estuviese contenido en el hecho de no tomar nunca para no tener que dejar nada. Era un remedio negativo, de renunciación, pero, con certeza, el adecuado a mi calidad humana, desprovista de reservas y de capacidad de sacrificio. Lo cuestionable consistía en saber si el hombre tiene alguna probabilidad de subsistir sin aprehender nada, desasido de todo, desconectado de los seres y las cosas que le rodean; si el individuo es capaz de desarrollar su individualidad propia y primitiva sin necesidad de echar mano de recursos extraños a sí.

La cabeza empezaba a calentárseme restregada por el decurso de los primeros razonamientos. Quise imaginarme a un grano de trigo aislado de los demás granos, sin rozarse con ninguno, dentro de un saco; deseé poder concebir un punto de arena en una playa sin conexión alguna con otros puntos: quise aislar una molécula de agua en el seno de la mar, y no me fue posible. La realidad se me imponía con las armas de la lógica. Nada puede existir en el mundo sin una relación de dependencia, de coordinación o de mando. Todo está incrustado en un orden preestablecido, sometido a leyes fatales o voluntarias, pero que por sí hablan ya de una coordinación y un nexo al menos relativos. Deseé imaginarme a un hombre autónomo, independiente de otros hombres y de las cosas en un grado absoluto. Voló mi imaginación a un peñasco solitario del mar mayor del Universo. Allí situé a mi hombre imaginario. Le di por oficio el de torrero del faro. Al momento se me impuso de nuevo, implacable, la fuerza de la realidad. Ese hombre venía de algún punto; naturalmente, de otro hombre. El faro debería arder de noche para evitar el naufragio de otros hombres. Sobre esto el torrero había de atender a sus necesidades ineludibles: comer, vestir, cultivar su espíritu. Ya estaba mi hombre encadenado; sujeto a la ráfaga interminable de la dependencia, de la conexión, de la fatal coordinación a otros hombres y a otras cosas. El hombre absolutamente aislado era inconcebible. En ese equilibrio entre el toma y el deja, no era solución posible el no tomar nada para no tener que dejar nada. La encrucijada del desasimiento, en más o en menos, había de llegar forzosamente para todos.

Suspendió el avance de mis razonamientos un aullido lastimero. Agucé mis oídos pero no volvió a repetirse. Pensé si mi hiperestesia no me estaría jugando alguna mala pasada. Alfredo esta vez no se inmutó. Prosiguió roncando, proyectando sobre cualquier ángulo de la habitación el vértice de sus conos. Insensiblemente las correítas sin fin y las lucecitas de mi cerebro entraron nuevamente en actividad. En pequeño, exactamente igual que en las entrañas de la fábrica cuando la contemplábamos desde el puente. Ahora ya aquilataba, con un perfecto ritmo, el contenido de la vida. La imagen de otro hombre bulló en mi cerebro nuevamente y sus rasgos físicos coincidían cabalmente con los del torrero imaginario. Avanzaba por un camino estrecho y de repente le vi agacharse y tomar de la linde derecha una flor. Era una margarita; en su corazón amarillo cuatro letras decían «amor». Sonriente se la puso en el ojal y siguió adelante. Poco más allá se inclinó otra vez sobre la linde derecha y tomó otra flor: era una violeta. Otras cuatro letras se combinaban formando en su seno la palabra «hijo». Aún tomó otras tres violetas con la misma inscripción y después otras dos flores distintas en una de las cuales se leía «aumento de categoría y sueldo» y «salud» en la otra. Ésta era una amapola. Todas ellas las tomó el hombre con la sonrisa en los labios. De repente se dio cuenta de que la amapola estaba lacia, caída, marchita. Instantáneamente el hombre cesó de sonreír y arrojó la flor a la cuneta de la izquierda. Me percaté que se iniciaba el capítulo de las renunciaciones, del desasimiento. La margarita primero comenzó a perder poco a poco sus pétalos blancos. Suspiró el hombre y la tiró lejos de sí. Pero aún continuaba avanzando camino adelante, con aspecto cansino y desmayado, pero apurando la colilla de la vida. Aún hubo de desprenderse el hombre de una de las pequeñas violetas. Al arrojarla el infeliz lloraba como un niño. Poco más lejos se tambaleó el hombre y quedó tendido en el camino. De súbito las tres pequeñas violetas que amorosamente guardaba en su mano se desasieron de su presión y se convirtieron, merced a algún maravilloso prodigio, en tres muchachos de mi edad. Uno tras otro, separados, tomaron el camino y siguieron adelante. Les vi agacharse más allá, arrancando también flores de la linde derecha del camino. Se iban transformando en hombres poco a poco.

69

En plena metamorfosis ya observé que tenían que arrojar a la cuneta de la izquierda algunas flores tomadas antes de la linde derecha...

Ahora sí que había sonado un aullido quejumbroso. El recuerdo de Fany abortó las imágenes de mi fantasía. Volví a escuchar el aullido lastimero. Era tan tenue que únicamente yo, que velaba, hubiese podido oírle. Me incorporé de la cama y por tercera vez percibí el lamento. Introduje mis pies en las zapatillas y avancé hacia la puerta tanteando en la obscuridad. Abrí de un tirón para evitar despertar a Alfredo. Se rebulló éste y tosió; aguardé a que sus ronquidos tomaran su regularidad normal. Luego me lancé a tientas por el pasillo y di la luz de la cocina. Las cucarachas, deslumbradas así inopinadamente, se quedaron quietas, aplastadas contra el suelo, pretendiendo disimular su negra presencia. Luego echaron a correr en distintas direcciones, escondiéndose en todos los resquicios. Me aproximé a Fany, que me observaba con su mirada cariñosa y triste. Su tenue quejido se repetía cada vez que se pasaba la lengua por la pata rota. La acaricié con una ternura que me sorprendió a mí mismo. La luz parda de sus ojos se posaba en mí agradecida:

—Pobre Fany... Duele, ¿verdad? Mañana estarás mejor.

La había cogido en mis brazos, y entonces advertí que temblaba. No dudé más. Apagué la luz y con Fany en mis brazos me trasladé a mi cuarto. Todos dormían. La acomodé como pude sobre mi lecho, cubriéndola con la manta. Yo me eché junto a ella oprimiéndola contra mi pecho. Me di cuenta entonces de que tenía la almohada muy húmeda y que yo estaba llorando acongojadamente. Fany se quejó, pegándoseme más al pecho.

—Fany, querida perrita... —le dije al oído suavemente—. Si hubieses nacido con dos patas rotas hoy sería el día más feliz de tu vida al verte con tres... Lo que cuesta es renunciar...

Martina dio un prolongado chillido desde su cama. Se inquietó un momento Alfredo y volvió a toser; luego retornó su respiración acompasada. Minutos después Fany y yo nos quedamos dormidos estrechamente abrazados.

Capítulo IX

Iniciada la primavera llegaron unos parientes de doña Gregoria a pasar unas semanas con nosotros. Eran marido y mujer, aunque por su apariencia podría habérseles tomado perfectamente por madre e hijo. Ella era gruesa, barriguda, de aspecto setentón y cansino; él un magnífico tipo de hombre, ancho, corpulento y capitán de la Marina Mercante. A la sazón se había retirado, pero su retiro, lejos de entibiar el vigor de sus relatos, les daba calidades nuevas, frutos de la experiencia y de la imparcialidad de visión. Aquellas tres semanas fueron para doña Gregoria un espolazo que rompió con la reiteración obstructora de su vivir cotidiano. Se transformó en otra mujer. Se la veía más activa, más animosa, más agradecida de vivir e incluso más charlatana. La presencia de aquel primo postizo —las parientes reales eran las dos mujeres— renovaba sus bríos recordándole constantemente su condición de mujer. Gracias a ella Alfredo y yo podíamos enterarnos de muchas de las cosas que ocurrían en esos grandes pedazos de agua, por lo visto azules, que la humanidad llama mares. Nuestra patrona había escogido por estribillo aquello de que «la carrera de marino debe de ser muy bonita» y lo adhería siempre como remate de cada una de sus opiniones.

—La carrera tiene de bonito lo que tiene de triste —decía el marino—. Se está en perpetuo contacto con lo infinito y se posterga en cambio lamentablemente lo pequeño, lo estrictamente familiar e íntimo. Nuestra carrera le hace vivir a uno una mascarada perpetua. Siempre moviéndose, modificándose constantemente los rostros y los paisajes; el marino es como un forúnculo, aparece de improviso y se desvanece cuando empezábamos a acostumbrarnos a vivir con él. Jamás echa raíces en ninguna parte; y no las echa porque no puede. Yo jamás recomendaría, ni siquiera a un hombre de intensa vida interior, la carrera de marino. Un hombre habituado a la vida interna debe enraizar esta vida en los hechos externos que le afectan y que se repiten. Para el marino los hechos externos apenas si tienen influencia por su constante variabilidad.

—Así y todo, la carrera de marino debe de ser muy bonita.

El estribillo de la patrona aguijoneaba al visitante. Era una fórmula mágica para hacerle mover la lengua sin descanso. De esta manera sus narraciones se extendían a acontecimientos extraordinarios y a veces inverosímiles: incendios en alta mar, abordajes, devastadoras tempestades... Para Alfredo y para mí tuvo aquella visita un encanto indescriptible. Nos movíamos entre misterios, entre paisajes y cosas lejanos y desconocidos. Empezando por el mar todo era un misterio para nosotros. Habíamos leído últimamente algunos libros de aventuras de carácter marinero y esta visita se nos antojaba como un puente que nos llevaba de la cumbre de la fantasía a la de la realidad, en la cual podíamos palpar y sobar a nuestro gusto todas las estremecedoras mentiras que habíamos saboreado anteriormente en letras de molde.

Doña Servanda, la esposa del marino, solía dormirse en las tertulias de sobremesa, en las que su marido tensaba los nervios de Alfredo y míos con sus estupendos relatos. Se dormía con sus manazas gordas y chatas tumbadas sobre su vientre hinchado, respirando de una forma tan brutal que las tempestades que el marino describía con fiel detalle encontraban en los resoplidos de la dama una representación sincera y próxima de la potencia del huracán. Esta desatención hacia las heroicidades maritales me dio pie para sospechar que nadie resta tanto vigor y mérito a las hazañas de los hombres como las personas que completan el círculo reducido de su clan familiar.

En cambio, para nuestro maestro, los relatos de don Felipe se ofrecían también poblados de alicientes, aunque su curiosidad tuviese un sentido diferente al nuestro. Se interesaba mucho por el comercio de exportación y de importación, el sistema complejo e intrincado de la imposición aduanera, los peces voladores y otras especies marinas y, sobre todo, por cuál era actualmente la inclinación de la balanza comercial entre España y las naciones del Oriente Medio. Cuando el pobre don Felipe se enredaba en estas cuestiones sufría congojas de muerte. Su rostro curtido comenzaba a sudar y el pañuelo que utilizaba hacía sus viajes a la frente de su dueño con más frecuencia que cuando éste se extendía, por ejemplo, en documentados pormenores de escenas movidas y sangrientas.

Una tarde don Mateo llevó a sus huéspedes a ver la ciudad. Alfredo, Martina y yo nos quedamos en casa. Doña Servanda no admitió la excursión hasta que le fue garantizado que los pies no serían usados para el trayecto. Regresaron a altas horas de la noche, haciéndose lenguas los forasteros de las maravillas arquitectónicas que Ávila conservaba entre sus murallas. Naturalmente, habían hecho un alto en Cuatro Postes para recrearse en la contemplación de la ciudad lejana. Lo que más había sorprendido a doña Servanda era que media ciudad estuviese amurallada y la otra media no. Alguien intentó hacerle ver que la primitiva Ávila estuvo toda ella tras los muros de la fortaleza. Alegó doña Servanda en apoyo de su tesis que si esto era así, cómo nos explicábamos que fuera de los muros hubiese edificios más viejos que dentro de ellos. En el terreno de la dialéctica doña Servanda era terca como una mula. Cuando su contrincante quiso hacerle ver la carencia de base de su argumento, doña Servanda cubrió su vientre voluminoso con sus manos rollizas y se quedó dormida.

Acto seguido don Felipe se puso a contar la maravillosa perspectiva de la villa oteada desde Cuatro Postes. Don Mateo le advirtió que cuando había que ver la ciudad desde este lugar era en invierno, con nieve y luz de luna. (Al hacer el señor Lesmes esta indicación observé que las visitas jamás tienen la fortuna de encontrar nuestras cosas bellas en su fase de mayor belleza y plenitud. Siempre, fatalmente, por pitos o por flautas, hay algo que las desluce, que las achica, que les falta, que les merma sus cualidades sobresalientes y únicas.) Insistió el marino en que, a pesar de los pesares, Ávila, vista desde Cuatro Postes, era un monumento histórico y artístico de valor considerable. Nuestro maestro hizo hincapié en que no podía haber comparación entre lo que habían visto y lo que podrían ver si se animaban a volver para el invierno siguiente, cuando la ciudad alienta bajo la presión de la nieve y la luna se mira en los tejados, pálida y deslucida como un espectro de sí misma.

Don Felipe acabó por asegurar que volverían al invierno próximo si ello les era posible. Y en vista de que doña Servanda no cesaba en sus profundas inspiraciones y sus huracanadas espiraciones, optamos todos por marcharnos sin más a nuestras habitaciones. Apenas me vi a solas con Alfredo le expuse la idea que había germinado en mi mente momentos antes:

—Tenemos que ir a Cuatro Postes una noche de invierno, cuando todo esté nevado y la luna brille en el cielo.

Me miró Alfredo como quien mira a un ser extraño.

—No podremos hacer esto; tú lo sabes. Doña Gregoria no nos deja salir de noche y menos cuando haya nieve en la ciudad.

Me reí de la puerilidad de Alfredo. Mi proyecto iba más lejos de la sumisión y la obediencia. Era más osado y mucho más vasto. Le miré a la raya donde se juntaban sus cejas casi blancas y dije con aplomo:

—Nos escaparemos cuando todos duerman. Nuestra ventana queda a metro y medio del suelo. Nadie se dará cuenta de nuestra fuga. Así será una aventura completa.

Brillaron de ilusión sus ojos claros y la expresión de su rostro me indicó que si de él dependiera desencadenaría ahora mismo una nevada de copos como platos e izaría sobre aquel cielo tibio de abril una luna pálida, glauca y enfermiza como la que salta sobre el firmamento en los meses helados de invierno. El ver aprobado con tanta facilidad mi proyecto me llenó de regocijo. Aquello, mi idea sin madurar aún, cobraba visos de posibilidad con la espontánea y vehemente adhesión de Alfredo. Nos desnudamos proyectando nuestros comentarios sobre el deseado futuro. Alfredo se me puso delante, súbitamente, cogiéndome los hombros con sus manos:

—Además podremos ver la fábrica de noche. ¿Verdad que no habías pensado en ello?

Tanta dicha en lontananza me parecía excesiva para ser cierta. Sobre la ilusión de la escapatoria, sobre el encanto de deslizarnos por las calles heladas una madrugada de luna, sobre la increíble satisfacción de poder recrear nuestros sentidos sobre la ciudad hermética, silenciosa y nevada, venía ahora este complemento, alentador y sugestivo, de poder atusar con nuestras manos la mole de la fábrica, callada y obscura, de la misma manera que si se tratase de un monstruo dormido. Nos metimos en la cama quitándonos recíprocamente la palabra de la boca. Tanto era lo que nos iba en aquella proyectada expedición que de habernos asegurado alguien la imposibilidad de realizarla como pensábamos, creo que hubiésemos enflaquecido de tristeza. Aquella noche nos dormimos sin rezar. Yo soñé con unas brujas simpáticas, vestidas de blanco, que se paseaban en sus escobas volando de alero a alero. Todo estaba cubierto de nieve y la luna, que lucía demacrada y lánguida en el cielo, era el perfil de otra bruja que había fallecido repentinamente la noche anterior al trasladarse de la Tierra a Marte. Alfredo, según me contó a la mañana siguiente, soñó también cosas extrañas. Hacíamos una excursión nocturna a Cuatro Postes, pero ni Cuatro Postes era Cuatro Postes, ni Ávila Ávila, ni nosotros éramos nosotros mismos. Tanta falta de lógica y de sinceridad disminuyeron mi interés por el sueño de Alfredo. Casi no le entendí lo que se esforzó en relatarme, coaccionado por ese desasosiego turbador de irrealidad que producen los sueños. Resultaba que allí nadie era nadie; ninguno, ni el escenario siquiera, disfrutábamos de una personalidad permanente y acusada, ni en definitiva, el sueño fue sueño, sino pesadilla.

A la mañana siguiente vino Fany a arañar la puerta de nuestro cuarto. Alfredo se tiró de la cama y la dejó penetrar. Fany no acusaba ya la depresión de los primeros días en que se vio forzada a prescindir de una pata. Ahora era feliz con tres y la realidad de una vida soportada a pipiricojo no parecía sumirla en la triste melancolía de la desgracia que fue y pudo ser evitada. Desayunamos con ella y luego la expulsamos de nuestra vera constreñidos por la precisión de preparar nuestras lecciones.

A la hora de comer, doña Gregoria se presentó indignada. Acababa de beber en la fuente informativa de *La Ilustración Española y Americana* y ansiaba orientar su juicio crítico hacia algo concreto que debía de estar corroyéndola como un cáncer.

—Esto es el colmo —dijo tan pronto como terminamos de sentarnos todos en derredor de la mesa. Hubo un silencio embarazoso, buscado de propósito por doña Gregoria—. Por lo visto, ahora en Barcelona es moda llevar el Viático en automóvil. Acabo de leerlo. Apenas conozco estos artefactos, pero me parece de lo más impropio y de lo menos respetuoso.

Infló el vientre doña Servanda. Seguidamente lo contrajo para no robar tanto espacio en el ambiente a las ondas de su voz.

—Cosas de la civilización.

El marino, que de todo entendía, terció seguidamente.

—La civilización en lo que atañe al espíritu es regresiva.

Le gustó extraordinariamente esta frase a don Mateo, quien se creyó en el deber de echar su cuarto a espadas.

—Estoy de acuerdo con usted. El hombre se engaña en su bienestar material; no quiere entender que el progreso de la materia requiere un substrato espiritual en que apoyarse. De otra manera se edifica en falso, incurriendo en el peligro de que todo se venga abajo en el momento menos pensado.

Doña Gregoria sonrió orgullosa de la polvareda que había armado. Los contempló a todos con sus ojillos naturalmente inexpresivos, inescrutables, hipócritas. Don Mateo migaba ahora el pan en su palma morena.

—Yo no entro con estas novedades; de seguir así, día llegará en que todos volaremos por los aires.

Después de pronunciar esta frase doña Servanda dio libertad a su vientre para que se expansionase. Doña Gregoria vio oportunamente el nuevo punto de apoyo. Se limpió sus morritos con la servilleta y añadió:

—Lo que yo digo; de seguir así no tardaremos en ver el Santísimo elevarse en un aerostato para acudir en socorro de un moribundo. Y esto no está bien. A mi parecer los Sacramentos son antes y por encima de la civilización —concluyó rotundamente—, aunque ésta llegue a perfeccionar el aerostato y a rodear sus movimientos de las máximas garantías.

Nuevamente intervino don Felipe:

—Y eso que ustedes no deben quejarse; viven aquí como en plena Edad Media.

Suspiró el señor Lesmes. Tampoco le disgustaba tocar este tema.

—No vaya usted tan lejos. Aquí se percibe mejor que en ninguna otra parte el rapto de nuestros valores espirituales por la civilización. Tal vez porque hasta las piedras encierran estos valores. Yo, por muchas vueltas que le dé, siempre acabo imaginándome la civilización como una máquina que, como cualquier parásito, va chupando a nuestros espíritus las mejores substancias para convertirlas en automóviles, aerostatos, cinematógrafos y otros extraños aparatos que constituyen la monumentalidad del más puro materialismo. En resumidas cuentas, en virtud de la civilización, el espíritu deviene materia prima para ser transformado en productos de una utilidad exclusivamente corporal.

Aquello empezaba a ponerse pedante, fatuo y aburrido. Me miró Alfredo y me guiñó un ojo. Conocía la contraseña y dejé caer al suelo un tenedor. Bastó este leve cataclismo para que doña Gregoria advirtiese nuestra presencia, interrumpiese la tertulia para mandarnos a nuestra habitación, y nos liberase, con ello, del sopor y la atonía de aquella conversación tan poco interesante. Sospecho que la caída del tenedor sirvió también de disculpa a doña Servanda para dormirse. Creo más: don Felipe supo igualmente aprovecharse de la confusión originada para huir de un tema que no aparentaba tampoco divertirle demasiado. La cajita de música de doña Gregoria dejó oír sus notas a los diez minutos escasos de habernos retirado Alfredo y yo. Esto me demostró que la reunión estaba completamente desarticulada. Me sentí orgulloso de la buena obra que con tanto éxito acababa de realizar.

De la estancia de doña Servanda y don Felipe me quedaron dos deseos inmoderados: el de conocer el mar y el de contemplar la ciudad nevada desde Cuatro Postes en una noche de luna. No obstante, la sujeción a una línea de conducta establecida de antemano y la imposibilidad de ver realizados estos deseos de momento terminaron por desplazarlos de mi cabeza, quedando relegados a una ilusión sin posibilidades prácticas de ninguna clase.

Con el advenimiento de la primavera se reanudó la costumbre de los largos paseos dominicales. Don Mateo, al frente de la patrulla, embutido en su traje negro de corte detestable, capitaneaba el grupo. Fany brincaba a nuestro lado, sin echar de menos la pata que se llevara por delante aquella malhadada carreta de naranjas. Opiné para mi fuero interno que la facultad de desasimiento de la perrita era extraordinariamente elástica y muy desarrollada.

Un día pasamos por los Deanes y nos encaminamos al cementerio. La tarde, soleada y tibia, se dejaba mecer por la brisa acariciadora que a soplos fugaces bajaba de la Sierra. Al dejar atrás la ciudad me empapó un frenético deseo de vivir mil años aferrado a este día, a este minuto, a este instante. Seguramente preveía para mi ser un futuro muy amargo cuando con tan poco me conformaba. Los chopos a ambas orillas del paseo prestaban refugio a millares de gorriones que se perseguían entre las ramas. A derecha e izquierda el campo se coronaba de crestas de granito que a veces, en virtud de una casual aglomeración, adquirían la prestancia de arcaicas ciudades destruidas. Conforme disminuía la distancia que nos separaba del camposanto se incrementaba el intenso golpear de los canteros contra la piedra. (Con parsimonia daban forma geométrica a un pedrusco de granito con la luctuosa idea de que en su día sirviese para poner frontera entre un muerto y los que detrás le supervivían. Pensé que son muchos los vivos que viven a costa de los muertos; que sobre sus desechos carnales hay muchas industrias establecidas, aupadas por la fatalidad del desenlace.) Al descender una suave ondulación del terreno, que imperceptiblemente habíamos ascendido, me di cuenta de que la ciudad desaparecía de nuestra vista. Diríase que los vivos nada querían saber de los muertos, ni los muertos de los vivos; deseaban ignorarse mutuamente, habitar cada cual su zona de aislamiento. Aprecié en la actitud de los vivos un punto de feroz egoísmo, un comportamiento desaprensivo y suicida. Convenía, a mi entender, a los vivos tener siempre presentes a los muertos para asimilar y aprovecharse de la experiencia acumulada en sus cuerpos en descomposición. Los muertos siempre sabrían algo más por el simple hecho de haber vivido ya. Sus lecciones podrían tener un contenido de escarmiento para los que quedasen detrás. Vi a lo lejos una arboleda surgiendo junto a una tapia, la cual daba acceso a su interior por una alta verja de hierro. Era el cementerio. Contra mi rostro chocó una vaharada de indecible paz; la paz augusta, ininterrumpida, de los muertos. Imaginé la algarabía que existiría detrás de aquel paredón, de ser vivos en vez de muertos los que allí se albergaban. Ya más próximos leí arriba de la verja la inscripción «Cementerio Católico».

Había ya debajo de la arboleda de la entrada un penetrante olor a pino a pesar de no ser pinos los árboles de la arboleda. Me pasó por la imaginación la idea de que los cuerpos en corrupción podrían exhalar este olor y sentí náuseas. Luego, dentro ya del cementerio, observé que los pinos estaban allí en fraternal camaradería con los cipreses, cobijando bajo sus sombras las losas grises de las tumbas. Era la primera vez que entraba yo en un camposanto y la simétrica manera de esparcirse las moradas de los muertos me llamó poderosamente la atención. No era que yo hubiese supuesto otra cosa, sino que me impresionó que se observase para con los cadáveres una disciplina tan austera, tan rígida, como si el lugar de su descanso fuese un campamento militar. Sobre mis espaldas empezaba a pesarme el calor de la tarde. El camino había sido largo y la temperatura primaveral se hacía excesiva después del ejercicio. Avanzábamos por el paseo principal y a izquierda y derecha se alineaban los panteones y las tumbas. Gravitaba sobre mi ánimo en aquellos minutos una impresión definida que tan pronto me parecía de una paz con ausencia de todo, como de agobio y fatiga espiritual. Algunas tumbas estaban circundadas por combadas cadenas sujetas a unos prismas de granito en las esquinas. No sé qué me daba pensar que allí debajo, entre los primeros estratos de tierra, existiría un osario impresionante de despojos humanos: fémures, tibias, cráneos pelados, cuerpos en semiputrefacción... Y todos aquellos huesos habían un día formado parte de un cuerpo armonioso, pleno de vigor y movimiento. Y seguramente habrían penetrado también alguna vez en el refugio de los muertos anteriores a ellos impregnados del mismo sentimiento, mezcla de repugnancia y respeto, que ahora me invadía a mí. El señor Lesmes se detuvo y se volvió a nosotros.

—Esperadnos aquí; Martina y yo vamos a acercarnos a la tumba de mis padres... Volveremos en seguida.

Y se alejaron lentos; don Mateo un poco más enlutado que de costumbre, con un luto que se le metía hasta el alma; Martina, inconsciente, ajena al lugar y al tiempo, expulsando a empellones de su mente, por descabellada, la idea de que su padre hubiera podido ser hijo alguna vez.

Alfredo y yo nos detuvimos casualmente ante un severo panteón. En la losa, como las gacetillas de un periódico, se sucedían las líneas de letras negras, en las que constaban las fechas en que la muerte había bajado a la tierra a vendimiar. Muchas cruces, muchas fechas, muchos apellidos iguales. Quise remontar mi imaginación hasta el último superviviente de aquella castigada familia. También él había precisado una inagotable reserva en su facultad de desasimiento. Uno a uno los muertos sumaban cinco en tres años. Desvié mi mirada y veinte metros más abajo vi la silueta de don Mateo recogida ante una tumba gris. En la cabecera tenía la losa una cruz metálica ribeteada toda ella por una ranura que la taladraba de lado a lado. Entonces me percaté de que yo no había orado en mi vida por mis padres. Nadie me enseñó a hacerlo y hay cosas que no pueden aprenderse solo. Advertí que nadie había pretendido nunca fomentar mi cariño hacia ellos, ni me habían comunicado siquiera qué tierra guardaba sus cenizas. Me había considerado siempre como un ser independiente de otros, había aceptado desde un principio con la mayor naturalidad el que unos seres nazcan con padres y otros no. El choque con la realidad me dejó perplejo. Experimenté un deseo vehemente de saber algo de ellos, por lo menos en qué lugar del mundo se habían convertido sus huesos en barro. Luego este afán hizo crisis. Renuncié fríamente al ansia que me embargaba, pensando que lo que la Humanidad tapa no es aconsejable lo destape el hombre aislado.

A mi lado Alfredo tenía su mirada atemorizada por las losas que nos rodeaban por todas partes. Me tocó de improviso en un brazo.

—Mira.

Su boca se retorcía en una marcada mueca de repugnancia. Miré hacia donde me indicaba. En la losa de detrás de mí, cruzada por la sombra alargada de un ciprés, se leía este epitafio:

> *El niño Manolito García*
> *murió en aciago día*
> *víctima de una terrible disentería.*

Escupió en el suelo.

—Me da asco la gente que hace bromas con los muertos.

Alfredo había empalidecido y temblaba como las hojas aciculares de los pinos. Le arrastré fuera del cementerio y nos sentamos a la agradable sombra de una acacia. Tardó un rato en serenarse. Cuando se decidió a hablarme había un estremecimiento extraño en su pronunciación.

—Desde luego, el día que yo me muera, que me entierren al lado de un pino, ¿me oyes, Pedro?

Me molestaba la contumaz presencia de la muerte, este lúgubre aleteo de la parca fría e implacable. Alfredo prosiguió:

—Me moriré antes que tú; soy mucho más flojo.

Como tantas otras veces que Alfredo hablaba así procuré tomar a broma sus palabras:

—¡Qué de tonterías dices!

—Te aseguro que no son tonterías. Los cipreses no puedo soportarlos. Parecen espectros y esos frutos crujientes que penden de sus ramas son exactamente igual que calaveritas pequeñas, como si fuesen los cráneos de esos muñecos que se venden en los bazares.

Su voz me entraba hasta el corazón como una aguja afiladísima y fría. La sonrisa que alentaba entre mis labios debió de trocarse en una fea mueca macabra.

—Quizá tengas razón.

—Sí, de todos modos prefiero descansar bajo el aroma de un pino. Su sombra es otra cosa: más redonda, más repleta, más humana... Es una sombra como la que proyectaría doña Servanda si hubiese nacido árbol. Más simpática de todas maneras...

Los dos guardamos silencio como si estuviésemos midiendo las exactas dimensiones de la última frase: «más simpática de todas maneras...» Las salidas de Alfredo tenían la particularidad de desmoralizarme. Bien pensado, su deseo de dormir el sueño eterno a la sombra de un pino era un capricho tan particular que no merecía la pena de discutirlo. No obstante, su insistencia sobre un tema tan descarnado, el ambiente que nos asfixiaba, habían acabado por ponerme nervioso. No quería aceptar, ni en supuesto, la posibilidad de que algún día Alfredo tuviera que separarse de mí para siempre. Prefería no pensar en ello, sobre todo ahora que cualquier minúsculo contratiempo, cualquier frase nueva e impremeditada, bastaban para desvelarme durante toda una noche.

Agradecí por ello el regreso de Martina y el señor Lesmes. Al verles a nuestro lado experimenté unas ganas locas de vocear al viento con todas mis energías. Tentado estuve de rogar a don Mateo nos llevase muy lejos de allí para merendar. Empero era él quien mandaba y con seguridad no le hubiese agradado la idea de continuar andando, teniendo en consideración que la pequeña Martina debía regresar en sus brazos. Encontré por tanto natural que nuestro maestro se detuviese justo en lo alto de la prominencia desde la que se dominaba por una vertiente la ciudad y el camposanto por la opuesta. Herían nuestros oídos los rítmicos golpes de los doladores al modelar la piedra. Semejaban el latido violento del corazón de un hombre metálico, o el tictac de un reloj de fabulosas dimensiones. Aquel golpeteo no me gustaba tampoco. Renovaba la presencia de cosas que hubiera querido tener en aquel instante muy lejos de mí. Apenas sentados tuvimos que levantarnos. Por el camino cruzaba un cortejo fúnebre. Pocas personas acompañaban a la carroza. Llamó mi atención el aspecto de un hombre joven, enlutado, que caminaba automáticamente tras el difunto. Era su abatimiento tan acusado que se diría que la muerte no contenta con robarle a un ser querido le había marcado a él con la impronta de su soplo gélido. Cruzó el cortejo frente a nosotros. Don Mateo se descubrió y Alfredo y yo nos santiguamos.

—Ahí tenéis un viudo bien joven —dijo el señor Lesmes cuando se alejaban.

Ningún otro desenlace me hubiera sorprendido tanto. Pensar que aquel hombre era ya viudo se me hacía tan increíble como si me hubiesen asegurado que Alfredo iba a ser nombrado Almirante en Jefe de la flota británica en el Mediterráneo. El señor Lesmes aprovechó la coyuntura para hincar en nuestras almas uno de aquellos lapidarios apotegmas a que era tan aficionado.

—Las bodas no serían tan frecuentes ni se adornarían con detalles tan superfluos e insensatos si los novios pensasen en su día que uno de los dos ha de enterrar al otro.

Creo que esta verdad tremenda nos impresionó momentáneamente tanto a Alfredo como a mí. Nunca se me había ocurrido pensar en ella por más que su simplicidad y evidencia fuesen aterradoras. Quedé en suspenso con el bocadillo a mitad del camino de mi boca, planeando en mi interior la decisión de sostenerme por toda la vida en un indeclinable celibato. Pulsé la necesidad inmediata de desahogar mis energías en cualquier ejercicio muscular. Me incorporé y me puse a tirar piedras sobre un próximo menhir, izado por la Naturaleza. A pesar de que mi conducta fue algo insólita y extemporánea, don Mateo y Alfredo me contemplaron como si estuviese llevando a cabo la acción más natural del mundo. Admitieron mi ejercicio de desfogamiento como una necesidad biológica de la que también ellos estaban precisados. Al reclinarme de nuevo en el suelo, Fany, que había echado a correr tan pronto inicié el ejercicio, se presentó a mí portando un trozo de granito en la boca. Me conmovió que el animal supusiese que yo solamente había estado tratando de jugar. La palmeé en el lomo y ella se tumbó a mi lado, pendiente la lengua por el esfuerzo y con el trocito de granito entre su mano sana y el muñón retorcido de la otra.

Declinaba el día cuando don Mateo decidió el regreso. El cielo ofrecía a aquella hora un contraste pintoresco muy bello. Sobre las puntas aún blancas de la Sierra se veían unas nubes rojizas teñidas por el sol que ya se había ocultado. La ciudad amurallada se recostaba sobre el fondo rosáceo del cielo con toda su impresionante altivez de reliquia donde se amontonaban los siglos en portentoso equilibrio. El señor Lesmes se detuvo un momento y aspiró profundamente la brisa que venía de la Sierra.

—Éste es el lugar más sano del mundo —estalló jubiloso.

Martina encaramada en sus hombros, no entendió bien la alusión de su padre. Nosotros le miramos fríamente, como él me había mirado poco antes cuando arrojaba piedras como un loco contra un enemigo imaginario. Pensé que también él se estaba desfogando.

—¡Nadie lo querrá creer, pero hasta los muertos de Ávila son más sanos que los vivos del resto del mundo!

Hacía el efecto de que el señor Lesmes tenía la cabeza tan poco firme como la noche que festejáramos nuestros aprobados. Alfredo me detuvo para dar tiempo a que ellos se alejasen.

—¡Está trastornado!, ¿has oído la tontería que ha dicho?

—¡Bah!, es una frase.

Alfredo se irritó un poco:

—Ya lo sé que es una frase, pero es una frase tonta. Eso es lo que digo.

Procuré aclararle el sentido que yo daba a la palabra «frase», pero él me respondió algo airado:

—¡Todo son frases!; pero decir que unos muertos, de donde sean, son más sanos que unos vivos, de donde sean también, es idiota, ¿no comprendes? Si los vivos están vivos es porque están más sanos que los muertos, de otra manera se hubieran muerto también...

Me reí a carcajadas, más de la tozudez de Alfredo que de su razonamiento inefable. Él se unió a mis carcajadas y cuando entramos en la ciudad habíamos olvidado en apariencia la excursión, los muertos y las «frases» de nuestro profesor. Alfredo me llamó la atención de repente:

—Las de Regatillo siguen en el mirador, ¡míralas! ¡Si se enterase doña Gregoria...!

Charlaban las jóvenes como loritos desde su mirador abierto a la calle. Varios petimetres rondaban por allí como moscas alrededor de un pastel. De improviso me hizo el efecto de que una de las jóvenes arrojaba a uno de los gomosos una llamativa rosa. El gomoso la asió en el aire, la llevó primero a la nariz, luego al corazón y emitió un prolongado suspiro, pretendiendo demostrar a la joven que se hallaba a punto de desmayarse. Las risas de lorito se multiplicaron arriba, y por asociación de ideas pensé otra vez en el inevitable berrinche de doña Gregoria de haber sido testigo de toda esta operación.

Cuando nos adentramos en nuestra silenciosa plazuela me di cuenta de que estaba físicamente agotado. Instintivamente dirigí una mirada a la hornacina con sus cuatro figuritas inmóviles, iluminadas por la luz verdosa del farol. Doña Gregoria nos esperaba con la cena puesta sobre la camilla. Apenas si sentía algún apetito, pero mi patrona por nada del mundo nos hubiese dispensado aquella noche de excusar nuestra presencia. Tenía que decir algo: criticar o pedir, pero algo había; se barruntaba en las prisas que se dio para que todo estuviese dispuesto y en el temblor de su labio inferior reteniendo la palabra.

—Mateo —dijo de repente—, Leonor ha pasado la tarde conmigo...

El señor Lesmes no añadió nada. Sabía que esto no era

más que un preámbulo, que lo interesante vendría después.

—Por lo visto hace tiempo que sale en Madrid un periódico nuevo...

—¿Revista?

Nuestro maestro dijo «¿Revista?» por no dar la sensación de que procuraba frenar a su mujer.

—No, no, diario... y, por lo que ha dicho, sumamente interesante... Trae «Ecos», sección de «Gran Mundo», «Política», «Sucesos», «Teatros» y además unos grabados magníficos. Llega aquí el mismo día que sale de Madrid... La suscripción cuesta seis reales al mes... Barato si tenemos en cuenta...

—¿Cómo se llama?

—«ABC»; bueno, son letras, pero no hagas mucho caso que sean ésas...

Don Mateo puso un gesto de extrañeza:

—¿Pero no es un periódico de chicos?

—No, no..., de mayores, de personas mayores. Un periódico magnífico, créeme. Yo creo que «nos» convendría suscribirnos.

Me pesaba el sueño en los ojos, pero aún tuve tiempo de ver cómo doña Gregoria se salía con la suya. Y no es que yo tuviese ningún reparo contra la nueva publicación, pero me pareció que poner en manos de mi patrona un periódico diario suponía armar a la crítica hasta los dientes. Sin duda doña Gregoria hablaría algo más de día en lo sucesivo.

Capítulo XI

A partir de la excursión al cementerio no volví a disfrutar en casa de don Mateo de un minuto de tranquilidad. La idea de la muerte iba amoldándose a los límites, cada vez más amplios, de mi razón; iba adquiriendo consistencia y fuerza, invadiendo toda mi existencia psíquica, informándola en todas sus manifestaciones. Esta idea posibilitaba mi entera comprensión de la exacta teoría del desasimiento. Al hombre, por el mero hecho de vivir, le era necesario aprender antes a deshacerse de todo con una sonrisa de escepticismo. La vida y el mundo corrían lo mismo en la felicidad que en la desgracia. Nadie podía dormirse en la euforia del optimismo o en la angustia del dolor; la corriente de la vida le arrastraría sistemáticamente hasta expulsarle de su cauce por nocivo y anormal. Había que seguir la corriente, parear la existencia íntima con el impulso vital que animaba a la masa humana. Las exigencias de la vida privaban en cierto modo al hombre de su albedrío; le hacían esclavo de una voluntad gregaria, que no goza ni siente, sino que va; va en un sentido o en otro, arrastrada por las circunstancias del momento, accionada por causas absolutamente extrañas a su voluntad. La realidad de la vida, despótica y hosca, no nos autorizaba a vivir con el muerto al hombro. Había que desprenderse de él, desasírnosle, para que su lastre no nos hiciese romper la armonía de la corriente vital.

Entonces pensaba en todas estas cosas a mi manera. Tenía cumplidos los doce años, mas mi carácter introverso y pensador me sumergía frecuentemente en estas zozobras y dudas. No quería creer que en un plazo más o menos largo la vida me pediría a mí las cuentas que diariamente exigía a los demás. Pensaba que era la muerte el fenómeno terreno más terrible y frío. No hallaba trabas en todo lo demás que la existencia pudiera solicitarme un día. Mi misma desaparición no me turbaba lo más mínimo. Creía en Dios por encima de todas las cosas y esperaba confiado en su bondad y misericordia infinitas. Pero el hecho de meditar en que tarde o temprano tendría que desprenderme de los que amaba me obstruía el juicio.

Decidí muchas veces no anudar mi existencia al mundo que habitaba, no asociarme a los hombres con raíces profundas; llegar a la muerte con el menor lastre posible y que la muerte de los demás rebotase en mí como un suceso indiferente y frío. En estas ocasiones una voz interior me anunciaba que podría aún prescindir de mucho, pero que ya no me sería posible dejarlo todo. Alfredo, en la cama de al lado, pregonaba la sinceridad de este juicio. Su respiración jugaba conmigo aquellas noches un juego de pesadilla. De día solía encontrarle delicado y quebradizo como una caña. En ocasiones buscaba cualquier disculpa para abrazarle; pero, en realidad, lo que tanteaba era el progreso casi nulo de su endeble constitución. Imaginaba que era una criatura excesivamente pálida para ser viable, demasiado transparente para poder contener dentro el germen de una vitalidad normal.

Algunas noches, en la laxa obscuridad de la habitación, mis nervios se tensaban y la atmósfera cobraba una densidad injustificada por encima de mí. Quería oírle respirar con una respiración acompasada y perfecta. Empero sus respiraciones se me antojaban entrecortadas, salteadas de fallos y de silbidos extraños. En estos casos me incorporaba dando la luz. Le veía entonces con su faz blanca pegada contra la almohada, agarrándose con los dedos de su mano izquierda la ceja albina del mismo lado. Apagaba la luz y me acomodaba, boca arriba, con todos mis sentidos expectantes, febriles. De repente Alfredo se inquietaba y tosía dormido dos o tres veces. El corazón se me paralizaba y supongo que mi rostro se pondría más pálido que el de mi amigo. Me quedaba quieto a la caza de cualquier movimiento inconsciente de Alfredo, hasta que, sin yo advertirlo, mi cabeza, agobiada por una actividad cerebral excesiva, enhebraba otra vez el curso de uno de sus morbosos y torpes razonamientos.

En toda aquella temporada recordé mucho al joven viudo del día de la excursión. Le veía con un gesto de abatimiento, entregado a las garras de su dolor. Su rostro lívido, descompuesto, sin afeitar, se me aparecía a menudo en aquellas noches en blanco. Delante iba la carroza fúnebre sosteniendo una caja de un contenido inefable. Una caja austera rebozada de una presencia ultraterrena considerable. Pensaba que sobre ser rígida la muerte, los vivos la adornábamos con un lujo de atributos lúgubres excesivos. Todo era negro a su alrededor: carroza, vestido, hasta los caballos; todo, excepto la peluca blanca del espectral auriga. La caja debería de ser roja, azul cuando menos —imaginaba—, para celebrar debidamente el primer contacto del alma con Dios. Mas el mundo organizaba los duelos para los que quedaban. La muerte para el muerto era un acontecimiento de infinito valor si el desligamiento del alma y el cuerpo se había efectuado al amparo de la caricia divina. No obstante, los que vivimos nos empeñamos en dar al trance egoístamente el negro color del desprendimiento y de la renuncia. Opinaba que el mal del mundo consistía en su incauto entibiamiento de fe. La fe para muchos creyentes era dudar de lo que no vimos. Y ante la duda cumplían con Dios por si acaso en un futuro, cuya fatalidad muy pocos entreveían, todo aquello de la resurrección de la carne y el castigo o el premio final era algo más que una frase timorata y pueril asimilada mecánicamente en los primeros años de catecismo. La lívida faz del viudo tornaba a reflejarse en mi cerebro. Comprendía la intensidad de su dolor y casi lo compartía. Pero la pena era para él, y únicamente pensando en él se justifican las lágrimas, los crespones y los lutos.

Cierta noche me desperté sobresaltado en virtud de no sé qué sensación interna. Las tinieblas se aplastaban contra mí, inexpugnables y cálidas. Me rodeaba un silencio excesivo, como si el cielo y la tierra se hubiesen desplomado de repente. Ni un grito, ni una voz, ni el aullido de un perro callejero, ni la brisa al rozar contra la persiana del balcón... Por no oír... Me enderecé de un golpe. ¡Por no oír, no se oía ni la respiración de Alfredo! Tanteando busqué la llave de la luz, pero no me atrevía a darla. Palpé durante unos segundos la fría superficie del botón. Poseía en mi mano la luz y las tinieblas, pero me acobardaba ante la posibilidad de poder iluminar un cuerpo sin vida. Apercibí mis oídos otra vez, inclinándome sobre el lecho de mi amigo. No se oía nada. De nuevo tacté la llave de la luz, la acaricié. Inopinadamente apreté el botón y grité «¡Alfredo!» con voz ahogada. Él se movió sobresaltado, envuelto en el ovillo de su sueño profundo. Entreabrió los ojos y dijo:

—¿Qué pasa?

Me aturdió su normalidad inesperada.

—Nada, nada: ¿estás bien?

Dio media vuelta en la cama y continuó durmiendo, sin contestarme, agarrándose la ceja izquierda. Apagué la luz, confuso, estrangulado de zozobra. Él estaba bien, lo que ocurría es que yo soñaba con el viudo. Era buena señal que su respiración no sonase. Un indicio convincente de su magnífico estado de salud. Sonreí en la obscuridad. Mi amigo estaba mejor que nunca; con un poquito de suerte me enterraría él a mí. ¿Por qué había de afirmar él que era mucho más flojo que yo? El mundo estaba acostumbrado a la longevidad de los hombres delgados y al estallido de los fuertes. Suponía una tontería creer que el delgado precede al grueso en el camino de la tumba. Sobre eso no podían establecerse leyes, porque es Dios quien lo rige y no la Naturaleza, ni el hombre.

A la mañana siguiente estreché conmovido a Alfredo como si terminara de resucitar. Además, me invadía el júbilo de saber que su respiración no sonaba. Mas al medirlo entre mis brazos le encontré más consumido y enteco que nunca. «Medir su pecho —pensé— sería lo mismo que adivinar el perímetro de un palo.» Sus costillas me habían dejado una impresión dolorosa en el pecho, algo así como si el hueco que abrieran en mi carne al abrazarle no se hubiera rellenado al ceder la presión. Con esto el buen inicio se convirtió en un augurio desfavorable: La respiración de Alfredo no sonaba de puro débil que era.

—Alfredo, tienes que pesarte —le dije siguiendo en voz alta el curso de mi raciocinio—; debes pesarte todas las semanas.

Apartó el libro de sí y soltó una carcajada estrepitosa. A continuación se puso a toser. Aquello me deprimió aún más.

—¿Pero es que te has vuelto loco?

Temblaba el mechón albino que le caía sobre la frente, al compás de sus carcajadas estentóreas. Él no creía en la muerte de los cuerpos jóvenes. Yo le miraba fijamente, sin reír.

Me angustiaba su desinterés por un algo que lo constituía todo para mí. Yo comprendía su reacción, pero la lamentaba. Le hubiese aclarado mis embrollados temores, mas me horrorizaba hacerle víctima como yo de presagios y amenazas infundados.

—Estás muy delgado —insistí aún.

—Y eso qué importa. El mundo tiene que ser así, unos gruesos y otros delgados, unos altos y otros bajos, unos ricos y otros pobres, unos malos y otros buenos... ¿No comprendes que de otra manera sería aburridísimo?

Sonaron sus carcajadas con más violencia que antes. Hubiese querido meterle por aquella boca tan abierta la preocupación del peso extractada en una píldora de botica.

—Tu madre te encontrará más delgaducho cuando llegue; no te quepa duda.

Otra vez las risas. Me dolía su indolencia ante un problema fundamental.

—Mi madre no se fija en esas idioteces, se conformará con verme como esté, darme un beso a la llegada, otro a la despedida y hasta la próxima visita.

Ya no reía. Repentinamente se había puesto serio. En el fondo creo que no perdonaba a su madre su cruel postergación. Pensé si alguno de sus amigos accidentales no habría comenzado a ilustrarle en materia prohibida; si su mente no habría captado aún del aire el secreto de la vida y el móvil rojo y envolvente de la torpe pasión. Con seguridad algo turbio barruntaba Alfredo en las relaciones de su madre con «el hombre». Sus ojos no se redondeaban de inocencia como dos años antes. Ahora herían al concentrarse la mirada gris entre los párpados casi juntos.

Por la tarde de aquel día fuimos los dos a pesarnos. Al

salir, Alfredo me rogó irónico que espaciásemos un poco las visitas a la botica, ya que montar en la báscula le mareaba. Su peso era bastante normal (apenas si tenía cuatro kilos menos que yo), por lo que mi preocupación momentánea se amortiguó un poco.

Quince días después se presentó la temporada de exámenes. Con ella arribaron los excesos intelectuales y los madrugones. La vigilia se estiraba a veces hasta que en la torre de algún reloj próximo sonaban solemnemente las campanadas de las cuatro. Otros días nos acostábamos pronto y nos levantábamos con el alba. Nuestros esfuerzos se coronaron con éxito al fin, y en los primeros días de junio Alfredo y yo éramos ya dos estudiantes de segundo año de bachillerato. Temporalmente y debido a la intensa labor desarrollada en estos días, mi estado de ánimo se normalizó un poco. Caía en la cama con un agotamiento tan pronunciado que mi cabeza se entregaba al sueño tan pronto tropezaba con la almohada.

Días después iniciamos la temporada de verano. Habíamos soñado con ella, evocando las aventuras del verano anterior, como con algo sobrenatural y por encima de todas las apetencias. Deseábamos renovar minuto a minuto cada una de las correrías del año anterior. Mas a medida que el verano discurría empezábamos a darnos cuenta de que todo lo presente tiene un sello peculiar, de que el contenido de los actos no coincide, aunque los actos sean idénticos, si nuestro estado anímico los informa de distinta manera. El valle de Amblés tenía este verano otro color; era diferente la luz del sol; la corriente terrosa del Adaja inundaba parte de los marjales; hasta la fábrica rumorosa y sugestiva estaba armada de una diferente arquitectura, más gris y amazacotada, como un reflejo adecuado de mi inaudita luz interior. Con todo, Alfredo y yo pretendíamos cegarnos a nosotros mismos; pretendíamos hacernos ver lo que no veíamos antes y sentir lo que menos afectaba a nuestros sentimientos. Así fueron transcurriendo aquellos meses, en que la misma Naturaleza cooperó en un fraude ruin. Los viernes nos trasladábamos al mercado. También éste había perdido su antiguo encanto. La Bruna no aparecía por ninguna parte. Esta ausencia me sirvió para comprobar que en ocasiones el aliciente de cualquier festejo se encierra en el detalle más obscuro y despreciable. Sin la Bruna, los rebaños de carneros, las vacas, las mulas, los marranos negros, carecían de distintivo y de divisa, de sabor y de movimiento. Retumbaban los cencerros y las esquilas, pero sin tener un jalón de referencia, sin constituir por sí la proporción de una parte que coopera en redondear un todo armónico. Cada cabo tiraba por su lado y lo que antes fuese una madeja ponderada y grata era ahora un nudo endiablado sin posibilidad de solución. Alguien afirmó que la vagarosa Bruna, con los dineros ahorrados se había trasladado a Sevilla, donde tenía casa propia. (Me la representé avanzando por un camino polvoriento de la mano del ciego, repartiendo hijos por cada pueblo que dejaba atrás.) Lo cierto es que la Bruna no reapareció por Ávila en aquel verano y que Alfredo y yo comprobamos que con esta falta se intensificaba nuestra orfandad.

Lo que por contra tuvo en aquel estío más calor que en el anterior fueron «las conquistas de la ciudad». El grupo de nuestros amigos había aumentado en número, lo que ya autorizaba a que la fortaleza tuviera sus defensores, movidos por un mismo ímpetu y celo que los atacantes. Las mañanas transcurrían así, entre «movimientos de tropa», «escalamientos» y «golpes de sorpresa» por uno y otro bando.

Mediado agosto se presentó la madre de Alfredo para recogerle con ánimo de llevarle a una playa del Norte. Alfredo se mostró entusiasmado por la proposición, máxime al garantizarle su madre que el viaje lo harían ellos dos «solos». Me regocijé ante la idea de que la madre de mi amigo pudiese haber roto definitivamente con «el hombre». Ello equivaldría a un mejoramiento decisivo en el estado de salud de Alfredo y la seguridad de que su peso, libre de este yugo opresor, se dilataría generosamente, activado por el fuelle del amor materno. Ésta fue la razón de que aquellos quince días pasaran sobre mí como un bálsamo redentor. Ya me imaginaba el regreso de un

Alfredo nuevo, curtido, animado de una respiración profunda y sonora. Le veía descender del tren con una sonrisa amplia, despejada de inquietudes su cabeza, el pelo casi blanco en contraste con su piel tersa y bronceada. Adivinaba nuestro abrazo estrecho y cordial, y ¡rara maravilla!, las cuerdas de sus costillares no se hincaban ya punzantes en los músculos de mi torso.

El día que nos anunciaron su llegada fue para mí un día de fiesta. Deseoso de hacer penetrar a la madre de mi amigo las delicias de la nueva vida fui a comprar un ramo de flores, aleccionando después a Martina para que se lo endosase a «la señora» en el momento de detenerse el tren. Poco después la casa entera se puso a galope. Nos restaban pocos minutos para salir hacia la estación. Me poseía un hormiguillo, semejante al que recorría mi estómago en vísperas de exámenes, que no permitía a mi cuerpo estarse quieto. Reía por cualquier nadería y experimentaba una vergüenza íntima y recelosa ante la inminente entrega del ramo de flores a la madre de mi amigo. Al fin, luego de regresar dos veces a casa desde la mitad del camino para subsanar sendos olvidos de doña Gregoria, entramos en la estación. Mi corazón se agitaba al deambular por el andén. Olía a tren, a viaje, a distancia y a despedidas. Compadecía desde lo más hondo de mi pecho a los que se habían congregado allí para decir adiós a alguien. Otra vez la ley del contraste vigorizando la actividad humana. Sonó a distancia un chillido penetrante. Acto seguido se recortó sobre la vía el morro de la locomotora, negro y bufante, después de doblar la última curva. Mis pies adquirieron un peso absurdo. Les notaba clavados en el suelo, sin permitirme el menor movimiento. Cuando la locomotora entró en el andén, fumosa y jadeante, me sentí libre otra vez. De reojo contemplé a Martina muy quieta, muy asustada, prendiendo con sus dos manos el ramo de rosas y ataviada con el traje de la fotografía.

—¡Pedro!

El movimiento de rotación del mundo se aceleró bajo las plantas de mis pies. Quería ver todo y no veía nada. Oía solamente pronunciar mi nombre por una voz conocida.

De repente le vi. Le vi entre un enjambre de cabezas todas iguales asomadas por la ventanilla. Él agitaba los brazos con entusiasmo y me sonreía. En la ventanilla de al lado su madre sonreía también con su mejilla casi pegada a la «del hombre». Vi avanzar a Martina levantando el ramo por encima de su cabecita. Casi me eché sobre ella.

—¡No se lo des! —la dije con tal imperio que la niña se asustó.

Me dirigió su mirada azul, redonda, como inquiriendo de mí qué destino dábamos entonces a las bellas rosas.

—¡Tíralas! —añadí atravesado de mal humor—. ¡Ahí! ¡En cualquier parte! ¡A la vía misma!...

Me obedeció Martina, sin entenderme, y el pobre ramo quedó allí, desarticulado, deforme, mustio, cruzado sobre el raíl brillante.

Alfredo ya estaba ante mí. Sí, traía el rostro más moreno, transformado tal vez. También había crecido, pero su contextura era más endeble y parecía más desgastado que nunca. Al abrazarle, sus costillas volvieron a incrustarse en mi pecho. Abrazándonos nos sorprendió la arrancada del tren. Crujieron las piezas de todos los vagones y el convoy se puso a rodar. Por encima del hombro de Alfredo vi, intacto, por última vez, el manojo de flores atravesado en la vía. La madre de Alfredo decía adiós desde la ventanilla. A lo que era de ver escapaba otra vez a Madrid acompañada por «el hombre». El señor Lesmes agitaba su mano desganado. Pasó una rueda sobre el ramo aplastándole. Tras ella otra, otra y otra... Apreté más contra mí el escuálido cuerpo de mi amigo. El tren se perdió en la lejanía. Sobre el riel quedaba una mancha de humedad: la savia de las rosas trituradas...

Capítulo XII

Alfredo cayó enfermo al día siguiente de regresar de su corto veraneo. El médico dijo que no era nada de cuidado; tal vez un debilitamiento producido por los baños de mar o quizás un resfriado sin la menor importancia. Un poco de dieta, una semana en la cama y el muchacho quedaría como nuevo.

A mí las palabras del médico se me hacían exageradamente optimistas. Creía a pies juntillas en su sinceridad y en su ciencia, pero no creía tanto en la capacidad de resistencia de mi amigo. Respecto a éste me había convencido de que su salud se hallaba más apurada que cuando partió. Le veía, indudablemente, algo más crecido, más hombre, pero mucho más arruinado en sus reservas, más quebrantado físicamente. La nariz se le había afilado, mientras sus ojos dejaron abandonada en la playa aquella su expresión ingenua, rutilante y móvil. En la semana larga que pasó en cama no me separé de su lado. Gozaba oyéndole narrar los detalles captados por su retina en su primera visita al mar. Me embriagaba como un sedante la descripción que me hacía del océano, ondulado y rabioso unos días y quieto y manso, como un forzudo perdonavidas, en los demás. Me hablaba de veleros, de conchas y de gaviotas. Me contaba del encanto de la playa rubia regada por el sol. Se detenía en levísimos pormenores de los barcos mercantes que cruzaban frente al rompeolas antes de perderse en la ría. Charlaba y charlaba, en fin, de todo lo que había visto y asimilado por sus cinco sentidos durante su breve escapada al mar.

Una tarde enfocó la conversación por un lado íntimo. Me habló de su madre, de cómo cuando comenzaron el viaje le había prometido no volver a abandonarle y de cómo su decisión se vino abajo cuando una mañana «el hombre» se presentó en la playa ante ellos, y con palabras melosas y persuasivas la convenció de la necesidad de que regresara con él. La resistencia que opuso su madre fue escasa y vacilante y la noche antes de emprender la vuelta ya anunció a Alfredo que un acontecimiento imprevisto la forzaba a alterar sus planes, por lo que él tendría que pasar otro curso en casa de don Mateo. A continuación de esto Alfredo me aseguró que prefería que los planes se hubiesen alterado si lo contrario representaba tener que separarse de mí.

A la semana y media de estar en cama se levantó. Comprobé que no me había equivocado en mi apreciación. Alfredo tenía un aspecto fantasmal: alto, delgado, la cabeza formando ángulo con el tronco, con el vértice de la primera vértebra cervical. En cuanto pudo salir a la calle nos fuimos a pesar a la botica. Alfredo había descendido un kilo y medio de su primitivo peso. Esta disminución no le preocupó en absoluto:

—Unas veces habrá que pesar más y otras menos; supongo yo, ¿no? De otro modo nos moriríamos todos pesando más de cien kilos...

Por contra, a mí este descenso me inquietó mucho. Retornaron con su antigua fuerza los pasados temores y las noches insomnes. Dormía poco, acechando en la obscuridad cualquier indicio sospechoso que pudiera evidenciarme cuál era el verdadero estado de salud de Alfredo. A él, contrariamente, no le afectaba nada de lo que me ponía en guardia a mí. Aparentaba estar seguro de sí mismo respecto a la suficiencia de sus reservas físicas.

Si tosía, «todos tosían»; si pesaba poco, «había infinitos que pesaban menos que él». Y, desde luego, no le faltaba razón. Sus síntomas —los hechos vulgares que mi recelo convertía en «síntomas»— eran tan corrientes que para cualquier ser normal no hubiesen ofrecido motivo de alarma. Pero yo —empezaba a empaparme de ello— no era un ser normal. No. No era como los demás que me rodeaban. Profundizaba más sobre las cosas y me martirizaba con posibles penas venideras, frecuentemente sin razón alguna. (Pensaba que las estaciones del año se desubstanciarían de amargarse, como yo, previniendo la duración efímera de los accidentes que las individualizan. La primavera dejaría de ser primavera, cuna de flores y estrellas, de atormentarse con la idea de que fatalmente en invierno habría de nevar.)

Comprendía que todo esto era una insensatez, que mi vida cimentada tan poco sólidamente, se deslizaría de seguir así por la cuerda floja del presagio nefasto y, en consecuencia lógica, del abatimiento. Pero a pesar de todo, no me consideraba con fuerzas para remontar este influjo pesimista. Me constaba que era un error, una realidad desorbitada, pero me atraía el vértigo de este error, aun a sabiendas de que era tal error, como seducen las fauces abiertas de un abismo aun a conciencia de que abajo se esconde la muerte.

Semanas más tarde Alfredo se había repuesto algo. El verano se iba consumiendo rápidamente y la proximidad del nuevo curso nos apremiaba a disfrutar los últimos momentos de libertad. A Alfredo le poseía en aquellos días un afán inmoderado de correr, de jugar, de hacer ejercicio. Deseaba más que nada verse fuera de las cuatro paredes de nuestra habitación, airearse, oxigenarse, darse al viento y al sol con todas sus potencias y sentidos. Aparentemente este género de vida le mejoró bastante. En los últimos días de septiembre había recuperado el kilo y medio que perdiera en su viaje. La línea de mi optimismo inició su curva ascendente. (Casi comprobaba dentro de mí cómo subía o bajaba la columna del optimismo, sometido a análogas variaciones que la columnita de mercurio de un termómetro.)

El primero de diciembre de aquel año el tiempo se metió en nieve. Los copos no cesaban de revolotear tras los cristales; parecían moscas envueltas en minúsculas sabanitas, dejándose caer en enjambres sobre la superficie de la tierra. La tarde del tres de diciembre, cesó repentinamente de nevar. Se levantó un vientecillo que barrió las nubes del firmamento. El cielo quedó despejado, traslúcido, como un eco lejano del frío que rodeaba al mundo. Por aquellas fechas Alfredo conservaba una fisonomía esperanzadora. Su rostro, macilento de ordinario, había cobrado un halagüeño tono saludable. Antes de acostarnos estuvimos los dos juntos contemplando desde la ventana la plazuela silenciosa, vacía, rebozada de nieve. Las figuritas de la hornacina me daban compasión. Allí permanecían, quietas, rígidas, como siempre. Vencedores y vencidos portaban en la cabeza unos copetes de nieve de formas caprichosas.

—En la Edad Media no debían de pasar frío —musitó Alfredo.

—Por lo menos parece que están acostumbrados.

Aquello fue la despedida. Cerré las contraventanas y nos acostamos. Oí a Alfredo pegarse contra las sábanas y momentos más tarde tuve la vaga sensación de vecindad de un cuerpo dormido.

Yo aún velé largo rato. El insomnio era ya un hábito en mí. Rara noche me dormía sin haber oído desde algún campanario próximo el pareado de las dos. Aquella noche mi vigilia fue algo más breve. Me dormí arrullado por la impresión confortadora de que la tierra tenía también que sentirse a gusto bajo la gruesa capa de la nieve que la cubría.

No sé precisar lo que me despertó. Seguramente la fiel llamada de mi subconsciente anunciándome la oportunidad de lograr algo que habíamos ambicionado mucho. Mi primera percepción sensual fue la línea luminosa que entraba por la ventana cerrada. Su claridad me atrajo, supongo que con la misma intensidad que a una mariposa de noche. Me levanté y di unos pasos hacia la ventana medio hipnotizado. Descorrí el pestillo y abrí sin ruido la contravidriera. Inmediatamente se me avivó el viejo deseo de contemplar la ciudad nevada desde Cuatro Postes, iluminada por la luz de la luna. Aquella noche me parecía hecha a propósito para que Alfredo y yo satisficiéramos nuestro anhelo. La luna llena fosforescía como un agujero redondo en el cielo. Su haz luminoso, invisible en el espacio, se concretaba en la plaza, arrancando de la nieve reflejos irisados. Reverberaba también en las cabezas de las figuras de la hornacina como si quisiera infundirles un aliento vital.

Permanecí allí un rato, abrazándome el silencio iluminado de la placita recoleta. Me acordé de doña Servanda y de don Felipe. No habían vuelto, como prometieron. Imaginé, no sé por qué, que a don Felipe no le contristaría prever la muerte de su consorte. Rememoré la fisonomía del viudo; del viudo pálido y silencioso como esta noche que se extendía ante mí. En virtud de no sé qué presentimiento deformado pensé que la fuga a Cuatro Postes remediaría mi estado mental y, probablemente, haría estable la mejoría transitoria de Alfredo. Me aproximé a su cama y le zarandeé. Dio varias vueltas sobre sí antes de despabilarse.

—¿Qué quieres?

—Hay una luna redonda como un queso. ¿Quieres que vayamos a Cuatro Postes?

Gruñó dos o tres veces entre sueños. Machacó con reiteración de borracho:

—¿Qué es lo que quieres?

—Hay luna llena, vámonos a Cuatro Postes. ¡Anda!

Abrió los ojos Alfredo todavía sin comprender bien; de improviso se tiró de la cama diciendo:

—La luna... Cuatro Postes.

Como un muñeco mecánico empezó a calzarse. A mitad de la operación levantó la vista hacia mí:

—A Cuatro Postes, claro; casi lo habíamos olvidado ya...

Yo me vestía en silencio, aprovechando el resplandor de la luna que se adentraba por la contraventana abierta. Me animaba una euforia especial, desconocida, como si entreviese en la aventura apenas iniciada el remedio para todos nuestros males.

—Yo ya estoy; cuando quieras... —algo me tentó por dentro—; abrígate bien.

Nos comunicábamos por tenues cuchicheos, casi imperceptibles. Alfredo me asió del brazo.

—Vamos; yo también estoy listo.

Tardamos casi un cuarto de hora en abrir la ventana. Su chirrido nos descomponía. Bullía en mi cerebro una vaga conciencia de culpabilidad. «Si nos sorprenden iremos a la cárcel», pensaba tontamente. La ventana cedió por último con un agudo gemido. Una pella de nieve adherida a su marco cayó sobre la cabeza de Alfredo. La primera bocanada de vientecillo helado se nos metió hasta los huesos. Me coloqué a horcajadas sobre la ventana y salté fuera. La nieve amortiguó el salto. Alfredo iba a seguirme cuando le susurré:

—Entorna la ventana, si no van a congelarse todos.

Resbaló Alfredo, a pique ya de saltar, asió las hojas de la ventana, que se cerraron de golpe con gran estrépito, y cayó a mi lado.

—Vamos, corre... —murmuró—; seguro que nos han oído.

Yo, en cuclillas, fabricaba una bola de nieve con parsimoniosa lentitud. Al oírle, echamos los dos a correr frenéticamente. Cruzamos frente a los monigotes medievales de la hornacina y yo les arrojé el proyectil. Sin haber atinado, la bola se rompió contra las narices de uno de las trompetas.

Rió Alfredo obscuramente.

—Excelente puntería.

Doblamos la primera esquina sin detenernos. Luego, ya a resguardo de miradas indiscretas, aminoramos el paso. Observé a mi alrededor. La ciudad tomaba a aquella hora el perfil sincero de su auténtica fisonomía. Por primera vez comprobé que Ávila de noche, nevada y con luna, se encontraba consigo misma. Exhalaba su aroma de siglos sin bastardearle con modernas impurezas; con hábitos, modas y costumbres en discrepancia con su añeja raíz.

Descendimos a paso rápido por la calle de Santo Domingo. La nieve, endurecida, crujía al ser oprimida por el peso de nuestros cuerpos. Delante y detrás no se barruntaba el menor rastro de vida. Los muros amarillos de la casa de la Santa absorbían la humedad del suelo, como si algún perro vagabundo acabase de dejar allí la huella lamentable de su paso. Los farolillos, en las esquinas, derramaban hacia el suelo su claridad mezquina y enfermiza. Nuestros pasos sonaban sobre la nieve con un chasquido especial.

Cruzando la quebrada transversal que nacía a la derecha de Santo Domingo entramos en la calle de Magana. El mismo silencio había allí que en todas partes. El silencio confortable de un pueblo arropado en su sueño. Dejamos a la derecha la mole negra, aislada, de San Esteban y fuimos a parar al Arco de San Segundo, sobre el río. Alfredo rompió el silencio inopinadamente.

—Vamos por el Puente Viejo; pasaremos más cerca de la fábrica.

La ausencia de actividad se intensificaba allí, al borde del Adaja. La corriente discurría apagada por debajo de una gruesa capa de hielo. A la izquierda la fábrica penetraba en el río como una península sin vida. Asomados al pretil nos recreamos admirando nuestro edificio predilecto. Las cosas dormían igual que los hombres. Las ventanas clausuradas eran ojos con los párpados vencidos. Ni el menor ruido acusaba que la fábrica viviese. No le importaba tener sumergidos sus pies bajo las aguas congeladas. Eso era cuestión de aclimatamiento. Los peces de la pecera, de soltarles ahora en el Adaja, seguramente cogerían un resfriado. Se habían hecho sibaritas en su misma cárcel.

Atravesamos el río por el Puente Viejo y salimos a campo abierto. Poco más allá se dibujaba la silueta precaria de Cuatro Postes. Ascendimos al promontorio, embargado yo por una emoción casi religiosa. Recordaba el arrobo de don Mateo al hablar de la ciudad nevada, vista desde allí, a la luz de la luna. Rememoré de nuevo en esta noche a doña Servanda y a don Felipe. Y me sorprendí pensando reiteradamente que a don Felipe no le apenaría la desaparición de doña Servanda. De súbito me vi agarrando la cruz de granito de Cuatro Postes. Apenas me atrevía a darme la vuelta y tender la vista sobre la ciudad nevada. Cuando lo hice, un sentimiento amplio, inconcreto, me resbaló por la espalda. La ciudad, ebria de luna, era un bello producto de contrastes. Brotaba de la tierra dibujada en claroscuros ofensivos. Era un espectáculo fosforescente y pálido, con algo de endeble, de exinanido y de nostálgico. La torre de la Catedral sobresalía al fondo como un capitán de un ejército de piedra. En su derredor las moles, en blanco y negro, de la torre de Velasco, del torreón de los Guzmanes, del Mosén Rubí... Ávila emergía de la nieve mística y escandalosamente blanca, como una monja o una niña vestida de primera Comunión. Tenía un sello antiguo, hermético, de maciza solidez patriarcal. La villa, centrada en plena y opulenta civilización, era como una armadura detonando en una reunión de fraques. Imaginé que no otra, en todo el mundo, podía ser la cuna de Santa Teresa. Porque su espíritu impregnaba, una por una, cada una de sus piedras y sus torres. Había en las nevadas almenas algo de una espectacular geometría ornada; algo diferente a todo, algo así como un alma alejada del pecado. Entonces pensé que la tierra es bella por sí, que sólo la manchan los hombres con sus protestas, sus carnalidades y sus pasiones.

En mi arrobamiento había olvidado completamente a Alfredo. Al volver la cabeza le vi sentado sobre el pedestal de la cruz. Le doblaba un signo de fatiga y desaliento. La luna le iluminaba media cara, desencajada y amarilla. Experimenté una conmoción extraña en todas mis vísceras.

—¿Qué te ocurre, Alfredo? ¿Tienes miedo?

Hizo un visaje lánguido con los ojos:

—¿Por qué había de tener miedo?

—La luna hace sombras por todas partes...

Repitió su visaje con los ojos y me miró:

—¡Qué me importan las sombras de la luna!; estoy cansado; horriblemente cansado. Eso es lo que me ocurre.

Le cogí de los hombros, atrayéndole hacia mí.

—No te preocupes; hemos venido muy de prisa; eso es todo...

Me retorcía el presentimiento de que eso no era todo. Intuía mi gesto ridículo al pretender infundirle un valor que a mí me faltaba. Se incorporó lentamente:

—Si no te importase podríamos ir marchando...

Su rostro estaba lívido. La luz del sol rebotaba en la luna y la de la luna en la faz de Alfredo. Casi me encerraba en un círculo vicioso, de satélites, de satélites.

—Tienes mala cara...

—¡Bah!, es el reflejo de la luna.

Caminamos por el declive del cerro. Él colgado de mi brazo y moviendo muy despacio las flacas piernas. Al atravesar el puente se animó un poco.

—Estoy pensando que tal vez sea sueño... que me esté cayendo de sueño.... ¿Qué te parece?

Intenté animarlo.

—Puede que tengas razón; la verdad es que deben de ser las cinco de la madrugada...

Tuvo unos minutos de reacción.

—Naturalmente, naturalmente que sí; a las cinco de la mañana todos los hombres tienen sueño... ¡Soy un idiota!

Alcanzó una vara clavada en la nieve junto a la acitara; la blandió luego en el aire y exclamó con voz ronca al tiempo que echaba a correr hacia las murallas:

—¡Al ataque!

Yo le seguía, esperando verle caer en cualquier momento; le seguía frío e impasible ante la perspectiva de aquel ataque nocturno. Llegó a la base de la muralla y comenzó a trepar por las piedras empotradas y resbaladizas. Se sentó súbitamente en la arista de una de ellas. Respiraba fatigosamente, anhelantemente...

Su voz sonaba ronca en medio de aquel ambiente recogido e inerte:

—No es sueño, Pedro... Es... que estoy enfermo. Tengo unas ganas horribles de vomitar...

Subí hasta él. De cada poro de mi cuerpo manaba una gota de sudor frío, angustiado. Jamás me pareció tan impotente mi estúpida fortaleza. Hubiese querido inyectarle parte de mi sangre nueva, joven, incontaminada... Hubiese deseado cederle para siempre la potencia de mis músculos; el vigor de mis miembros elásticos y firmes... ¿Pero qué conseguía prácticamente con estos buenos deseos? Allí estaba Alfredo, empapándose de la humedad de la nieve derretida por el calor de su cuerpo, jadeante, febril...

—Levántate, Alfredo; el frío de la nieve te puede hacer mucho daño...

—Déjame un rato, por favor... sólo un rato... para descansar...

La respiración de sus pulmones trascendía al resto de su organismo. Cada inspiración se acusaba en su cabeza, en sus dedos, en todo su ser...

Un pavor impalpable se iba adueñando de mí. Le rocé con mis dedos la frente; el tenue contacto le estremeció. Los retiré otra vez. Otras percepciones iban mezclándose, encadenándose, a mi preocupación esencial. Una campana rompió, de pronto, el silencio de la madrugada, llamando a la primera misa. Era un tañido alegre, retozón, pero mi ambiente interior lo transformaba en lóbrego. Me percaté entonces de que la alegría es un estado del alma y no una cualidad de las cosas; que las cosas en sí mismas no son alegres ni tristes, sino que se limitan a reflejar el tono con que nosotros las envolvemos. Otra campana se oyó a lo lejos, más grave y austera. Encajé mentalmente la primera en el campanario de una ermita de torre airosa y esbelta; la segunda en un convento románico, mazacote, aplastado contra el suelo. Los repiques de ambas se combinaban dentro de mí alternando con la campana de mi corazón tocando a muerto. Me agaché y tomé a Alfredo sobre mi hombro. Alfredo no protestó de su incómoda postura. Había entrado ya en esa fase febril, en ese «dejarse llevar» voluptuoso que no exige comodidades, delicadeza ni holgura.

Ya en el suelo me dijo con voz débil:

—Déjame; puedo andar perfectamente por mi propio pie...

Lo puse en el suelo y lo cogí por la cintura. Durante un rato caminamos así despacio y en silencio. Mil pensamientos cruzaron por mi cabeza en aquel trayecto. Quería descubrir algún indicio anterior a esta brusca decadencia de Alfredo; algún síntoma inequívoco del que pudiera deducirse este agotamiento total. Pero no le hallaba. Contrariamente, en los días anteriores le había encontrado mejor que nunca, más entonado, más dinámico y brioso dentro de su debilidad original. Era posible que él, conociéndome, hubiese querido evitarme este disgusto. Respiré cuando llegamos a la hornacina. Indiferente observé que había luz en todas las ventanas de nuestra casa. Así era que nos habían descubierto, que nos habían echado de menos. Maldije la ocurrencia de haber salido aquella noche. Cruzamos la hornacina. El trompeta no me guardaba rencor al parecer por el bolazo de dos horas antes. En el aire se estremecían los tañidos de las campanas. Ya no eran sólo dos; eran muchas, millares tal vez, mezclando, disonantes, las vibraciones de sus bronces.

Atravesamos la meseta entre los álamos. La fuentecilla estaba helada. Adheridas a las piedras había una porción de estalactitas y estalagmitas de minúsculas proporciones. Nos acercamos a la casa. Una silueta se recortaba en la ventana del cuarto de los peces. Se oyó la voz de doña Gregoria:

—¡Alabado sea Dios!, ya están aquí...

Recuerdo que no oí una sola palabra de censura cuando avancé por el pasillo medio arrastrando el cuerpo de mi amigo. Doña Gregoria y don Mateo miraban espantados hacia él. Mi patrona tardó un rato en reaccionar. Luego echó a correr hacia la cama de Alfredo y se la dispuso rápidamente.

—Échate, hijo, échate. ¿Qué te ha ocurrido?

Le arropó amorosamente. La piel del cuerpo de Alfredo era aún más blanca que las sábanas. Tiritaba y le entrechocaban los dientes. Martina se agarraba a mi pantalón agradeciéndome que hubiésemos vuelto. De repente, sin grandes convulsiones, le vino una arcada a Alfredo y vomitó sobre la colcha. Martina me apretó el pantalón con más fuerza. Doña Gregoria, sin vacilar, se aproximó al enfermo sujetándole la cabeza entre sus manos. Alfredo volvió a vomitar. Una, dos, tres, muchas veces...

—Pronto, Mateo, vete a avisar al médico...

Salió don Mateo. Alfredo se había tumbado de nuevo. Ahora su palidez contrastaba con la enorme mancha roja que iba extendiéndose por el embozo de la sábana...

Capítulo XIII

Después de la hemoptisis de Alfredo me invadió una sensación enervante, algo así como si hubiese andado un camino enormemente largo, excesivamente largo para mis facultades limitadas. Alfredo, postrado, aparentaba dormir apaciblemente. A su alrededor revoloteaba doña Gregoria de un sitio a otro, desviviéndose por atenderle, porque no le faltase nada. Yo continuaba clavado en el mismo punto desde donde presenciase su horrible vómito. No separaba mis ojos de su rostro, consumido y seco, como si con las pesadas bocanadas de sangre se le hubiese fugado hasta el postrer átomo de salud. La insistencia de mi contemplación alteraba a veces el orden de facciones de mi amigo, que tomaba alternativamente la fisonomía del viudo o del monigote de piedra a quien estampase en la nariz una bola de nieve.

Por las contraventanas abiertas penetraba el alba; un alba triste y espantosamente anodina; un amanecer bajo de color, desmejorado, gris... Me poseía la impresión de estar viviendo unas horas ya vividas. Como si no recordase más que estos instantes de otra existencia anterior, diluida ya en la madeja del tiempo. Mis sentimientos estaban como adormilados. Tenía los ojos y el corazón atrozmente secos, como si alguien previamente me los hubiera estrujado hasta sacarles la última gota, de hiel o de sangre.

El roce de la falda de doña Gregoria al pasar de puntillas por mi lado me ocasionaba mucho bien. Lo mismo que sus cuchicheos con Estefanía o su expresivo lenguaje por señas, o el crujir de la sábana limpia que colocaban en el lecho de Alfredo. (A Martina la habían apartado de la vera del enfermo. Supongo que por dos motivos fundamentales: el temor al contagio y el hecho de estimarla aún muy joven para ser presentada a la muerte. Yo la oía ahora entendérselas con un pocillo de chocolate en la habitación vecina. Adivinaba su mueca de satisfacción y su insistente hurgamiento en el fondo de la taza para rebañar hasta la última partícula de golosina. El choque de la cucharilla contra la loza se confundía con el repicar de las campanas que era como el timbre de un gigantesco despertador de la ciudad.)

Empezaban a rodar por las calles los primeros carros. Entraban sus tumbos a través de la ventana cerrada. Se oían los pregones de vendedores y basureros. Me dio la idea de que el médico se retrasaba demasiado. Encima de la mesilla de noche un elemental reloj, traído hacía unos minutos por Estefanía, contaba el tiempo. Lo contaba marcando los segundos con pronunciado ritmo. El día iba haciéndose rápidamente. Con todo, la luz que penetraba por los cristales tenía un sombrío tinte opaco. El rostro de Alfredo empalidecía cada vez que la claridad era más intensa. Sus párpados y ojeras ponían sobre su lividez una lúgubre mancha violeta. El médico tardaba excesivamente. El reloj deshojaba sus segundos con cruel parsimonia. Empezaron a caer, blandos, los primeros copos de nieve de aquel día. Llamaron a la puerta. Experimenté un gran alivio cuando la falda de doña Gregoria me rozó suavemente al pasar junto a mí. Se oyeron unos apagados cuchicheos en la puerta de la calle. Debía de ser el médico. Los cuchicheos me confortaron también. Notaba que estas blandas expresiones externas atusaban, con mansedumbre, mis nervios erizados. Entró el médico. Una dulce somnolencia iba desvirtuando mi integridad. El médico pisaba también de puntillas y hablaba susurrando. Se lo agradecí. Se dirigía hacia la cama de Alfredo. Don Mateo entró detrás con gesto contrariado. «Uno de los dos ha de enterrar al otro», parecía decir. Ahora cercaban el lecho entre todos: el médico, doña Gregoria, Estefanía y el señor Lesmes. Yo, sin moverme de mi primitiva postura, observaba. Alfredo abrió los ojos y me sonrió a lo lejos. «Tiene ya sonrisa de eternidad», pensé. El médico le puso la mano en la frente. El gesto me dio la sensación de que mejoraba a mi amigo. Sacó el doctor el estetoscopio de un bolsillo al tiempo que decía no sé qué a doña Gregoria. Los brazos de mi patrona incorporaron a Alfredo mientras los dedos ágiles del doctor desabrochaban su pijama. Bailaban las costillas de mi amigo bajo la piel. Eran como las cuerdas tensas de una guitarra. Le aplicó la trompetilla al lado izquierdo del pecho auscultándole:

—Respira fuerte.

Alfredo debió de entender que apremiase su respiración porque su pecho se agitó vertiginosamente, pero sin dar profundidad a sus inspiraciones. Abrió de nuevo los ojos y me sonrió. Seguramente pensaría que todo esto no tenía la menor importancia: «Unos vomitarían rojo, otros amarillo y otros azul.» «También las naciones —se diría con su lógica absurdamente ingenua— se distinguen por los colores de sus banderas, sin que haya un color determinado para las fuertes y otro para las débiles.» «Ahora puedo estar cansado, pero, ¿quién no está cansado alguna vez?» «Mañana seguramente podré levantarme y correr y jugar como si nada hubiera ocurrido.»

El estetoscopio hizo un minucioso recorrido a lo largo y a lo ancho del débil pecho. En algunos puntos se detenía el doctor con gesto inescrutable. Hacía tamborilear sus dedos y el pecho de Alfredo sonaba a hueco. Yo contemplaba todo esto como a través de una niebla gris; como la realización de unos preliminares inevitables para llegar a un desenlace previsto. Por último, el médico se enderezó. Doña Gregoria, solícita, arrebujó el cuerpo de Alfredo entre las mantas. Mi amigo había vuelto a entornar los ojos y sonreía. Don Mateo y el médico salieron al pasillo. Estefanía los siguió con la mirada, sin moverse de la cabecera del lecho. Un poco por instinto, mis piernas me sacaron también de la habitación. A la puerta del cuarto de los peces me detuve, escuchando. Doña Gregoria pasó por delante muy de prisa, sujetando con los dedos corazón y pulgar de cada mano las puntas bajas de su delantal. Esta vez el roce de sus vestidos me crispó los nervios. El médico se despedía ya con el sombrero y el bastón en la mano:

—Es muy joven para ponerse en lo peor. Es de esperar que con un reposo absoluto y una alimentación abundante estemos del otro lado. Eso —rió— sin contar con los prodigios terapéuticos del aire de Ávila... Ya volveré...

Al cerrarse la puerta y oír sus pisadas en las escaleras me pareció que nos abandonaba a nuestra propia suerte; que la vida de mi amigo le importaba tan poco como a mí me hubiera importado la de su mujer, de ser casado.

Ésta fue la iniciación de unos días de acentuada intranquilidad, híbridos de esperanza y desesperación, angustiosos en su cariz de buena vecindad con la muerte. En estas horas me transformé en un faldero de doña Gregoria. Su buen corazón comprendía mi congoja y frecuentemente alimentaba mi mortecina esperanza con palabras consoladoras y llenas de fe.

—El clima de Ávila, hijo, es milagroso para esta enfermedad. Yo he visto mil casos peores que se han resuelto fácilmente.

Recién oídas estas palabras, me inundaba el gozo. La experiencia de mi patrona cobraba al tratar esta cuestión aires de infalibilidad absoluta. La creía porque ansiaba que tuviera razón, porque tenía que creerla. Acudía entonces junto al lecho de mi amigo a ponerle mi inyección de optimismo. Mas su sola contemplación me aturdía al primer vistazo. Me sentaba junto a él en una pequeña silla enfundado en mi abrigo de invierno. (Eran órdenes del médico que no se cerrase la ventana ni de noche ni de día. Por este motivo mis palabras salían precedidas siempre por una nubecilla de aliento.)

—Ya estás mejor, Alfredo; el médico lo ha dicho.

(Lo que de verdad decía el médico era que el proceso de curación sería muy largo; varios meses o quizá varios años.) Alfredo sonreía con un movimiento de labios indefinible, sin dejar de aprisionar su ceja albina. No queríamos que hablase una palabra y él aparentaba hallar satisfacción en este hermético mutismo. Hacía el efecto de hallarse en completo acuerdo con su nueva modalidad de estar, pasiva y estática. Jamás aspiraba a ir más allá de lo que le permitían. Esta conformidad sumisa constituía para mí el peor augurio. Su carácter volcánico, abierto, impetuoso, había experimentado una transformación radical... Y este fenómeno me proporcionaba la señal evidente de que Alfredo se juzgaba ya a sí mismo como un individuo apto para la muerte.

En mis visitas terminaba por absorberme en una muda

contemplación de sus facciones. No veía una fórmula que me permitiese encadenar unas palabras a otras en un sentido concreto. La ausencia de réplica y de atención acababa por sumirme en mi actitud expectante. Entonces la anormalidad de su rostro se agigantaba coceándome el corazón. Su faz, cada vez más afilada, adquiría tonalidades cárdenas en las sienes. Allí, si la fiebre era muy alta, veía temblar el pulso, pasar la sangre con las intermitencias impuestas por el control de sus válvulas. Hasta estos días no reparé en las pecas salpicadas, desordenadas, por su rostro, y que tachonaban su lividez como las estrellas el firmamento. A ratos me entretenía contándolas, intentando contarlas. Impensadamente me avasallaba la idea insensata de que el número de pecas simbolizaba el número de horas que le restaban por vivir. Cerraba los ojos, apretando fuertemente los párpados, pero un impulso invencible me imponía la voluntad de abrirlos y de comenzar el recuento otra vez.

En otras ocasiones me figuraba que los latidos del corazón de Alfredo no hacían más que acompasar el tictac del reloj, y que una vez que éste agotase su cuerda concluiría la vida de mi amigo por ausencia de fin. Me levantaba apresuradamente de mi silla y daba cuerda al viejo reloj hasta alcanzar el tope. Sonreía. Mi amigo tenía ya garantizadas otras veinticuatro horas de existencia.

La lima de la intranquilidad iba royendo así, sistemáticamente, mis nervios. Mi pasajera esperanza se diluía en presencia de Alfredo. Precisaba nuevamente establecer conexión con una voz amable, caritativa, estimulante... En la casa todo eran medias voces, murmullos, miradas oblicuas... Otra vez coactaría a doña Gregoria para que acudiese en mi socorro. La buscaba por la casa, hasta encontrarla y vuelta a empezar otra vez la rueda sin fin: optimismo, entibiamiento, depresión... Las tres fases que jalonaban el curso de mi vida de entonces.

A la semana justa el enfermo se puso un poco peor. Tuvo otra hemoptisis. El latido del hogar se amortiguó aún más si cabe. Se vivía allí en un constante roce, tenue y suave, como el crujir de la seda. En aquellos días busqué más que nunca la compañía de doña Gregoria. El mismo señor Lesmes me acariciaba a menudo; se daba cuenta de que yo estaba jugándome a una sola carta toda mi razón de ser y de subsistir en el tiempo. Una tarde me dijo en tono convincente:

—No tienes que preocuparte, Pedro; éstas son cosas corrientes que pasan todos los días. Alfredo ha tenido la suerte de vivir en Ávila. Y el clima de Ávila es mejor que los remedios de todas las boticas. Ten la seguridad de que, más pronto o más tarde, Alfredo se pondrá totalmente bien.

¡Otra vez el clima de Ávila! Empezaba a resultarme desalentador fiar el restablecimiento de mi amigo a las condiciones climatológicas de una determinada región. El soplo del aire —imaginaba— será muy semejante en todos los puntos de la Tierra. Fiar al clima el remedio de una enfermedad suponía echar mano del criterio ruso al pelear contra Napoleón. A los rusos les resultó bien. ¿Pero no sería diferente el influjo climático en la guerra que en la enfermedad? ¿Es que el clima de Ávila, seco y frío, encerraría también la propiedad de poder poner en desbandada a un apiñado ejército de microbios armados hasta los dientes? ¿Es que la nieve, el lodo, el frío, afectarían también a los microorganismos? De ser así, Napoleón podría ser considerado históricamente como un bacilo de Koch y cabía afirmar, metafóricamente, que Rusia había padecido de tuberculosis en el año 1812. (Ahora, cuando sentía a Alfredo respirar imperceptiblemente el aire gélido de su habitación, me daba la idea de que un millar de boticarios espolvoreaban sobre la ciudad, desde las crestas más altas de la Sierra, los medicamentos e inhalaciones de los tarros, cápsulas y ampollas que poblaban los estantes de sus boticas. ¡Tan sano me imaginaba el clima de la ciudad...!)

Mis noches experimentaban con la enfermedad de Alfredo un profundo cambio, sin excluir su forma externa. Ya no dormíamos juntos en el mismo cuarto. El médico, aun en contra de mis deseos, nos había forzado a la separación. Dormía ahora en la habitación donde dábamos la clase de matemáticas. Por la noche, Estefanía y doña

Servanda trasladaban a ella un catre que colocaban debajo del negro tablero. Allí tenían lugar mis agotadoras luchas cerebrales. Me era imposible acostarme sin luz. Había de hacerlo con la bombilla incandescente por encima de mí. De otra manera las sombras me estrangulaban. Iba invadiéndome, poco a poco, una zozobra pegajosa hasta agotarme. De todas formas sentía mis miembros cruzados por corrientes extrañas; unas corrientes que me compelían, de repente, a estirar mis piernas o mis brazos de un modo involuntario y automático. Entre sueños, algunas noches me parecía que el jeroglífico de mi inquietud se trasladaba al negro tablero y allí se combinaban las letras y los números de un enredo semimatemático preñado de incógnitas.

Cuando mi cerebro disfrutaba de la capacidad suficiente para discurrir con frialdad, las pesadillas adquirían una consistencia pastosa. De causa en causa iba saltando hasta topar con el efecto fatal: la muerte. Siempre giraban mis torturas en derredor del viudo, del negro luto, del picar de los canteros, del pino redondo y aromático elegido por Alfredo para reposar eternamente... Me asomaba con frecuencia a la angustiosa teoría del desasimiento. Paulatinamente iba confirmándome en ella. «Vivir es ir perdiendo, me decía; e incluso, aunque parezca aparentemente que se gana, a lo largo nos damos cuenta de que el falso beneficio se trueca en una pérdida más. Todo es perder en el mundo; para los que poseen mucho y para los que se lamentan de no tener nada.»

El sábado por la tarde se confesó Alfredo y en la mañana del domingo el párroco le llevó la comunión. Evoqué la escena de doña Gregoria criticando el hecho de que en Barcelona se hubiese conducido el Viático en automóvil. Rememoré las posturas respectivas del señor Lesmes, don Felipe y doña Servanda en aquella cuestión. Las consecuencias de los diversos puntos de vista podían condensarse en que la civilización era una porquería, una estrella sin brillo propio, algo ficticio, cuyo relumbrón superficial podía embaucar a los ingenuos. Este domingo, mientras Alfredo comulgaba, me di cuenta de la vacuidad de las

conversaciones humanas, aun en los terrenos que s
consideran más serios. La civilización en sí no era buena ni
mala; todo dependía de la orientación que se imprimiese
a sus avances. El hecho de transportar a Dios en automóvil
o en un aerostato no lo estimaba irreverente sino, al
contrario, como una aplicación exacta del conocimiento
humano; como un encajonamiento loable del impulso
civilizador puesto al servicio de la Divinidad. Donde la
civilización fallaba era en regatear sus hombres a la muerte.
Si yo fuese médico, pensaba, no descansaría hasta encontrar el remedio contra ciertas enfermedades incurables.
Maldije internamente a los médicos que dilapidaban su
vida sin dejarse morder por la preocupación de superarse;
de esos médicos pródigos que malgastan sus energías en un
arrastrarse por el fango sin percatarse nunca de las dimensiones trascendentales de su misión.

(Rumiaba yo entonces estas verdades con la consistencia
que cabe en un pecho de apenas trece años. No dejaba de
comprender que mi infancia quedó atrás, justo el día de
nuestra primera excursión a Cuatro Postes; cuando don
Mateo levantó ante mi vista el telón que me eclipsaba la
vida con toda su cohorte de miserias y mezquindades.)

En la mañana que Alfredo cayó enfermo, don Mateo
avisó urgentemente a su madre a Madrid. Nada supimos de
ella hasta después de comunicarle el segundo vómito y el
posible empeoramiento de su hijo. Respondió entonces
que acudiría rápidamente a su lado y que en tanto siguiéra-
mos teniéndola al corriente de las novedades. Deseé
ardientemente que la madre de Alfredo llegase a tiempo
para encarrilar «aquello», si es que «aquello» era aún
susceptible de encarrilarse. En la noche del martes —nueve
días después de caer en cama— Alfredo mantuvo conmigo
una corta conversación.

—Me parece que ya estoy mejor —me dijo con voz
débil—: las fuerzas van volviéndome lentamente. ¡Qué
bien lo pasamos en Cuatro Postes!, ¿verdad?

No quise desilusionarle; guardaba él un recuerdo muy
grato de su último exceso y se lo respeté. Desconocía
Alfredo que de entre todos los días torcidos que apuntala-

ban mi breve existencia, era el de la fuga a Cuatro Postes el que más me amargaba, aguijoneándome sin descanso con crueles remordimientos.

—De todos modos —siguió Alfredo—, no olvides mi capricho de descansar a la sombra de un pino, «si fuese necesario».

Le aseguré que lo tendría en cuenta siempre que «fuese necesario».

A continuación, agradecido, destapó sus brazos entecos, me rodeó el cuello y me abrazó estrechamente. Le correspondí con efusión, y al soltarle observé que a ambos nos rodaban por las mejillas unos tontos lagrimones.

—Estoy mucho mejor...

La insistencia de Alfredo se me hacía sospechosa. ¿Es que sentía venir la muerte hacia él y quería, a toda costa, que yo no recelase su proximidad?

—Te prometo que cuando me ponga bueno iré a pesarme todas las semanas...

¿Por qué remachaba sobre el mismo clavo? ¿Por qué había de empezar a restablecerse precisamente el día de su mayor calentura? ¿Por qué esa bondad, esa sumisión, ese acatamiento a mis deseos, que no había demostrado en ninguna otra circunstancia de su vida? «Dicen que los muertos no son nunca malos», pensé; «¿será que Alfredo empieza a ser condescendiente porque presiente el tránsito, porque ya ha empezado a morirse?»

—Seguramente mi madre vendrá esta noche... A veces, ¡qué pesaditas se ponen las madres! Al «hombre», si viniese, no le dejes entrar... Es un malvado... Y a los hombres, cuando son malos, se les puede perdonar si reservan su maldad para ellos solos... Pero no si para ser malos hacen uso de un instrumento inocente...

Iba a prometerle esto cuando advertí que no había terminado de hablar. Dejó sueltas dos palabras que añadió, tras una pausa, como si hubiesen sido objeto de una especial meditación:

—... corrompiéndole previamente.

Él sabía, entonces, o sospechaba al menos, el género de vida de su madre. No obstante, a ella no le guardaba rencor. La tomaba como a una víctima sacrificada por el feroz egoísmo de un hombre. «Alfredo en estos momentos dispone de una lucidez extraordinaria —me dije—; está calando en el alma de "un hombre" con una profundidad desusada, como jamás lo había hecho él.»

De repente Alfredo se enderezó levemente. Sus mejillas caían a plomo hasta debajo de la boca, formando el óvalo consumido de su faz. Dos rosetones coloreaban sus pómulos como un pregón de falsa salud. Me tanteó con su mano esquelética para convencerse de que continuaba a su lado.

—Oye... que traigan a los peces... hace mucho tiempo que no les veo comer...

Me levanté con la gravedad de un albacea; consciente de que cumplía una súplica de última voluntad. Don Mateo y doña Gregoria comentaban algo en voz baja, con el liviano cuchicheo que ya había adquirido carta de naturaleza en aquel hogar. El señor Lesmes tomó la pecera, sin dudarlo, alegre de poder llevar un consuelo al corazón del enfermo.

—Ten cuidado, Mateo; que no toque el niño los peces... Sería horrible que se convirtiesen en unos portadores de gérmenes...

Me hirieron las frases de doña Gregoria, empleando los términos de don Gaspar, «el médico vanguardista». Podía tener razón, pero eran humillantes para mí, que me resistía en ver en Alfredo el menor asomo de peligrosidad. Gruñó Fany a la puerta de la cocina. Imaginé que Alfredo agradecería también su visita y, sin pensarlo más, escurriendo mi acción a la vigilancia de mi patrona, entreabrí la puerta de la cocina, dándole paso. Me brincó el animal, que echaba de menos mis habituales caricias y, luego como adivinando el objeto de la conmoción de aquella casa, emprendió una carrera por el pasillo y no paró hasta arrojarse sobre Alfredo y fregarle el rostro con los suaves chupeteos de su larga lengua.

—¡Fany!

El grito de doña Gregoria me sonó igual que el de Alfredo la noche que una carreta dejara coja a la perra. Era una llamada a la prudencia, a la prevención... El animalillo no hizo caso y prosiguió su poco higiénico quehacer entre gruñidos de contento por su parte y la tibia delectación de Alfredo por otra. Doña Gregoria cogió al animal por la piel del cuello y lo despachó con un afilado puntapié. Quería evitar también seguramente que Fany se convirtiese en otro «portador de gérmenes». Aulló la perra del susto y huyó cojeando en dirección a la cocina. Nuestro maestro se acercó entonces al lecho de Alfredo llevando sujeta entre sus manos la pecera verde. Los peces nadaban inquietos, penetrados de la inestabilidad de su equilibrio. A duras penas Alfredo entreabrió los ojos. Yo me puse a migar aceleradamente un pedazo de pan sobre los prisioneros. Me miraron éstos extrañados, ignorantes del motivo por el que aquel día se les despachaba doble ración. Transcurridos unos segundos perdieron su interés por las causas que motivaban el festín y se lanzaron sobre las migas de pan con manifiesto apetito. Alfredo les miraba, o siquiera, tenía los ojos abiertos en dirección a ellos y sonreía. Cuando terminaron los peces de comer, don Mateo los sacó de allí y todos nos despedimos del enfermo hasta el día siguiente.

Casi no había comenzado todavía a desnudarme cuando los acontecimientos y las sensaciones se acumularon sobre mí. Creo que el orden cronológico de los mismos fue el siguiente:

Unos pasos rápidos en el portal y un taconeo intenso de unos pies femeninos sobre los cuatro primeros escalones.

Un grito de mujer partiendo de un lugar inlocalizable.

Unas palabras, pocas, rompiendo el ritmo amortiguado que se venía usando desde hacía nueve días para conversar en aquella casa.

Un tremendo portazo.

Unas carreras alocadas, frenéticas, por el pasillo.

Una nerviosa llamada a la puerta de la calle.

Otro grito penetrante.

Repetición de la llamada a la puerta cada vez con más frenesí...

Venía esperando esto desde hacía tanto tiempo que estoy convencido de que ni un solo músculo de mi cuerpo se alteró. Percibí, uno a uno, aquellos leves indicios, suficientes para explicar lo sucedido. Apreté las mandíbulas y me encaminé a la habitación de Alfredo. Había luz en ella y llanto. Entré. Alfredo seguía sonriendo, pero sobre el embozo de la sábana había vuelto a surgir la terrible mancha roja. El señor Lesmes apoyaba su oído sobre el pecho de Alfredo. Al incorporarse dijo que «no» con la cabeza. Doña Gregoria y Estefanía alargaron sus gemidos al ver este gesto. La puerta de la calle seguía siendo machacada implacablemente. Salió Estefanía enjugándose las lágrimas con un pañuelo sucio. Don Mateo asió la sábana por el borde y la levantó cubriendo el rostro lívido de Alfredo. De improviso penetraron en la estancia muchos alaridos y tras ellos una mujer. Aunque envejecida la reconocí como la madre de mi amigo. Gritó aún más fuerte al ver el bulto en la cama, coronado por una mancha roja. Se arrojó sobre él y le destapó. Alfredo seguía sonriente. Se abrazó a él su madre, incorporándole. Cuando le soltó, el busto de mi amigo se desplomó, rígido y pesado, sobre la almohada, escurriéndole un hilillo de saliva rosada por la comisura izquierda de la boca.

Yo veía las cosas como si no fuese yo. Mis ojos estaban secos. Miraba y escuchaba por simple curiosidad... Fany, desde la cocina, soltó un aullido que luego repitió a largos intervalos durante todo el resto de la noche.

Capítulo XIV

La sensación de embotamiento que me ocupó en el
momento crucial de desasirme de Alfredo se prolongó
hasta el instante de enterrarle. Muchas veces he parangona-
do después aquella sensación con el acorchamiento parcial
que produce en la boca una inyección cuando acudimos al
dentista para extraernos una muela. La diferencia afectaba
únicamente a la extensión y a la calidad del miembro
dormido. En aquellos días la insensibilidad se extendía
a toda mi actividad interior. Vivía solamente por los
sentidos. Mantenía íntegra mi capacidad de comprensión,
pero las consecuencias de mis percepciones no pasaban de
la superficie de la piel, no transcendían a mi centro
nervioso. Asistía como un espectador desapasionado a un
espectáculo cualquiera. Veía, pero la visión no me dejaba la
más mínima huella; me hacía cargo de todo sin que ese
todo influyese para nada en mi vida interior, absolutamente nula, despegada y obtusa.

Recuerdo la noche en que murió Alfredo como la más
movida externamente de cuantas he vivido hasta ahora.
Nunca había sospechado que la anulación de un ser de la
costra de la Tierra desatase un torrente de actividad
semejante entre los que permanecían. Mi primitiva idea de
que son muchos los vivos que viven a costa de los muertos,
se reafirmó entonces. Las esquelas, la caja, la certificación
médica, la modista, la autorización del Juzgado y tantas
otras cosas más, mantuvieron aquella noche la casa de mi
maestro en plena efervescencia. Estefanía se movió mucho
más de lo corriente, pese a que la víspera se había la-
mentado con insistencia de un fuerte ataque de reuma a los
pies. Aquella noche Estefanía se dividió para atender
a todos con una rapidez insólita, lo que vino a demostrarme que el mejor remedio para el reuma es poner encima del
reumático una preocupación mayor.

Recuerdo perfectamente cómo Alfredo fue amortajado
por su madre y doña Gregoria con el traje azul marino que

usaba para las grandes solemnidades. No se me olvidarán las dificultades inherentes al acto de vestir a un muerto. Las articulaciones habían perdido su flexibilidad, los miembros todos se habían aplomado, la rigidez convertía el cuerpo en un garrote sin elasticidad, de una sola pieza. Todo esto vino a evidenciarme que el cuerpo, sin el alma, es un simple espantapájaros. Las dos mujeres terminaron por dar un corte a la espalda de la marinera e hilvanarla después de puesta sobre el cuerpo inanimado. Concluida esta operación, la madre de Alfredo se puso a llorar. Tenía los párpados enrojecidos y su aparente belleza desapareció con el llanto denso y silencioso. Pensé en «el hombre», en lo que diría de poder contemplar ahora a su ídolo en toda su autenticidad, convertida en una materia plástica sobre la que la muerte había colocado su sello sincero y frío. Cuando dos muchachos de la funeraria introdujeron el féretro en la habitación su llanto se hizo más agudo, más convulsivo, más profundo. La caja era blanca, y por esto me regocijé de que Alfredo hubiese muerto sin hacerse hombre. Los mismos muchachos de la funeraria depositaron el cuerpo de Alfredo dentro del féretro. La máscara carnal de mi amigo, encerrada en la oquedad de la caja, se asemejaba bastante a uno de los guerreros de la hornacina. Agradecí que no fuese al que yo había acariciado la nariz con una bola de nieve. El azar quiso que la semejanza se estableciese con uno de los vencidos.

Al ver a Alfredo tendido en el ataúd, su madre vino impulsivamente hacia mí y me besó y abrazó varias veces, llamándome «hijo». Sentí en mis mejillas un asco indefinido, baboso y caliente, como si me hubiesen aproximado al rostro alguna alimaña carnosa y suave. Me acuerdo que abandoné por unos segundos la compañía de mi amigo y me hundí, indeciso, en las obscuridades del cuarto de aseo. Preferí no dar la luz para no verme la cara en aquel instante. Recuerdo que a tientas busqué una toalla y con ella me froté infinitas veces, hasta que percibí un escozor agudo en las mejillas. Me senté entonces en la banqueta blanca y con la cara protegida por mis manos, acodado en las rodillas, dejé transcurrir un breve lapso de tiempo, quieto, insensible, suavemente transpuesto en la obscuridad. Uno de los aullidos de Fany me volvió a medias a la realidad. Me puse de pie, advirtiendo que algo sofocante me quemaba aún en las mejillas. Pensé en los besos de aquella mujer y experimenté de nuevo una viva repugnancia. Volqué el jarro de agua en el lavabo, derramando parte de ella. Luego me jaboné el rostro varias veces hasta que comprobé que desaparecía de mi carne la ácida impresión de sus lágrimas y sus besos. Ya más entonado abandoné el cuarto de aseo, resuelto a no volver a dejarme acariciar.

A los pies del féretro seguían llorando varias mujeres. Doña Leonor, la vecina del piso de arriba, había bajado con el exclusivo fin de ver de cerca el aleteo de la muerte al rasar un cuerpo joven. Su dolor quedaba condensado en el «pobrecito» que repetidamente pronunciaba en un tono descendente, hasta llegar al «ito», que apenas si se oía. Lamentaba la desgracia de verdad, pero con un pesar semejante al que podría doblegarla por la pérdida de un canario. Esto no es de extrañar, considerando que doña Leonor era una soltera empedernida. Allí permaneció varias horas, atracándose de morbosas sensaciones y regodeándose posiblemente de las muchas calamidades que la había ahorrado su virginidad.

Vencida casi la noche, la luctuosa reunión tomó un cariz distinto. Alguien dijo oportunamente que, aunque nos deshiciésemos materialmente en lágrimas, no por ello íbamos a reintegrar la vida «al muchacho» y que creía más a propósito elevar al Cielo nuestras plegarias en una piadosa intercesión por su alma, que era lo único que pervivía. Seguidamente todos nos pusimos a rezar el Rosario dirigidos por doña Gregoria. Así estuvimos hasta que amaneció. Las oraciones rodaban monótonas, elevándose pausadamente hacia el Cielo. Las largas letanías arrullaban las almas adormiladas por el dolor. Comprendí en aquella ocasión que orar es lo único digno que cabe hacer en presencia de un difunto; que todo lo demás es una mera explosión de nuestro inacabable egoísmo.

Entrando el día, la madre de Alfredo rogó al señor Lesmes se preocupase de resolver todo lo atañedero al entierro. Deseaba consumar las fúnebres ceremonias en aquel mismo día. La presencia inmóvil de Alfredo crispaba sus nervios; no podía soportar su rígida postura, ni la obsesiva fijeza de sus dos botas apuntando al techo.

A la hora de comer regresó don Mateo con todos los papeles arreglados. A las cuatro el cortejo fúnebre se puso en marcha. El día era uno de los más crudos del invierno. Por la mañana había estado nevando, y ahora el suelo crujía al hollar nuestros pies la nieve semihelada. Un viento frigidísimo barría las calles solitarias. La carroza avanzaba lentamente, meciéndose en tumbos extraños. Detrás marchábamos el párroco, don Mateo y yo. Luego un pequeño grupo de hombres desconocidos hablando de cosas y temas absurdos. La carroza pretendía ser blanca, pero la nieve, oportuna, le echaba en cara sus ridículas pretensiones.

Al pasar junto a la casa nueva, vislumbré a las señoritas de Regatillo santiguándose en el mirador. Lamenté no poderle contar a Alfredo que las señoritas de Regatillo se habían santiguado al ver su cuerpo vacío, contrariamente a lo que solían hacer en presencia de los cuerpos con alma dentro. Me pareció que uno de los jóvenes que acompañaban a Alfredo piropeaba impudentemente a las señoritas del mirador. Y me pareció también que las de Regatillo se reían y cabrioleaban alocadas, ebrias de ilusión al solo pensamiento de que su atractivo era tan poderoso que se ejercía incluso sobre los hombres que iban a enterrar a sus muertos. Indudablemente, el mundo seguía...

Al doblar una esquina divisé «al hombre» en el centro del grupo de acompañamiento. Imaginé que Alfredo hubiera detestado su actitud y, en consecuencia, la detesté yo también. Es posible que fuera este choque el que comenzó a desentumecer mis sentimientos. Los efectos de «la inyección» se iban debilitando. Empecé a percatarme de que iba acompañando a Alfredo en su último viaje, de que la caja estaba cerrada y que ya jamás volvería a verle. Me encontré inquieto, aturdido, débil... Me di cuenta de que mis temores se habían cumplido en un plazo relativamente corto. Sin embargo, la lucidez no había vuelto del todo a mi cerebro. Aún no calibraba debidamente las dimensiones de mi desgracia, no aquilataba en todo su alcance la magnitud de mi renuncia. Oía hablar detrás de mí. Conversaciones vacías, estrambóticas, fuera de lugar... Se hablaba de rusos, de japoneses y de Port-Arthur. Se apuntaban las posibles consecuencias de un abortado levantamiento proletario de San Petersburgo. Hubo quien dijo que aquello era el comienzo de «algo muy gordo». Otro respondió que era justo y lógico que en el siglo XX no se tolerase ya la esclavitud.

En tanto, Alfredo proseguía su camino callado hacia la tumba. Nada importaba él. Era menos que un grano de arena. Los hombres continuarían matándose por Port-Arthur o muriendo por conseguir unas reivindicaciones sociales. La muerte de mi amigo nadie la tendría en cuenta. Siquiera hubiera sido violenta merecería el aplauso y el recuerdo de su acción, y tal vez una estatua en una apartada plaza pública si su facción lograba la hegemonía. Mas él había desaparecido en óbito, silenciosa, apagadamente y en la cama. (Tal vez el mundo acabaría dándose cuenta algún día de que hay también héroes que mueren en la cama; héroes de esa clase que no buscan la muerte ajena para satisfacer unas apetencias no siempre desinteresadas.) Habíamos salido a la carretera del cementerio. Los árboles vigilaban desde las cunetas a ambos lados del camino. La perspectiva no ofrecía más que nieve por todas partes. Nieve helada, crujiente, blanca. Nieve, sólo nieve por todas partes... Evoqué la silueta del viudo recorriendo el mismo trayecto: Imaginaba que mi apariencia actual debía guardar muchos puntos de contacto con la silueta evocada. Yo me sentía flotar en el espacio blanco. Acompañaba en su último viaje al último y único amigo. Comenzaron a inquietar mis oídos los golpes de los canteros, produciéndome la impresión de que cada golpe arrebataba una esquirla de mi cráneo. Trabajaban los doladores encima de la nieve. Tal vez en su trabajo les arrebataría cualquier día la muerte, y entonces la losa pulimentada serviría para preservar sus despojos. Pensé que era bello pulir con las propias manos nuestro último reducto.

Ya se veía a lo lejos la verja del cementerio. Me conmovió recordar que este mismo camino lo había recorrido pocos meses antes mecido por las carcajadas de Alfredo. Ahora él yacía inmóvil, encerrado en el cofre blanco que portaba la carroza. Detrás de mí continuaban hablando de rusos, japoneses y de Port-Arthur. Nada de nada. Ni respeto para la muerte; ni un asomo de piedad para aquellos doce años clausurados en una caja blanca como si se tratase de unos gramos de bombones.

Se detuvo la carroza junto a la verja. Cuatro hombres se hicieron cargo de la caja, sobre la que el párroco derramó la lúgubre paz de su responso. Vi entumecida de frío la vieja acacia bajo cuya sombra Alfredo eligiese el pie de un pino como lugar ideal de descanso.

Avanzamos por el paseo central precedidos por el féretro. Cruces por todos lados. A izquierda, a derecha, al fondo... cruces y lápidas empenachadas de nieve. Aquí yacía Manolito García, víctima en aciago día, de una terrible disentería. De nuevo experimenté asco y escupí sobre la nieve. Advertí que «el hombre» había observado mi ademán y me miraba curiosamente. Los cipreses se bamboleaban, fantasmales, recogidos bajo su manto de nieve. Recordé los frutos mondos que parían sus ramas y que un día poblaran la cabeza albina de Alfredo de lucubraciones macabras.

Ya nos encontrábamos ante la tumba abierta: «Tumba»; pensé que el vocablo tenía un sentido estremecedor, de «más allá». Abría sus fauces poseída de un hambre de carne atroz. Me dio miedo, me dio lástima dejar allí unos restos tan queridos. En este instante, cuando todos nos deteníamos ante ella, cruzó como un relámpago por mi mente el contenido inefable de los dos años anteriores. «La inyección», perdía, poco a poco, todos sus efectos. Retornaba a mí, pujante y recia, mi habitual sensibilidad. Veía a Alfredo moverse, hablar y actuar con su proverbial gesto alegre y cansino, con el mechón albino colgándole sobre la frente, con una realidad impresionante y viva. «Sí, de todos modos prefiero descansar bajo el aroma de un pino. Su sombra es otra cosa, más redonda, más repleta, más humana... Es una sombra como la que proyectaría doña Servanda si hubiese nacido árbol... Más simpática de todas maneras.» «Todo son frases; pero decir que unos muertos, de donde sean, son más sanos que unos vivos, de donde sean también, es idiota, ¿no comprendes?» «El mundo tiene que ser así, unos gruesos y otros delgados; unos altos y otros bajos; unos ricos y otros pobres; unos malos y otros buenos... ¿no comprendes que de otra manera sería aburridísimo...?» ¡Oh, todo qué cerca y qué vivo permanecía dentro de mí! Veía a Alfredo subrayando sus frases con un acento especial, prendiendo de vez en cuando los pelos de su ceja izquierda con la mano del mismo lado... Le veía —¡Dios!— transportado de alegría lanzándose al ataque de la ciudad, corriendo descalzo por las arenas grises de los marjales, vadeando el Adaja con los pantalones remangados a la altura de los muslos... Y le veía corriendo y brincando, ¡vivo!, haciéndome señas por debajo de las faldas de la camilla cuando doña Gregoria pedía o criticaba algo, censurando mi constante preocupación por su peso, sonriente al describirme cómo humeaban los mercantes al virar frente al rompeolas, camino de la ría... Y le tenía tan cerca, comprobaba su proximidad tan caliente y real, que al dirigir mis ojos a la tumba abierta no pude creer que aquel lecho frío, aquella tierra recién removida, atravesada por las galerías de mil gusanos, estuviese preparado para él.

Los cuatro hombres iban ya a depositar el féretro en el hoyo. Uno de ellos soltó una maloliente palabrota al rozar la caja en uno de los bordes de la yacija. Creo que detrás de mí volví a oír hablar de Port-Arthur, de rusos y de japoneses. ¡Malditos rusos y malditos japoneses! ¿Es que no gravitaba en estos instantes sobre el mundo el riesgo inmenso de que un soplo mortal cortase toda actividad sobre su costra?

Me mordió en las entrañas la glacial indiferencia que me rodeaba. No puedo precisar qué otro impulso me movió. Tan sólo recuerdo que de un tirón me desprendí de la tibia caricia de don Mateo y me arrojé sobre el féretro blanco llamando a mi amigo a grandes voces. Recuerdo que hicieron falta muchos hombres para arrancarme de aquel postrer abrazo y que cuando me revolví furioso contra los que me apresaban, vi en primer término, atenazándome con sus odiosas manos, la corpulenta figura «del hombre». Toda mi sangre hirvió en un segundo. Mi furia, mi dolor, mi soledad tremenda, se concrecionó súbitamente sobre aquellos ojos burlones, sobre aquella mueca incompleta que vivificaba su desprecio. Me encaré con él en el pináculo de mi indignación:

—¡Canalla! Por usted ha ocurrido esto... Usted es el causante de todo. Pero sepa que jamás Alfredo le agradecerá su compañía hasta la tumba. Alfredo le odiaba a usted por encima de todas las cosas; le juzgaba un malvado, un egoísta, un...

Me cruzó la cara de dos estruendosas bofetadas. Mejor dicho, de una bofetada de ida y vuelta que me hizo tambalear. Don Mateo se interpuso entre nosotros y conservo una vaga idea de que, en palabras redondas y claras, le llamó «cobarde» y unas cuantas cosas más. La cara me ardía, pero el corazón se me había amansado ya; se me antojaba que Alfredo, en adelante, podía yacer tranquilo en su tumba. «El hombre» ya sabía lo que él hubiera deseado decirle. Podía considerarse vengado.

Sólo quedábamos el señor Lesmes y yo junto al sepulcro de mi amigo. El resto del acompañamiento había desaparecido ya. Seguramente proseguirían comentando sobre rusos, japoneses y Port-Arthur. Tal vez sobre la inquietud proletaria que bullía en el corazón de la Siberia. Peor para ellos. Peor para ellos que no pensaban en que algún día habrían de realizar este viaje sin vuelta. Igual, lo mismo que Alfredo. Les traerían en carroza, bien tumbadazos, pero se quedarían allí para no volver; y su acompañamiento hablaría igualmente de rusos, japoneses y Port-Arthur para escarnio de su memoria.

Caía la noche. Blandamente empezaron a descolgarse del cielo los copos de una nueva nevada. Don Mateo deshojaba un padrenuestro al pie de la tumba. Al contes-

126

tarle observé que a la cabecera de Alfredo se erguía un pino de tronco recto y copa tripuda, ornado por sus hojas perennes y aciculares. «En primavera y verano —pensé— le cobijará una sombra semejante a la de doña Servanda, si en vez de mujer, hubiese nacido árbol...»

Capítulo XV

Hasta después del regreso del cementerio yo no viví la muerte de Alfredo. Sólo cuando pasé frente a la hornacina, entré en casa del señor Lesmes y me puse en contacto con mi primitiva habitación —que hedía profundamente a desinfectante— empecé a convencerme de la colosal dimensión de mi desgracia. La primera impresión que me asaltó fue de vacío: un vacío hosco, erizado, acre... Más tarde completé esta sensación con la de eternidad; este vacío no podría remediarle en los años que me restaban de existencia. Es decir, estaba solo y para siempre. Una tercera impresión vino a redondear mi percepción cabal del momento. Yo no olvidaría nunca a Alfredo, no podría olvidarlo, aunque lo intentase. Estas tres impresiones, fundidas, creaban a mi alrededor una atmósfera densa, irrespirable. Sospeché que nunca podría acomodarme a esta vida nueva, desasida, sin lazo espiritual alguno que me aferrase al resto de los humanos. Me parecía que flotaba en el espacio, absolutamente desligado de toda criatura terrena, racional e irracional. Comprendí qué profunda verdad encerraban las palabras del señor Lesmes cuando dijo que «entre perder y no llegar era preferible esto último». Después de saborear la compañía de Alfredo me sería muy difícil habituarme a ser como si no le hubiese conocido, como si los dos años últimos no hubiesen pasado de la categoría de un sueño. Morir no es malo para el que muere, pensé; es tremendo para el que queda navegando por la estela que el otro trazó, desbrozando, soportando una vida larga, fofa, despojada del menor aliciente... Imaginé sería inferior mi zozobra si mi amigo hubiese volado íntegro a regiones superiores, si el gran viaje lo hubiera emprendido con el alma y el cuerpo en amigable armonía. Mas el hecho de haber velado su cuerpo inerte, de saber que sus restos secos descansaban al amparo de una piedra de granito, me desequilibraba hasta hacerme sentir palpablemente que mi cuerpo flotaba ingrávido en el espacio y daba vueltas a la esfera del mundo como un extraño e incansable satélite.

La conformación de la vida externa que en aquellos días asumió la casa de mi maestro me prestó muy poca ayuda para desprenderme de este sentimiento inaudito de soledad. La muerte transformó toda la casa de don Mateo de una manera sensible. Era como si su vitalidad se hubiese levantado ahora cimentada sobre el muro vacilante, suave como el crujir de la seda, en el que se condensara nuestra inquietud durante la enfermedad de Alfredo. Algo de este susurro vacilante se había pegado a nuestras vidas de modo impremeditado, pero profundo. Cesó de oírse la cajita de música después de las comidas; se extinguió la euforia bullanguera de Fany, el optimismo de Estefanía, la locuacidad mutilada de la pequeña Martina. Dejaron de ser los festines de los peces un festejo colectivo y comentado para quedar resumido a la mera satisfacción de una necesidad fisiológica. Perdieron sus tonalidades las cosas, los muebles y las paredes; desapareció, en fin, el reflejo de una amistad férvida y joven, tiñendo el fondo de aquella casa, de por sí austero.

La sombra de la muerte aún duraba, agarrándose a la superficie de las cosas. No se eclipsó con la desaparición del cadáver; parecía, al contrario, que con la lejanía de éste se había avivado su permanencia. Fue una melancolía póstuma, como la que pone en un hogar enlutado la aparición de un hijo del muerto.

En las comidas se intensificaba, haciéndome daño, esta vaharada de ausencia. Se echaba de menos el nexo, el aglutinante entre las dos familias congregadas en derredor de la mesa, la natural y la artificial. Sin Alfredo yo me sentía despegado de mis anfitriones y ellos se sentían más lejos de mí. De nada valían los conatos de cordialidad, intentados con molesta frecuencia por el señor Lesmes. Yo estaba allí en virtud de un contrato y el contrato aúna los intereses, pero los corazones no salen de su abotagamiento. Faltaba la chispa que espiritualizase las cláusulas del pacto, que hiciese espíritu la materialidad de mi alimentación y la percepción de los ochocientos reales mensuales por parte de don Mateo. Sin embargo, era esta chispa lo que se había llevado la muerte. Si de mí sólo hubiera dependido, no hubiese permanecido allí más tiempo del necesario para enterrar a Alfredo; después me hubiese marchado de aquella casa donde en cada movimiento, en cada detalle, en cada gemido doloroso de las puertas al abrirse o cerrarse, tenía yo un recuerdo y una nostalgia.

La ubicuidad del alma del ausente se percibía sin que el tiempo la entibiase. Para mí él estaba, como Dios, en todas partes. Pensé que era éste el hálito y la fragancia de eternidad que Dios pone en cada humano al transmitirle la vida. Imaginé que, merced a este prodigio, la permanencia terrena del hombre iba hasta más allá de la muerte; no se eclipsaba hasta cincuenta años después, hasta la segunda o tercera generación.

En la misma calidad de las comidas se percibía la marcha corporal de mi amigo. Los mil reales de cada mensualidad constituían el muro maestro de aquella casa; eran su más sólido puntal económico. Ahora la ubicuidad de su espíritu no devengaba renta de ninguna clase y doña Gregoria, en cambio, había de seguir atendiendo a nuestro sustento corporal. La coacción económica gravitaba, pues, sobre nosotros. Hasta la propia Fany supo de la insatisfacción estomacal y de las mordeduras del hambre. Apenas si algo sólido, fuera del pan, llegaba a nuestras bocas, y cuando llegaba era pesado y medido previamente, de forma que la alimentación del animal había de hacerse a costa del propio sacrificio. Con todo, como mi hambre en los primeros tiempos fue tan escasa como mis ilusiones, Fany pudo mantener erguido su liviano cuerpecillo gracias a mi estómago inapetente y a mi magnánima voluntad.

Recuerdo que el resto del año transcurrió para mí en un constante y tenaz esfuerzo para adaptarme a las nuevas condiciones de existencia. Fue un proceso duro, de lucha intensa y, en última instancia, de una esterilidad descorazonadora. Alfredo continuaba presente, sin que el don de la ubicuidad que acompañaba a su espíritu dejase de evidenciarse en todo tiempo. Me aprisionaba con tenacidad, me hacía presente su ausencia, recalcaba mi orfandad, me parecía verle y oírle a toda hora, aureolado por los reflejos de su cabello albino. Poco pude hacer en ese tiempo fuera de dejarme llevar por la corriente de su influencia. Le rememoraba, resucitando los pasajes más salientes de nuestra historia común, reviviendo su optimismo, su convencimiento de la inmortalidad de los cuerpos jóvenes, su afán ambicioso de ser rico algún día y liberarse de la opresión de aquellos muros y liberar a su madre de su otra opresión.

Su madre había vuelto a escapar. Sin duda liberada de una manera distinta a la soñada por Alfredo, pero liberada al fin y al cabo. (El dolor que parecía embargarla desaparecería como un charco de agua de lluvia formado sobre unos estratos de tierra arenosa. Se filtraría rápidamente hasta un lugar profundo e ignoto de su cuerpo, donde sería tarea impracticable volverlo a alumbrar. Allí permanecería oculto, callado, asfixiado su dolor, aquel su pesar superficial y vano que la condujo a besarme y a abrazarme como si en mí viese encarnado a su propio hijo.) Escapó con «el hombre» que aparentaba ser el único soporte idóneo para mantener y enjugar su húmeda aflicción. Nunca supimos qué fue de ella. Ignoré hasta el fin por qué recovecos inextricables y ocultos discurrió en adelante su vida para terminar de consumar su negra traición al hijo y a su memoria.

Cuando el tiempo fue mejorando, don Mateo que observaba mi positura me autorizó a salir de paseo las tardes que lo quisiera. Solía hacerlo dos veces por semana, y en tales ocasiones casi sin un renuncio mis pies me conducían al cementerio. Me sentía allí a mis anchas. No sé si sería un bienestar morboso, pero hallaba más alivio a mi dolor entre los muertos que entre los vivos. Me parecía un coqueteo macabro de mal gusto esa pusilánime reacción femenina de terror hacia los muertos. ¿Por qué habíamos de temerlos si ellos son los únicos humanos de los que no cabe esperar daño? Ellos estaban allí quietecitos, dormidos a la sombra de sus árboles, en un estado neutro hacia el amor, el odio y la ambición, los tres motores que activaban el flujo vital; las tres causas que movían al hombre a abandonar su estado letárgico. Allí todo era paz, silencio, con un fondo musical, rítmico y bailable, que ponían los canteros al machacar sus pianos de piedra. (El hombre del siglo XX, pensé, se daba la mano con el hombre del neolítico.) Allí, el presentimiento de Alfredo adquiría visos de mayor verismo. Su don de la ubicuidad tomaba caracteres reales al asomarse su espíritu a la fosa que cobijaba sus restos. Entonces me daba la impresión de que Alfredo no se hallaba tan lejos como creía, de que su ausencia era una separación temporal que tenía un fin, una frontera, una limitación, como cualquier otra postura humana. Le presentía cerca, palpitante, caliente. El cementerio se me hacía entonces como un remedio universal para toda clase de enfermedades; un gigantesco sanatorio donde reposan los hombres sin esa acuciante ansiedad que produce en otros lugares el temor de la muerte.

En mis visitas iba viendo crecer el pino que resguardaba su cuerpo. Su copa iba redondeándose, haciendo tripa como un hombre cincuentón, curvándose en una blanda conformidad de su instinto tutelar. En los días de calor el tronco sudaba resina por los intersticios de su costra. Olía fuerte, con un aroma cálido y penetrante. A su sombra solía yo ocultarme de la implacable persecución del sol. Era una sombra sofocante, calinosa, pero adecuada para templar el frío mortal del recinto. Permanecía allí, impávido, dejando que el tiempo resbalase sobre mí, sintiéndome cada vez más cerca de Alfredo y de su espíritu.

Un día, ganado por un insólito ardor romántico, dibujé en la corteza del pino nuestros nombres —Alfredo y Pedro— uno debajo del otro. Experimenté al hacerlo un sentimiento alambicado de íntima satisfacción; algo así como el placer de poner la rúbrica debajo de un extenso escrito. Aquella inscripción en el tronco del pino resumía nuestra amistad en un signo palpable y solemne; hacía partícipe a la Naturaleza —potente, fecunda e inmutable— de nuestra peculiar manera de ser. Quedé muy satisfecho aquella tarde después de terminar mi obra. En lo sucesivo, siempre que visitaba a Alfredo gustaba de palpar el cuerpo caliente del pino, como si el riego subcutáneo de su savia portase diluido en su substancia el poso de nuestra pasada intimidad.

Una tarde de verano varié el itinerario de mis paseos. Por instinto, sin premeditación alguna, fui a parar al Paseo del Rastro. Hacía medio año que no pasaba por allí. Los chillidos sutiles y cortantes de los vencejos al lanzarse contra la muralla revolvieron mi abigarrado sedimento de emociones. Recordé las veces que Alfredo, Fany y yo nos habíamos asomado al fértil valle de Amblés, ahíto de primavera. Al hacerlo ahora, una bocanada de aire de la Sierra me llenó los pulmones sin mi voluntad. Traía el aire en suspensión savia de árboles y frescor de nieve. Me hizo el efecto de un tónico reconfortante, jugoso, imprescindible para sostener la actividad del corazón. Pero al evocar la endeble silueta de Alfredo, consumiéndose contra la almohada, envié una mirada recelosa a la Sierra, culpándole de no haber poseído bastante vigor para hurtar a la muerte una vida en transición, una vida cortada cuando aún no había casi empezado a ser.

Aquella tarde me dejé llevar por parajes muy familiares, por parajes y lugares que tantas veces recorriéramos Alfredo y yo juntos. Descendí hasta la orilla del Adaja y permití que la sucia arena de los marjales acariciase mis pies descalzos; vadeé el río como en tiempos, y para introducirme del todo en un ambiente retrospectivo, me acerqué a la fábrica para pulsar de nuevo su vitalidad pausada y machacona. Todo se mantenía igual y, no obstante, muchas cosas dentro de mí me anunciaban que el mundo seguía, que todo es placable en la tierra menos el tiempo que todo lo arrastra.

Regresé a casa por la puerta del Carmen. Al pisar los terrenos donde se celebraban las ferias de ganado, la horrible cara de la Bruna ganó mi imaginación. La vi moviendo convulsivamente sus labios elásticos, desgañitándose por meter en el alma de cada espectador el frío puñal de sus canciones sensibleras. Vi a Alfredo arrojando una monedita en la casposa gorra del ciego pidiendo la copla del niño encerrado en un arca. Supuse que ahora Alfredo podría satisfacer su capricho sin tales dispendios,

133

sin más que jugar su picardía de espíritu entrometido imbuyendo en la Bruna la idea de entonar la canción del niño secuestrado. Alfredo escucharía escéptico el tremendo relato, con la sonrisa de suficiencia propia de los hombres que ya están «del otro lado».

Cuando volví a casa comprobé que la rememoración tan vívida de mejores días no me aportaba el menor consuelo. Prefería con mucho la augusta paz del camposanto; aquella paz sólo turbada por el cadencioso picar de los canteros. Lo otro me evocaba a un Alfredo ardiente, pleno y vivaz; el cementerio me ayudaba a rememorar, pero las imágenes de mi recuerdo se revolvían sobre un fondo de fatalidad ya consumada que no hacía dolorosos mis retornos al momento actual, vacío e incómodo. Cuando al domingo siguiente volví al cementerio tuve la alegría de ver cómo una chicharra velaba el sueño de mi amigo desde lo alto del tronco del pino. Y el pino estaba mucho más redondo y aromático que la última vez que le viera.

Capítulo XVI

Pasados los primeros meses de estupor y desequilibrio comencé a entrar en la fría realidad. Ahora veía que la muerte lo llenaba todo en el mundo con su vacío desolador. Sentía un malestar casi físico encarnando mi desasosiego espiritual. Mi cuerpo se electrizaba a veces sin motivo aparente y yo había de buscar entonces el contacto del aire helado para apaciguar mi cuerpo y mi alma. Ahora me avergüenzo de confesar que presentía la proximidad de un desenlace inminente para mi vida. Entonces no me avergonzaba. Me era absurdo suponer que mi cuerpo continuase albergando un alma sin concordancia con él por mucho tiempo. Sin duda, en mi encarnación había existido algún error de base. No había asonancia alguna entre los dos pilares que sostenían mi ser, por lo que el estallido que desglosase a uno del otro se me hacía irremediable. Pensaba en un lamentable descuido divino; Dios no tenía dispuesta aquella alma para mí, pero ella se enfundó en mi cuerpo sin consideración a los Supremos designios. De aquí nacía una lucha sorda, enigmática, impalpable, que me traía y llevaba por sus veredas indeseables, mientras mi todo completo asistía a esta pugna como un espectador pasivo y paciente.

Sin embargo, observaba que yo no era una excepción, que todos arrancamos con un lastre inicial que luego se va incrementando o debilitando en el decurso de la existencia; que todo depende de que nuestro espíritu sea más o menos abierto, de que su caja de resonancias esté enfocada hacia dentro o hacia fuera. Todos portamos un impulso que nos impele desde un principio en un determinado sentido. Ahora, que este impulso no tiene más que una eficacia relativa; no trae y lleva al hombre como un muñeco sin voluntad; no le hace, no le domina, le imbuye únicamente una tendencia. El hombre, su voluntad, podría en todo momento sobreponerse al relativo determinismo que emana de su propio yo y de la misma naturaleza de las cosas.

Pero, pensaba, el lastre del resto de la humanidad era diferente al mío; el mundo era distinto a mí, no pensaba ni sentía como yo. Aun en los hombres hechos y maduros observaba frecuentemente un punto de desacuerdo. No conocía yo, fuera de mí, una vida doblada por una muerte. La muerte siempre pasaba; la memoria del ausente iba debilitándose como esos colores que sucumben sin transición, difuminándose. La muerte no suponía para el mundo nada substancial; era un simple accidente. «La vida sigue.» Era la fórmula bajo cuyo imperio se organizaban los años, los lustros y los siglos.

En cambio, yo me sentía cada vez más arrebatado por el vacío insensato e irremediable del vuelo de Alfredo. Discurrían los meses, los años incluso, pero la fuerza de su ausencia continuaba imponiéndoseme. Y a mi alrededor yo veía que el curso de la vida retornaba a la normalidad, se encarrilaba suavemente por sus vías ordinarias, incluso para aquellos que como yo habían conocido y amado a Alfredo. Doña Gregoria volvió tras el paréntesis de su luto, a la caja de música, a sus cadencias arrulladoras de sobremesa; Martina, después de un descenso inapreciable de su optimismo, tornó a ser la que era antes de marchar Alfredo; una chiquilla juguetona, vivaracha y locuaz. El mismo señor Lesmes, tan remetido dentro de sí, acusó el tumbo durante un tiempo, pero, al cabo, se enderezó, retornó a su vida metódica y triste, pero con un método y una tristeza normales también. A veces pensaba si sería que el señor Lesmes sabía disfrazar sus sentimientos mejor que yo que era un niño, pero acababa convenciéndome de que don Mateo no tenía por qué sufrir lo que yo, puesto que no era un amigo lo que había perdido. También a Fany y a Estefanía les llegó el olvido fácilmente. Con esto sus caracteres, ya de por sí parecidos, tomaron un nuevo punto de contacto. Eso sí, la vida siguió para todos; para mí, que sentía, y para los demás, que habían olvidado ya; para doña Leonor, para Fany y para los dos pececitos de la pecera verde. La vida continuó para todos a un mismo ritmo, que a unos parecía lento y a otros rápido, excesivamente rápido y vertiginoso.

Yo encontré en adelante cierto alivio a mi vacuo estado interior en los estudios. Como fondo se mantenía siempre la sensación de Alfredo, pero notaba, no obstante, a pesar mío, que su albina silueta se desplazaba, año tras año, a una más distante lejanía. No le olvidaba, pero los contornos de su presencia se desvanecían en el tiempo.

En aquellos años estudié con avidez, como si mi temperamento se alimentase exclusivamente de un ininterrumpido desfile de letras negras, de palabras y de frases. Estudiaba o leía a toda hora, con un afán insaciable de saber, de conocer, de desentrañar un mundo tan complejo, tan vario y tan incoherente. Año tras año iba jalonando mi esfuerzo y mi vida con un nuevo avance intelectual, dando unidad y armonía a los muchos cabos de ciencia que en mi cerebro permanecían sin atar. Así hasta alcanzar el último curso.

Pero la vida avanzaba para todos y a un mismo ritmo. De vez en cuando un acontecimiento cualquiera nos daba razón y evidencia de su paso. Un día se casó una de las señoritas de Regatillo y doña Gregoria clamó al cielo afirmando «que todas las bribonas tienen suerte». A los diez meses la señorita de Regatillo se desdobló y parió un hijo que, en imparcial juicio de Estefanía, era bonito como las estrellas del firmamento.

Otro día amanecieron muertos los pececitos de la pecera verde. Su muerte se debió a una lamentable negligencia de mi patrona. La ventana del cuarto en que pernoctaban quedó abierta toda la noche y la helada intensa de la madrugada hizo sólido el líquido elemento en que los peces se revolvían. A la mañana un grito de doña Gregoria puso en ebullición toda la casa. Acudimos a su alarido y pudimos ver cómo los dos pececitos rojos estaban incrustados, íntegros, en un opaco y redondo bloque de hielo. Hubo lágrimas. Lloró doña Gregoria, lloró Martina y lloró Estefanía. Don Mateo se contentó con contemplar, sonriendo melancólicamente, la palma pequeña y morena de su mano izquierda. Pero, pese a todo, aquella noche tuvimos pescado con patatas, de segundo plato.

Otro día nos alarmó doña Leonor con una serie de gritos histéricos impresionantes. La habían robado. La habían desvalijado completamente aprovechando el momento en que ella oraba en la iglesia de San Pedro. Doña Leonor acudió a la Policía. Dos años más tarde nadie recordaba el hecho sino esporádicamente la interesada, para justificar la falta de detalles personales. Y advertí que, conforme corría el tiempo, las alhajas robadas aumentaban de tamaño, de valor y de belleza.

Otro día le dio una hemiplejía al abuelo. Doña Gregoria nos trasladó a todos durante una semana a su domicilio. Yacía el anciano entre las sábanas con medio cuerpo vivo y la otra mitad muerto. Hasta las barbas del lado derecho habían perdido su temblor vivaz. Cuando intentaba sonreír sólo los pelos del lado izquierdo se movían como unos hierbajos secos estremecidos por la brisa. Pasó la semana y como el viejo no llevaba trazas de morir ni revivir del todo, retornamos a nuestro hogar con una nueva pena enquistada encima del corazón de doña Gregoria que, no obstante, se adaptaba al doloroso cambio con su característica impasibilidad.

La vida seguía su curso a un ritmo implacable, rápido para unos, moroso para otros, pero objetivamente igual para todos. En un punto u otro de la ciudad iba imprimiendo la huella de su paso cada día. Era como un río que después de la avenida fuese esparciendo a izquierda y derecha de su curso los restos de los destrozos ocasionados en su expansión. Unos nacían, otros morían; unos caían, otros se levantaban; unos quebraban, otros se enriquecían; perdían unos la salud, otros la recobraban. Era un juego de ponderación exquisito, equilibrado y ecuánime. La vida, con sus entrantes y salientes, constituía un gigantesco «puzzle» abigarrado y armonioso. Lo que uno no tenía le sobraba a otro y de la coincidencia entre las sobras y las faltas brotaba el equilibrio humano, con nada de más, pero también sin nada de menos. La vida de la ciudad se desplegaba ante mí como si recorriera una larga carretera en un coche descubierto y periódicamente unos árboles más altos que otros rompiesen la uniformidad del camino sirviéndome de puntos de referencia, de hitos diferenciales.

Así fue finalizando la primera etapa de mi vida. Extinguiéndose lenta, calladamente, como muere y se extingue una llama, pasando por las sucesivas fases de embriaguez, madurez, debilitamiento progresivo y azul. Desvaneciéndose entre los compases rutinarios de Martina golpeando el piano. Una Martina que iba creciendo, haciéndose persona poco a poco...

En mis largas jornadas de estudio sólo su voz turbaba el silencio que me envolvía. Sonaban primero las teclas del piano de la sala, luego su voz, su voz mutilada e indecisa de niña que aún emplea una infantil verborrea taquigráfica. Más tarde, con los años, su voz magnífica, bien timbrada y flexible:

Frú, frú, frú, frú
hermosa cupletista...
Estoy, frú, frú...
loquito por tu amor.

Capítulo XVII

Así se presentaron los últimos días del último curso. Irremisible, imperceptiblemente, había alcanzado la meta de la etapa primera de mi vida. Contemplé su culminación sin ilusiones ni desasosiego, simplemente como un hecho natural que en sí no me producía ni frío ni calor.

Mi tío me escribía insistentemente desde Barcelona animándome a tomar una decisión para el porvenir, a que me inclinara hacia un lado o hacia otro con absoluta libertad, pero que no demorase mi elección hasta el último momento, ya que en ese caso no se elige una carrera por amor, sino como obligado recurso.

Invariablemente, yo le respondía que tuviese paciencia, que la cosa requería tiempo y que en el instante de tomar una determinación se lo haría saber con toda urgencia. Por otro lado el señor Lesmes me acuciaba en el mismo sentido. Creía ver en mí una facilidad extraordinaria para los números y todo su empeño estribaba en hacerme un gran matemático; en inclinarme decididamente hacia la arquitectura o la ingeniería. Yo no le decía que sí ni que no; le escuchaba simplemente, sin ánimo de emprender una discusión que no nos hubiera conducido a ninguna parte. Le oía con una absoluta indiferencia, convencido interiormente de que ni sus palabras me harían cambiar de parecer ni tomarle si ese parecer no hubiera sido tomado ya. Cuando don Mateo se cansaba de aconsejarme se marchaba dejándome solo.

A raíz de estas visitas solía yo meditar, con el libro abierto delante de los ojos, sobre mi futuro destino. Confieso que la ambición no me atosigaba con sus punzantes tentaciones. Solía yo tomar como punto de partida mi excéntrica contextura espiritual. Iba dándome cuenta de las anormalidades de mi carácter y mi interés directo se cifraba en hallar alguna profesión que no se divorciase de mi especial manera de ser; más bien que se adaptase a ella de una manera regular y elástica. Me observé bien por dentro aquellos días por ver de descubrir en mi alma algún indicio de vocación religiosa. Notaba que en los últimos años se había intensificado mi vida de piedad por ser incuestionablemente ella la que más me aproximaba a Alfredo y la que aún me permitía hacer algo por su acomodamiento ultraterreno. Después de muchas dudas y cavilaciones concluí por desechar esta idea. Me seducía el apartamiento del mundo, el poner frontera entre mi existencia y el siglo en que vivía, el anular para siempre el riesgo de un nuevo arraigo terreno, cuyo desprendimiento a la larga había de causarme un nuevo dolor, pero me acobardaba ante la posibilidad de una vida excesivamente contemplativa, de que recayera sobre mis hombros una responsabilidad educacional, o quizás una labor misionera, de atracción hacia Dios de otros espíritus, para la que no me sentía con fuerza suficiente.

Evocaba con frecuencia el punto de vista de don Mateo frente a la vida, a pesar de que su autor últimamente aparentaba haberse olvidado de él. Sin duda alguna «el no ser desgraciado ya es disfrutar bastante felicidad en la tierra». Mi esperanza estaba, pues, limitada por este apotegma mezquino, tasada previamente por mi conciencia clara de lo que la vida podía dar de sí. Yo añoraba la quietud para mi espíritu, un estado neutro hacia los hombres y las cosas, una premeditada indiferencia hacia cuanto en un plazo más o menos largo podía volverse contra mí. Sabía que «la quietud suprema con poco se alcanza; meramente con lo imprescindible». De aquí que mis meditaciones tendiesen de modo primordial a procurarme en el porvenir una situación de estabilidad interior, aunque en el aspecto externo no fuese holgada o dejase algo que desear. El secreto de esta proyectada estabilidad estribaba «en quedarse en poco»; don Mateo lo había dicho también. «Al tener acompaña el temor a perderlo, que ocasiona tanta intranquilidad como el no poseer nada»; el señor Lesmes había dicho que «debemos vigilar nuestras conquistas terrenas tanto como a nosotros mismos».

Le daba la razón a mi maestro en todos los puntos que

había desarrollado durante mi estancia a su lado. Sus constantes lecciones se habían desenlazado en el epílogo de la muerte de Alfredo, hecho que había venido a demostrarme la gran distancia que separa «el perder» del «no llegar», la diferencia profundísima entre el «no asir» y el «desasirnos».

Enfocadas las perspectivas de mi destino desde este ángulo —el fundamental para mi estado de alma— las consecuencias que deducía eran siempre las mismas; análogas por lo menos. Mi facultad de desasimiento era rígida y sin reservas; ni aun esforzándome podría darle la elasticidad mínima para discurrir por la vida como un individuo normal. Había de sujetarme, de prejuzgar el alcance de mis acciones antes de consumarlas, de vigilarme noche y día para evitar un encadenamiento sentimental que con el tiempo podría costarme caro.

Estos razonamientos y otros similares ocupaban gran parte de mis horas en el último mes de permanencia en casa de don Mateo. Encerrado entre las cuatro paredes de mi habitación mi cerebro discurría serenamente, en frío, sin precipitaciones. A ratos Martina ponía un fondo musical a mis desvelos, pero su voz, caliente y cristalina, no enturbiaba para nada la claridad de mis razonamientos. Creo, al contrario, que su música y sus canciones activaban mi potencia cerebral y hasta me hacía ver las soluciones más precisas y rotundas.

> Frú, frú, frú, frú
> hermosa cupletista...
> Estoy, frú, frú...
> loquito por tu amor.

Hacía años que había sentido transformarse dentro de mí las corrientes que vivificaban mi ser. Dejé de ser un niño para convertirme en un medio hombre, para alcanzar esa edad peligrosa, púber, en que los vientos de las pasiones se entrecruzan dentro de nuestro pecho poniendo un biombo, más o menos tupido, a toda otra consideración espiritual. Adivinaba que, con el correr del tiempo, el cuerpo se transforma, exige un complemento físico; un complemento que iba más allá del complemento limpiamente cordial, sin exigencias más bajas; un complemento cabal, amplio, sin restricciones, donde los sexos descubren, al fin, el misterio para que fueron creados. En este punto se condensaba ahora toda mi inquietud. Estaba decidido a «no tomar», a «no asir» jamás nada que pudiera afectar al campo de mis sentimientos, a no amar y no ser amado, a no dejarme arrastrar por la fuerza de mis instintos. Comprendía que mi solución temporal se escondía en un amor alto y sin engaño, en una mutua entrega de energías e inquietudes. Mas el inconveniente se ocultaba en la misma temporalidad de esta solución, en la condición finita de toda relación humana, en que a la larga todo muere, se derrumba, termina por disociarse en el tiempo; en que «fatalmente uno de los dos ha de enterrar al otro».

La experiencia de Alfredo me servía de escarmiento en estos trascendentales instantes. Cinco años no habían bastado para debilitar su recuerdo. No su recuerdo físico, sino su influencia, su espíritu. Un amor más grande, una entrega más completa, produciría en mí al deshacerse un desconcierto tan intenso que muy bien podría concluir en la más abominable traición a Dios: el suicidio.

> Frú, frú, frú, frú
> hermosa cupletista...
> Estoy, frú, frú...
> loquito por tu amor.

Mis determinaciones las rubricaba Martina con su estribillo sutil, enervándolas, poniendo sordina a su relevante importancia. Momentáneamente me dejaba portar, abatido, entregado en los brazos de su canción. Pero inmediatamente mi cerebro, espoleado, recomenzaba su actividad, como si hubiese sido substituido por otro nuevo, fresco, potente, sin estrenar aún.

Tres tardes antes de acabar los exámenes llegué a una definitiva resolución. Convencido de la imposibilidad de elegir el rumbo de mi destino estimando únicamente el valor de mis aptitudes, me decidí, al fin, por una carrera que, conservándome en el mundo, me permitía al propio tiempo mantenerme apartado de él. Decidí hacerme marino mercante. Esta profesión aunaba todas mis ambiciones. Su carácter variable, la constante movilidad de horizontes y de personas, rimaba a la perfección con mi deseo de evitar tratos y relaciones reiterados o permanentes. Una vez tomada me pareció que era esta solución la que, inconscientemente, había ambicionado toda la vida. Evoqué a don Felipe y sus maravillosos relatos de la vida marinera. Rememoré la idea que del mar me imbuyera Alfredo al regresar de su visita a la playa. Y me hizo el efecto de que estas sensaciones, que incidían ahora en mi ser, eran resurrección de unas mismas sensaciones que me habían poseído de siempre anteriormente.

Había cerrado el libro como único medio de dar a mi determinación la solemnidad obligada, como único ritual con que podía adornar mi decisión unilateral, silenciosa y fría.

Martina cantaba desde la sala como otras tardes. Me levanté de mi silla con la tranquilidad de quien acaba de rematar un trabajo excesivo y urgente. Necesitaba descansar, airearme de vida externa, dejarme absorber por acontecimientos ajenos a mí, aunque estos acontecimientos fuesen tan simples como el ver a Martina enfrascada en su tarea de aporrear el piano. Entré silenciosamente en la sala y observé un momento la espalda erguida de la niña. Después me aproximé a ella sin que me advirtiera. Inopinadamente empezó a cantar.

> Tras los cristales de aquel balcón
> Hay unos ojos que adoro yo...
> Prenda mía del alma,
> Que si tú no me quieres
> De pena moriré.

Sus dedos pequeños y elásticos recorrían ágilmente el teclado como una serie de pantorrillas femeninas danzando etéreamente sobre un escenario de marfil. Me pregunté cómo doña Gregoria permitiría que en su casa su propia hija, menor, entonase aquellas canciones eróticas que parecían escritas ex profeso para halagar la graciosa coquetería de las señoritas de Regatillo. Martina continuaba golpeando las teclas con una clara noción de la armonía. Sus dedos, tiernos, fugaces, rosados, se curvaban en las puntas, hacia arriba, al pulsar cada tecla. Sólo ante Martina me di cuenta de que algo se consumía, se cerraba sin remedio dentro de mí. Me percaté del suave ronroneo del tiempo que escapa, que huye, sin volver una sola vez los ojos. Advertí que las cosas empiezan a gustarnos cuando necesariamente tenemos que desprendernos de ellas. Miré al papel rameado de las paredes como algo muy mío, como si mi propio interior estuviese tapizado de él... En aquel mismo cuarto nos recibió, años antes, el señor Lesmes. Entonces yo no era más que un rapaz animado por una vitalidad prestada, sin jugo propio, sin capacidad de raciocinio. Ahora las cosas habían cambiado y, por lo menos, ya sabía que de una sociedad de dos, uno fatalmente ha de enterrar al otro. Sabía siquiera que la materia se desintegra, se desvanece, que es caduca, finita, limitada. Sabía que la sombra del ciprés es alargada y corta como un cuchillo. Sabía...

> *Tras los cristales de aquel balcón*
> *Hay unos ojos que adoro yo...*
> *Prenda del alma mía...*

Sabía que el hombre, físicamente, es como una planta que nace de la tierra y acaba en ella... Fatalmente también...

Al día siguiente escribí a Barcelona, a mi tío, anunciándole mi espontánea decisión. Días después recibí su respuesta, de una disconformidad absurda. Me decía, entre otras cosas, que yo no me daba cuenta de lo que hacía, que estaba influido por una imaginación pueril que decía muy poco de la seriedad de un hombre de diecisiete años; que la vida de marino, aparte de ser muy dura, no me permitiría aprovechar todas mis dotes intelectuales que a juzgar por mis notas del bachillerato y los informes de don Mateo eran vastas y desarrolladas: que meditase, seriamente, sobre este paso, ya que el darle en falso equivalía a esquinarme con la vida, a perder el ritmo, el equilibrio y caer... No me decía dónde era donde podía caer y si la caída sería mortal de necesidad o no. Volví a escribirle manteniéndome firme en la línea que me había trazado. Le aseguraba que el dar mi brazo a torcer me contrariaría tanto como podía contrariarle a él mi determinación de ingresar en la Escuela de Náutica. Respondió que «fuese así, puesto que yo así lo deseaba». Con esto cedió también la presión del señor Lesmes, a quien adivinaba en concomitancia con mi tío para hacerme desistir de mi propósito. El juego y la correspondencia «subterránea» que sin duda habían mantenido entre ambos hubo de ceder ante mi terca contumacia, frente a mi voluntad decidida a enveredar mi futuro conforme a los principios que directamente recibía de mi conciencia. Con esto y el aprobado en mi última asignatura quedaron orilladas todas las dificultades.

Dediqué los días siguientes a rematar este lapso con dignidad. Uno de mis primeros quehaceres fue el de acudir al cementerio a despedirme de Alfredo. El pino estaba más tripudo que nunca y la chicharra no cesaba de cantar. Nuestros nombres, impresos en la corteza, iban creciendo de conformidad con el desarrollo del pino. Dije adiós a Manolito García, víctima de horrible disentería, y le compadecí otra vez. La sombra del ciprés, alargada, acicular, dividía su lápida en dos. Pensé que las cosas largas, afiladas, eran más tristes que las redondas. Di la razón a Alfredo, por su elección de un lugar de reposo sombreado por un pino. Me percaté de que hay temperamentos que parecen agujas y temperamentos que parecen dedales. Temperamentos incisivos y temperamentos receptores. Imaginé que una sombra determinada cobija a los hombres en la vida lo mismo que en la muerte. Adiviné que la sombra que a mí me cruzaba el corazón era alargada y fina como la de un ciprés; idéntica a la que partía en dos la lápida de Manolito García...

Al día siguiente abandoné Ávila. Cuando salí de casa

con las maletas camino de la estación, crucé la plaza para despedirme de los muñecos de la hornacina. Estaban rígidos como nunca, indiferentes al paso de los hombres y las cosas. «La piedra perdura; la carne no», pensé, y les dije adiós con la mano. Mi generación pasaría sobre ellos sin mudarles. Moriría yo y ellos permanecerían igual que el día que nací. Me volví para decirles adiós otra vez. Comprendí entonces que en esta despedida se encerraba mi doloroso adiós a la ciudad entera.

Doña Gregoria, Estefanía, Martina, el señor Lesmes y Fany me acompañaban en silencio. Me parecía que la gente nos miraba con curiosidad; nos compadecería seguramente, presintiendo una despedida. La estación olía a carbonilla atrasada, tras años de soportar el paso de los trenes. Noté un nudo grueso, con puntos dolorosos, en la mitad de mi cuello. Comprobé que ese nudo crecía y aumentaba sus aristas pungentes al mirar a mis acompañantes. Bajé la vista y me puse a pasear de puntillas sobre los baldosines contándolos, intentando contarlos como un día las pecas de la cara de Alfredo. Silbó un tren. Sentí los brazos sofocantes de doña Gregoria apretándome el cuello. Tenía húmeda la angulosa mejilla. «Cúidate, hijo; escríbenos.» (No sé precisar si estas palabras me entraban desde fuera o salían de dentro de mí, tan tenues eran, tan vaporosas...) Me asieron ahora los brazos de Estefanía, la inefable Estefanía que no gustaba de dormir la siesta... El nudo de mi garganta crecía, crecía... Diría yo que era como las muescas en la corteza de los árboles, como nuestros nombres en la corteza del pino... Martina saltó a mi cuello y me besó llorando. Si hubiese sido dos años más tarde, Martina se hubiese abstenido... Noté contra las piernas el aliento fumoso del tren. Brincó Fany una y otra vez sobre mí. Me abrazó don Mateo. De nuevo silbó el tren. Me vi de repente encaramado en él, asomando mi rostro por la ventanilla entre caras desconocidas, diciendo adiós con la mano. Lágrimas, lágrimas, lágrimas... y el nudo de mi garganta esforzándose en asfixiarme, en no dejarme respirar. Se estremeció el suelo del vagón. Ya estábamos en movimiento. Sentí un entrañable alborozo al abandonar vivo aquel manojo de seres. Imaginé que la sombra que velaba el corazón de don Mateo era acicular y alargada como la del ciprés. Y también la de doña Gregoria... y la mía... Deseé para Martina, para la pequeña Martina, una sombra plena, redonda...

Re-don-da-re-don-da...

El paso de las ruedas sobre las entrevías subrayaba, silabeándolo, mi deseo. Allá, a lo lejos, vi agitarse un pañuelo blanco, muy blanco, tan blanco como los retazos de nieve que aún se agarraban a los picachos más altos de la Sierra...

Libro segundo

Capítulo primero

«No es bueno que el hombre esté solo.»
(Génesis.)

Ya en mi nuevo acomodamiento fueron desfilando los años. Progresó mi conciencia del mundo externo, conocí el mar, la vida en común, la atmósfera privativa de cien ciudades, pero todo resbaló por encima de mí sin que mi obstinada resolución tomada al abandonar Ávila se alterase en absoluto.

Mientras estudié en la Escuela de Náutica, en Barcelona, me alojé en casa de mi tío. Económicamente, él había prosperado mucho. Vivía muy desahogadamente y hasta con lujo. En contra de lo que yo neciamente había imaginado, trabajaba también, casi de sol a sol, como un bracero. Conmigo no estuvo demasiado amable; me aceptó con resignación pero nada más. Comprendía que el tiempo no había transcurrido en balde y que a los diecisiete años ya empieza uno a darse cuenta de la calidad moral de las personas que le rodean. Por ello quizás, en ocasiones le veía esforzarse por aparentar afabilidad, cordialidad incluso, con la especiosa idea de que yo no echase de menos otros cariños que me habían faltado en la vida.

Al verme frente a él me abrazó, asegurándome que me había desarrollado mucho en el último año que había dejado de verme. Intentó luego disuadirme de mi proyecto de ingresar en la Escuela de Náutica, mas yo me sostuve en mis trece. Sólo después de dos semanas de analizar mi actitud terca y recalcitrante, acabó por resignarse y concederme amplia libertad para que diese a mi vida el rumbo que desease.

Recién llegado de Ávila recuerdo que Barcelona me causó una impresión violenta. Algo así como si de un solo salto hubiese pasado de la serenidad mística de un convento a la vitalidad laboriosa y activa de un gigantesco taller. Aquí la gente se movía en enjambres, agobiado cada cual por el peso de sus problemas, pero sin tener en cada esquina un monumento añoso y amarillo que nos recordase constantemente que la generación actual pisaba sobre otros tres estratos históricos. En Barcelona la Historia había pasado del todo; no había ido dejando, como en Ávila, residuos o maulas más o menos arcaicos. El señor Lesmes, pensaba, hubiese estado aquí descentrado y solo, aunque tal vez don Mateo, de haber nacido en Barcelona, sería hoy un experto negociante en tejidos, entregado de lleno a la fiebre del comercio y postergando en consecuencia la llama interior que ardía sin consumirle.

Las dimensiones de la ciudad me impresionaron tanto como su psicología. Echaba de menos mis paseos por la periferia de Ávila, donde bastaban pocos minutos para rodear la ciudad completamente. Aquí había de conformarme con recorrer un par de calles sin fin para regresar a casa más cansado que si en Ávila hubiese dado cinco vueltas seguidas a la muralla.

Estudié mucho aquellos años. Apenas si buscaba el contacto con mis compañeros de curso. Ellos vivían su vida liviana y fácil, más hacia fuera que hacia dentro. Su actitud me desorientaba con frecuencia. No les entendía, ni ellos me comprendían a mí. Vivíamos en dos esferas aparte, pero tan próximas que a cada instante cabía presumir el choque. Un día llegó éste, inesperadamente.

Solían varios de mis compañeros matar las tardes de los sábados organizando alguna francachela colectiva, que luego les servía al menos para jactarse y presumir ante los demás el resto de los días de la semana. Una mañana de lunes, el que capitaneaba el grupo adoptó conmigo una actitud ridícula en fuerza de ser pretenciosa y soez:

—¿Cuánto tiempo hace que no vas de juerga?

—Dieciocho años.

Al principio se quedó un poco cortado, pero casi inmediatamente soltó una estentórea carcajada y me golpeó bárbaramente la espalda con la palma de la mano.

—Eres genial —añadió—; pero, ¿por qué no te has metido cura?

—Prefiero esto.

—¿Vas a decirme que piensas conservarte «íntegro» moviéndote en esta clase de vida?

Nos rodeaban cinco o seis incondicionales del gallito. Alguno, más tonto y flojo que los demás, reía sus palabras como si en cada una de sus sílabas se encerrase un chiste.

—Por lo menos mis primeros ochenta años; luego ya lo pensaré.

Volvió a reírse con fuerza en mis barbas. Sus satélites le corearon.

—No querrás hacernos pensar que eres un... un...

Hubo un instante en que perdí la noción de mí mismo. Cerré el puño derecho y le disparé un soberbio puñetazo en la mejilla. Él se hizo atrás aturdido, reacio a creer que alguien hubiese osado levantarse contra él. Sus compañeros, previendo una pelea, nos hicieron corro. En el fondo creo que todos deseaban mi victoria. Los mismos incondicionales del gallito se sentían llenos de esa morbosa sensación placentera que produce la caída del ídolo. Les poseía un difuso afán iconoclasta. (Existe en esta clase de amistad jerárquica, donde uno está por encima de los demás, una recóndita y secreta esperanza de ver llegar la hora en que el déspota caiga, se derrumbe, impulsado por la figura más obscura y anodina del grupo. Es el mismo enfermizo placer que lleva al pueblo a aplaudir la caída del dictador que ellos auparon un día con el propio esfuerzo.)

El gallito vino hacia mí con los puños cerrados. Quería ofrecerse tranquilo, frío, muy capitán, pero la mueca de conejo rencoroso que asomaba entre sus labios le delataba. Me percataba yo de su desventaja en relación conmigo. Él se jugaba su predominio, su hegemonía, ganado a costa de Dios sabe qué sucios relatos de sus experiencias mujeriegas. Yo no me jugaba nada. Todo lo más mi tranquilidad escolar para lo sucesivo, mi apacible permanencia en el seno de mis compañeros. Intentó golpearme con sus dos puños, pero su acaloramiento le llevó a hacer dos desgarrones en el aire. Se hizo atrás de nuevo presintiendo mi reacción. Yo esperé aún. Cuando nos aproximamos otra vez sentí un golpe en la garganta y un dolor agudo en los nudillos de la mano izquierda. Le había alcanzado fuertemente en la boca y él ahora escupía unos salivazos sanguinolentos.

Alguien nos quiso separar, pero el gallito le mandó apartar violentamente. Una voz detrás de mí dijo: «dejadles». Se acentuaba en mi adversario la mueca de conejillo encolerizado. Pendía de sus labios una baba de sangre que subía o bajaba sin llegar nunca a caer del todo. De repente el gallito vino hacia mí y comenzó a aporrearme corajudamente, sin orden, finalidad ni método, no procurando la calidad, sino la cantidad, como si diez dedalitos de agua fuesen más eficaces que una herrada para ahogar un gato. Cerré mi guardia como pude y soporté pacientemente el chaparrón de golpes. Sin duda nuestros compañeros imaginaron que aquello estaba ya decidido. Debieron de pensar que me entregaba demasiado pronto. Con seguridad se sorprendieron cuando yo, de un rápido salto hacia atrás, me puse fuera de tiro y los cuatro últimos golpes del gallito —dos de cada puño— se perdieron en el aire. Aproveché su desconcierto para meterle entre su defensa desarticulada dos cortados ganchos, secos y rotundos. Se tambaleó el gallito como si estuviera ebrio. Empero volvió a aproximarse sin notar ya los impactos de mis puños. Volví a asestarle un nuevo derechazo en la boca del estómago, y cuando derrotado inclinaba su busto hacia mí, le propiné un directo magnífico en la barbilla que pensé había de ser el definitivo.

Pero aún se rehízo el hombre. Admiré su capacidad de resistencia. Tornó a enfrentárseme y a ofrecerme, desguarnecido, el apetitoso blanco de su rostro. Le golpeé duramente la nariz por tres veces. Él dejó cær sobre mí sus puños con escasa violencia, desmayadamente...

El corro se estrechaba en derredor nuestro. Los espectadores tenían una respiración entrecortada, contagiados por nuestro jadear de fuelles viejos. Sangraba el «eminente» en tanta abundancia que no sabía yo precisar qué partes de su rostro eran las contusionadas. Súbitamente me harté, aprecié la necesidad de desenlazar aquello rápidamente, sentí un temor turbio de que nuestros profesores nos sorprendieran en este trance y que la pelea pudiera trascen-

154

der al logro de mis ilusiones. Pasé enérgicamente a la ofensiva. Bajo el dolor de uno de mis mamporros el gallito se agachó y yo, aprovechando el resquicio de aquel desvanecimiento, disparé vigorosamente mi puño contra su mentón rendido. El gallito acusó la impacción instantáneamente. La cabeza se le dobló hacia atrás y cayó al suelo, fofo, quebrado, desmarrido, como un pelele de trapo. Hubo un silencio a mi alrededor. Seguramente los antiguos incondicionales ocupaban esta pausa en cambiar los colores de su chaqueta. El déspota había caído, había sido triturado. En lo sucesivo no tendrían ya por qué encogerse ante sus bravatas, ni que admirar las torpes jactancias de sus devaneos mujeriegos. Habían sido liberados por el más nulo, el más obscuro de sus camaradas.

Este episodio sirvió para demostrarme que la juventud, en la segunda decena de la vida, rinde un culto, casi idolátrico, a la potencia de los puños. En adelante mis compañeros acogieron mi presencia con respeto y admiración. Presentía que, de haberlo deseado, mi victoria me hubiese encumbrado al puesto que el gallito acababa de abandonar. Pero no quise estrujar mi triunfo hasta ese punto. Me bastaba con tener garantizada mi tranquilidad, la vida retraída, apartada, que yo gustaba de vivir. Me parecía que con aquella pelea había desbrozado el camino de mi vida, que podría en el porvenir avanzar con la cabeza levantada, sin el temor de que nadie me preguntase adónde iba ni el motivo por el que yo iba así. Nadie, efectivamente, volvió a interponerse en mi vida privada. Mi conducta podría extrañar a unos y admirar a otros, pero nadie me criticó en lo sucesivo, ni coactó el orden, minuciosamente seleccionado, de mis pensamientos y mis acciones.

Así, obscuramente, inadvertido, concluí mis estudios en la Escuela de Náutica de Barcelona, dejando abrochado, rematado, un nuevo lapso de tiempo.

Terminados mis estudios me enrolé en un barco frutero para cumplir mis cuatrocientos días de prácticas. El buque se llamaba «San Fulgencio» y desplazaba cerca de tres mil toneladas. Era un barco muy activo; apenas si permanecía en el puerto algún día fuera de los necesarios para la carga, la estiva y la descarga. Por lo demás navegábamos constantemente, haciendo escalas en el Norte de España, Oeste de Francia y en la zona meridional de Inglaterra.

Aprendí entonces a ver tierras y mares; a navegar y a desenvolverme en el mundo; empecé a convencerme de que el moverse por la tierra causa mayores trastornos que cruzar el mar y que el temor al mar de los hombres de tierra se debe antes que nada a un fenómeno de sugestión apoyado en la idea obsesiva de la inmensidad en profundidad, longitud y anchura. A mí, que poco a poco iba trocándome en un hombre de mar, me mareaba la tierra más que el agua. Me mareaban los hombres con sus mezquinos problemas a cuestas, con su locuacidad desbordada, con sus ambiciones, con sus odios, con la previsión clara de su vitalidad efímera, infaliblemente limitada. Encontraba por contra que el océano traía consigo la paz a los espíritus. Una paz sedante y fácil, que sólo puede dar lo que no ofrece límite ni barrera en el espacio ni en el tiempo.

En aquellos días de mi primer contacto con horizontes amplios, con superficies inconsútiles, sin rematar, creí se desvanecería fácilmente la aleatoria amenaza que yo presentía, que yo hacía balancear sobre mí vedándome toda posible desviación del árido camino pretrazado. Creí ingenuamente que mi enfermedad sin microbios podría ser tratada bebiendo intensa, pacíficamente, la Naturaleza, aletargándome en su contemplación, dejándome emparedar entre el cielo inmenso y el mar inmenso, y llenándome de su dilatación uniforme y vasta.

A veces costeábamos el litoral y entonces un elemento se unía al cielo y al mar, ayudándoles en su ingente tarea. Me agradaba extraordinariamente que el «San Fulgencio» navegara ciñéndose a la costa. La tierra entonces, desde el mar, hacía el efecto de algo tan bello que sólo podía concebirse como fondo de un decorado artificial. Las cosas y los hombres perdían sus perfiles íntimos y se nos ofrecían uniformes, animados de una policromía vistosa, todo un poco reducido y mecánico; ficticia en fuerza de parecer tan bella. Y el barco continuaba zigzagueando, pronunciando las ensenadas y los cabos, dibujando el mapa en esa línea misteriosa, que siempre me había fascinado, donde la parte amarilla, roja o verde de las costas se funde con el azul intenso de los mares.

Una franja de color canela solía marcar la frontera entre el agua y la tierra. Más allá comenzaba a brotar la vegetación desigual y asimétrica, en ese desorden caótico y ordenado al propio tiempo con que sólo Dios sabe animar sus propias obras. En ocasiones, cuando el litoral que recortábamos era el del Norte de España, me deleitaba dejando pasar las horas absorto en una muda contemplación. La tierra, en esos casos, adquiría calidades de óptima belleza. El azul y el verde se asociaban en la franja canela divisoria, demostrando al orbe entero que entre todos los colores cabe una armonía cromática, que ningún color riñe con otro si la tonalidad proviene de las vitales energías que animan espontáneamente la costa de la tierra. Se extendían los bosques, apretados, densos, exuberantes, corriendo ladera abajo hasta detenerse a dos pasos del mar. Bosques de castaños, de eucaliptos, de pinabetes... Bosques y bosques a lomos de los prados verdes, formando un tapiz de irisaciones delicadas, donde nada contrastaba briosamente, sino desposeyéndose lenta, paulatinamente, de su coloración particular; fundiéndose, entregándose a la luz común en un mórbido impulso de renuncia hacia la propia forma y la substancia característica.

El paisaje emanaba frescas vaharadas de clorofila, una paz vegetal, plena, estimulante. De vez en vez algún caserío blanquísimo aparecía en el centro de un prado, rodeado de vacas opulentas, blancas y negras, de un rebaño de yeguas desnudas, sin arrear... Se adivinaban los relinchos lejanos, las voces inarticuladas de los cencerros, el silbido del gañán llamando al orden a alguna res descarriada. Después doblábamos otro cabo y la perspectiva cobraba de súbito un aspecto fosco, salvaje, abrupto. Un acantilado quebrado, recio, nos enseñaba los dientes amenazadoramente. Las crestas rocosas, deformes, se asomaban al mar desde alturas inconcebibles. Rompían las olas

157

con estrépito al chocar contra los escollos bajos, que apenas emergían de la superficie. Los gritos de las gaviotas adquirían una penetración especial al rebotar en el acantilado. Junto a los peñascos de la cumbre revoloteaban las grajillas, acompañadas por el agudo acento de sus graznidos. Al vernos las gaviotas planeaban sobre el barco, esperando que algo apreciable se desprendiese de él. Las grajillas, contrariamente, no se inmutaban a nuestro paso. Sentían hacia la inmensidad del mar un pánico instintivo. Aun habitando en el confín entre la tierra y el mar, ellas vivían absolutamente de espaldas a éste. Nada querían ni esperaban de él. Si es caso recrearse en su contemplación con una mirada oblicua desde la altura. Pero nada más.

Ya dejábamos atrás la pequeña cala con sus impresionantes y agudas crestas. Las gaviotas nos acompañaban un rato y espaciadamente iban renunciando a seguirnos. De nuevo surgía de la tierra, ondulada y turgente, la maravillosa flora con sus mil matices de verdes combinados al desgaire. Nuevos bosques de castaños, pinos, eucaliptos... En una ligera depresión de la costa asomaba un pueblo de pescadores, una veintena de casas blancas, recién lavadas, con sus lanchas delante, amarradas a un puertecito rústico y elemental. Algunas veces sus moradores nos decían adiós agitando trapos vistosos desde las ventanas. Otras tropezábamos con las lanchas metidas ya en faena, preparando las redes para la pesca. Pero al poco rato también el pueblecito, las lanchas y los pescadores quedaban atrás, perdidos en la distancia o a cobijo de una prominencia ribeteada por la estela de nuestro barco.

Cuando navegábamos por alta mar las percepciones de mis sentidos, aunque distintas, contribuían también a devolverme parte de la quietud perdida. La uniformidad del escenario hacía mucho bien a mi compleja constitución interna. Iba lentamente limando aristas, puliendo asperezas, redondeando, organizando mi deteriorado sistema nervioso. La mar era algunos días como una cuartilla azul, pero sin ángulos. Otros se empinaba a trechos, se ondulaba como una tierra atravesada de surcos. En estos casos el «San Fulgencio» se adaptaba, remarcaba, uno a uno, los tumbos de su superficie, lo mismo que esos rapaces que recorren una manzana de casas siluetándola en todos sus accidentes con su dedo o una tiza.

En ocasiones los peces saltaban por los costados, imitando a los pájaros. Cortaban el aire fugazmente, dejándonos la sensación de su paso casi sin verles, sin hacer ruido, como estrellas fugaces. El cielo brillaba arriba cubriendo el mar como un gigantesco toldo. A ratos parecía que ambos —cielo y mar— se hacían la competencia, discutían sus dimensiones y calidades. Al cabo me daba cuenta de que nunca dos buenos amigos se abrazan tan estrechamente como ellos lo hacían ahora allá en la línea difusa del horizonte.

Así fueron marchando los días, fluyendo del tiempo puntuales, monótonos, sin un fallo. Y yo seguía esperando sin tener una conciencia clara de qué era lo que esperaba. Tal vez mi retorno a un equilibrio interior, tal vez algo grande, tremendo, inesperado, algo indeterminado, deseable por su misma imprecisión. En el fondo tenía esperanzas de sanar por dentro; de que el tiempo y la naturaleza fuesen debilitando las profundas roderas que en mi ánimo imprimiese el carro de la muerte; de poder decir algún día «he sido un loco» y reírme hasta desmayarme de mi locura; de poder decir al mundo con una risa de oreja a oreja: «Señores, yo jamás pensé casarme y hoy aquí me tienen: quince hijos en veinte años.» Pero atrás de todas estas esperanzas imprecisas y vagas, que ni aun a mí mismo conscientemente osaba confesarme, me atormentaba una idea fatalista: «El hombre puede cambiarlo todo —me decía—, transformarse hasta físicamente, enmendar su vida, sus instintos, sus costumbres, pero jamás podrá modificar la luz que porta dentro de sí y a cuya claridad examina la mesmedad de su paso. El hombre libremente puede elegir su camino, pero no puede alterar a voluntad la luz bajo la cual camina.»

En tanto, seguía esperando. ¿Qué? No lo sé. Algo indefinible, inconsistente. Pero seguía esperando...

Capítulo II

Sólo Dios sabe si por aquel entonces tuve alguna
posibilidad de modificar el mundo de mis ideas. Pero,
desde luego, si esa posibilidad llegó a existir, tengo el
riguroso convencimiento de que fue la guerra quien la
quebró, quien la deshizo completamente.

Aún estaba yo embarcado en el «San Fulgencio» cuando
estalló. Como todas las guerras, su iniciación tuvo tanto de
esperado como de sorprendente. Surgió el día que dos
hombres, cabezas de país, se dieron a razones menos que
de ordinario.

—Oiga, se me está usted subiendo ya a las barbas con
tanta historia —debió de decir uno de ellos.

—¿Dice usted «guerra»?

—Sí, guerra.

—Pues, ¡sea guerra, ya que usted lo quiere!

(Verdaderamente, los dos hombres estaban deseando
zanjar sus diferencias con las armas en la mano. Lo
importante era ocultar ese deseo hasta que el de enfrente
no le mostrase. Había que ganar, primero que la guerra, la
opinión universal. En resumidas cuentas, era esta opinión
quien en último término había de decidir el pleito. Y la
opinión universal no se ganaba pronunciando el primero la
palabra «guerra», ya que la guerra es especialmente odiada
por los no beligerantes.)

Y un montón de hombres arremetió a tiros con otro
montón contra el que nada tenía en realidad. El otro
montón respondió también, naturalmente, con tiros. Los
dos montones comenzaron a disminuir; decrecían a ojos
vistas. Y un día, después de mucho ruido y muchísima
sangre, se vio que de uno de los montones no quedaba ni
rastro; del otro unos pocos, muy pocos. Estos pocos, al ver
que no restaba nada del montón de enfrente, empezaron
a desgañitarse afirmando que habían conseguido la victoria. Pero, ¿habían conseguido alguna victoria en realidad?
¿El haber disminuido su montón hasta casi desaparecer,

podía ser estimado como una victoria por el mero hecho de que el montón adversario hubiese sido asolado? La verdad era demasiado triste para reconocerla. Empero era cierta; el montón esquilmado sufrió una espantosa derrota; el montón con supervivientes fue también derrotado, pero menos.

En el fondo creo que los dos bandos, por motivos más o menos ocultos, hubiesen llegado a las manos de todas maneras. Había muchos problemas de por medio. Pero también había que dar los rodeos oportunos para que fuese el otro quien declarase la guerra, para poder decir un día: «Nosotros no hicimos otra cosa que repeler la agresión.» Éste era el primer paso hacia la derrota menor en las guerras modernas, hacia lo que los supervivientes, un poco a ciegas, llamaban pomposamente «su victoria». La verdad era que entre todos los problemas que distanciaban a los dos bandos no sumaban, ni remotamente, lo que la guerra. Es decir, que las cuestiones causa de la guerra se hacían nimias, imperceptibles al compararlas con las cuestiones gigantescas que la lucha creaba. (Después de todo era ésta una solución muy humana. El hombre es muy capaz de quedarse en cueros por adivinar el paradero de la lavandera que le hurtó unos calzoncillos. Prefiere perder todo su poderío antes que una sola unidad de él pase a incrementar el del vecino de la casa de enfrente.)

Ningún problema ofrecía las características fabulosas de la guerra y, sin embargo, era a la guerra donde se agarraban para intentar resolver los problemas de menor cuantía que abrían diferencias entre ellos. Era la teoría del mal menor aplicada al revés; es decir, la teoría del mal mayor con toda su cohorte de deformaciones y absurdidades.

Esta guerra empezó por desconcertarme. Siempre pensé que en una guerra de este tipo hay un agresor y un agredido, uno que ataca y otro que se defiende. Uno para quien la guerra es lícita, justa, y otro para quien la guerra es absurda, caprichosa e inmoral. Por ello me pilló de sorpresa el ver cuán difícil resultaba precisar quién de los dos contendientes en este caso abandonó primero las vías de paz para dedicarse abierta, decididamente, a la guerra.

161

Las disculpas de las «hondas diferencias» para justificarla no me convencían en absoluto. Me hubiera resultado convincente de ser la guerra algo que, por detrás de sus monstruosidades, servía para rellenar la «hondura de esas diferencias»; pero no desde el momento en que la guerra abría «la más honda» de todas las diferencias para un próximo porvenir, encerrando a los contendientes en un círculo vicioso de guerras cada vez más extenuantes y «justificadas».

No; no había forma de precisar con rotundidad quién era el agresor. Los dos bandos «querían» la guerra. Uno para cortar el auge del otro. El otro para evitar la expansión del uno. Una expansión, claro, más simbólica que real, económica exclusivamente; en fin, que la guerra la hacían ambos no tanto por beneficio propio como por alicortar las ilusiones del prójimo.

En la historia pasada, pensaba frecuentemente, los campos estaban más definidos. Había siempre agresores y agredidos, ambiciosos y ambicionados, atacantes y defensores, coincidiendo casi siempre con los fuertes y los débiles. Pero se les conocía en seguida y, además, ellos no trataban de enmascarar nunca sus móviles codiciosos. Romanos, bárbaros, árabes, persas y turcos fueron agresores; peleaban impulsados por su ambición desmedida. Iban a por más ancho campo, a por nuevos horizontes, a buscar mares si habitaban un territorio interior o a buscar tierras si ocupaban una faja litoral. Mas iban claramente a lo que iban. Ahora era todo diferente. Más hábiles los manejos, más farisaicos, más diplomáticos... Ahora los contendientes se perdían en un estéril peloteo de culpas, tratando de demostrar al mundo que ellos eran los pobrecitos embaucados, que el verdadero agresor, el sin escrúpulos, el asesino de mujeres y niños, era el del otro lado, el adversario. Pero no podía haber un punto de vista general y común, como se me antojaba que existiría en la antigüedad con respecto a las guerras de la antigüedad. «Quizá —pensé— sean estos fenómenos de la perspectiva histórica; fenómenos que afectarán igualmente a las guerras actuales cuando los siglos pasen sobre el mundo.»

Yo viví muy de cerca aquella guerra. Más cerca que los mismos contendientes. Ellos, de tan cerca, no pudieron ver ni palpar la extraña deformación que ofrecía la tierra en aquellos años. Ni el inquietante mar de sangre que rodeaba a la civilización por todas partes. Yo sí lo vi. Tal vez demasiado cerca, demasiado vívido y rojo para olvidarlo tan pronto. El «San Fulgencio» realizó en aquella guerra, como otros buques españoles, muchos servicios humanitarios. Un día recogimos del mar tres aviadores derribados que se defendían con ahínco desde su aparato inservible de la implacable asechanza de una escuadrilla de caza enemiga que los ametrallaba en cadena. Me enfureció esta ciega pasión contra el hombre; este matar por matar, sin otro objetivo que destripar al contrario. Evoqué las palabras de doña Gregoria cuando hablaba del «aerostato» como de un prodigio increíble. Ahora estaba allí, fiero, acosador, empleado con saña contra el hombre que le había sacado de la nada. Pensé que la civilización es un arma de dos filos que se vuelve contra el hombre si éste no se revuelve a inmovilizarla. La civilización crea y destruye a partes iguales, dejando al hombre siempre en un inevitable punto muerto, sometido a una humillante y perenne relación de dependencia.

En otra ocasión salvamos a varios náufragos de un barco mercante torpedeado por un submarino. Eran nueve hombres que luchaban incomprensiblemente contra las olas a bordo de un minúsculo chinchorro. Estaban extenuados, hambrientos, manteniéndose sólo merced a esos prodigiosos arrestos, a esas reservas incalculables de que es capaz el hombre llegado al último extremo. Una vez recogidos continuamos buscando a sus compañeros.

Las costas de Irlanda estaban próximas; se dibujaban tenuemente, como suavizadas por un difumino, en la lejanía gris de aquel atardecer de invierno. La mar saltaba, excitada, bronca, rizada por el viento huracanado. Las olas se encrespaban, barrigudas, furiosas sobre la inestable superficie, y reventaban seguidamente, como si contuviesen dentro alguna materia explosiva. El «San Fulgencio» se resentía de este influjo. El mar jugaba con él, dotándole de un movimiento de cuchareo inestable y persistente. El viento chocaba contra la obra muerta produciendo ruidos extraños, silbidos penetrantes y agoreros. Virábamos constantemente, olfateando aquí y allá, como un perro de caza siguiendo un rastro. Sólo dos de los náufragos permanecían en el puente con nosotros. Procuraban orientarnos en aquel mar vago y uniforme. Vimos de repente una gaviota de vuelo pausado caer sobre el mar y no volver a enderezarse. Aquello nos pareció sintomático. Al acercarnos observamos que el blanco animal reposaba sobre algo deforme que flotaba haciendo remolinos sobre las olas hirvientes. Lentamente el «San Fulgencio» se aproximó. Sentí una impresión quebrada como un latigazo cuando alguien junto a mí afirmó que era un ahogado. La gaviota no se inmutó con nuestra proximidad. De improviso percibí claramente la adecuación anatómica del muerto que antes se me ofrecía como una masa amorfa, sin armonía. La furia del mar le había desnudado. Su cuerpo tenía un tono cárdeno, verdoso, semejante al de un árbol enfermo. El vientre hinchado en redondo aparentaba la artificial turgencia de un aparato salvavidas. La gaviota se precipitó en su festín, consciente de que íbamos a ella con intención de estorbarla. De un picotazo retorcido abrió el voluminoso vientre. Hizo un alto y miró, matrera, al barco que se acercaba. Volvió a picar. Salieron al aire unas tripas extrañas que semejaban el cuerpo sin vida de una culebra. A cada serie de picotazos levantaba la cabeza para observar los progresos de nuestro avance. Experimenté un asco nauseabundo hacia aquellos animales. Pensé en lo equivocado que había estado respecto a ellos. Me reafirmé en mi antigua idea de que muy pocos seres en el mundo aparentan lo que son, de que la guerra despierta los bajos instintos aun en los animales más insípidos y despreciables.

El costado del barco, azotado por los maretazos, se hallaba ya muy próximo al ahogado. La gaviota voló blandamente con un chillido ávido de placer quebrado, insatisfecho. Evolucionó sobre nosotros reacia a renunciar definitivamente a su festín macabro. Un bore gigantesco barrió la cubierta del «San Fulgencio». Se oyó un golpe seco, como si el cráneo del cadáver hubiese chocado fuertemente contra el costado del barco. El «San Fulgencio» se detuvo en medio del mar. Comenzó a caer una lluvia fina sobre nosotros. El mar se agitaba undísono, trepidante. Dos marineros se acercaron a la borda arrastrando un rezón de curvadas uñas. Chilló de nuevo la gaviota evolucionando por encima de la chimenea. Los marineros arrojaron el ancla al agua como si estuviesen pescando con arpón. La nave hocicaba y rabeaba alternativamente. La dotación libre del «San Fulgencio» se apiñaba ahora en la borda, aplanada por una sensación de ansiedad. Dos uñas del rezón mordieron el cuerpo inflamado. Cuatro marineros tiraron de él pretendiendo izarlo hasta la cubierta. Súbitamente la carne se rasgó y el cuerpo volvió a caer al mar con un lúgubre chapuzón. Tornó a morder el rezón en la carne obstinada. De nuevo elevaron el cuerpo sobre la superficie del mar. Experimenté un malestar rígido y sofocante, muy parecido al que me embargase ante la tumba de Manolito García la primera vez que visitara el cementerio de Ávila...

El ahogado estaba ya ante nosotros. Tenía una conformación ruinosa e infrahumana. Aparte su vientre, abierto por la gaviota, le faltaban las orejas y los labios. Parecía que sonreía con una mueca atroz de suficiencia póstuma. La piel de los dedos se había desprendido de la carne y le colgaba de las uñas amoratadas como unos jirones repugnantes de tripas de cerdo recién lavadas. Sentí náuseas. La gaviota, en lo alto, trazó unos círculos alrededor del barco, chillando voraz, resentida, colérica... Los supervivientes reconocieron en seguida al compañero. Ya poco quedaba por hacer. Le fue atada un ancla herrumbrosa a los pies, y de nuevo fue lanzado al mar, esta vez para dejarle descansar eternamente en sus turbios abismos.

Tres cadáveres más recogimos y dimos al mar aquella tarde. Cuando posteriormente arrumbamos hacia nuestras costas noté en mi alma un dejo de irrealidad gris, una impresión de malestar extensivo y confuso. Me pesaban encima los cadáveres de aquellos cuatro hombres deformados, espantosamente deteriorados en su ponderación anatómica. El mar dejó de ser para mí una superficie de serenidad, un compendio de paz, plana y bruñida, para pasar a ser un agente más de la muerte; un agente activo, hipócrita, devastador.

Pensé que también aquellos cuatro hombres —y los restos de otros siete que no habíamos encontrado— tendrían lejos una familia, una amistad, que la guerra había tronchado de súbito. Intenté descifrar el móvil que impelía al hombre a precipitar el fin de sus semejantes. Tarea inútil; los hombres se mataban por instinto... Maldije de la guerra y a quienes, inicuamente, la desencadenaban. Maldije de las guerras absurdas con todas mis fuerzas. Y únicamente dejaron de parecerme absurdas aquellas que reprimen un movimiento de agresión auténtico e ilegítimo. «Las guerras sólo son lícitas, compensadoras —me dije—, cuando es la propia substancia la que está en juego, cuando es un caso de legítima defensa colectiva contra un agresor caprichoso y sin escrúpulo.»

Aquellas jornadas tan vívidas e impresionantes me produjeron un nuevo desequilibrio.

En los meses siguientes y cuando la guerra acabó, me sentí embargado de un opaco sentimiento de disconformidad. Me estremecía pensar en los vivos por causa de los muertos. No comprendía cómo cientos de hogares mutilados podían incorporarse a la vida normal sin resentirse de sus miembros amputados. Para mí aquella guerra fue como una confirmación de la frialdad humana. Al hombre sólo le corta las alas la bala que le mata. La gigantesca pira de varios millones de muertos no hace más que avivar la sensualidad de los supervivientes.

Maltraté muchas noches mi cerebro buscando una razón que me evidenciara la glacial indiferencia del hombre por el hombre. No había distingos en sus sentimientos. El hombre, tarde o temprano, olvidaba siempre. Me abrumaba la efímera existencia del héroe, yo que siempre creí, candorosamente, en su perdurabilidad eterna. La áspera realidad de la vida me enseñaba que no; que salvo edificantes excepciones, el hogar del héroe renace sobre sus restos con más afanes de vida terrena que nunca; que sus viudas y sus huérfanos buscan un urgente consuelo a su dolor; que las naciones se encumbran sobre ellos exhibiéndoles como una poderosa razón para justificar sus reivindicaciones. Veía, en fin, que el dolor estaba ausente del mundo y que la estela de los muertos era tan efímera y fugaz como la que dibujaba la quilla del barco en la vastedad del océano.

Entonces fue cuando me alarmó mi insólita contextura espiritual. Comprendí que me había formado erradamente; que no había razón de vida fuera de la vida misma; que me hallaba en franca y abierta oposición con el mundo; un mundo denso, olvidadizo, que se reía de mis ridículos temores.

Mi excitación era tan grande que busqué refugio para mi mal en la intimidad de mi prosa desordenada. Pensé escribir un libro. Un intento de orientación para el orbe equivocado. Pretendí trasladar a sus páginas todos los derechos de los muertos para informar la conducta de los vivos.

Cogí mi trabajo con la ilusión de la novedad. Bullía en mi interior una hoguera poderosa que deseaba un orden, una expresión. Mil ideas se agolpaban en mi cabeza. Pasé muchas horas inclinado sobre las cuartillas. Mi trabajo avanzaba. Aquella llamada angustiosa a la razón iba cuajándose en frases imperfectas, aunque acuñadas en la fiebre de mi ansiedad. Volví a contemplarme imparcialmente. Analicé mi alma con la frialdad un poco impresionante con que solía hacerlo. Y la encontré rara, retorcida, sobreexcitada por un cúmulo de impresiones de infancia, desarrolladas más tarde a compás del desarrollo de mi cuerpo. Volví a acordarme del señor Lesmes, el maestro de mi infortunio, tan equivocado como yo, que era su hechura. Pero su recuerdo brotó en mí con respeto, como si aun en medio de mi convencimiento íntimo, viese la luz de la verdad aureolando su escuálida silueta. Entendí que el mundo marchaba por los cauces debidos y que éramos don Mateo y yo quienes nos empeñábamos en navegar contra corriente.

Aquella noche me torturaron extrañas pesadillas. Don

Mateo y yo éramos los tripulantes únicos del «San Fulgencio», que navegaba por un mar de sangre. De vez en cuando, peces con rostros humanos brincaban entre ola y ola, riéndose estruendosamente. Las caras de aquellos peces eran desconocidas, pero su número iba aumentando progresivamente hasta que el mar se convirtió en una carcajada siniestra. El señor Lesmes y yo contemplábamos el extraño panorama apoyados en la borda. De pronto uno de los peces pasó rozando nuestras cabezas. Vimos su rostro y don Mateo dio un grito. Era Martina. Pero la niña, transformada en pez, no hizo caso y se zambulló en las aguas rojas sin cesar de reír a grandes carcajadas. Vi entonces, horrorizado, cómo el rostro de mi maestro se metamorfoseaba lentamente en la cabeza de un asno. Y luego, se puso a gritar con acento angustioso llamando locos a los peces. Éstos se multiplicaron y sus risas estridentes nos rozaban cada vez más cerca. Al cabo me di cuenta de que era mi maestro quien se había vuelto loco y tuve que sujetarle para que no se volviese contra mí.

A la mañana siguiente quemé los capítulos de mi libro. Entendía el significado de mi sueño por ser sólo la repercusión de mis pensamientos de días anteriores. Y de nuevo me quedé solo en aquel barco frutero cargado del fresco aroma de las manzanas. No tenía ya la fácil comunicación con mi libro que me oreaba la cabeza en los instantes inciertos de mis crisis y dudas. Sólo me encontraba relativamente a gusto en la mar, navegando entre olas rugientes y alborotadas. Frecuentemente, en estas horas, me asomaba hasta el espolón del buque y las olas, rotas contra la proa, me lamían el rostro acalorado. Experimentaba entonces una sensación apacible de euritmia perfecta entre mi ser y la naturaleza que lo envolvía. No había aquí contradicción ni lucha, ni la tensa angustia de la impotencia que a veces me agobiaba.

Por aquel entonces el hijo de mi naviero me regaló una preciosa corbeta encerrada en una botella. Aparentemente aquello era una contradicción. El hombre se resistía a admitir que primero que la corbeta hubiera existido la botella. Era lo mismo que el camello bíblico atravesando el ojo de una aguja. Un imposible; una imposibilidad material, absoluta, pero cuya evidencia desconcertaba. Luego se abría paso la posibilidad de una obra de paciencia, de paciencia controlada férreamente. Aquella corbeta se había hecho dentro del recipiente igual que un hijo en las entrañas de la madre: por partes, paulatina, gradualmente. Admiré abrumado la paciente hazaña. Ahora, analizando la estructura de la pequeña naveta, se adivinaba bien que ningún pedazo era de tamaño superior a medio palillo de dientes. El todo había adquirido consistencia y armonía merced a una inquietud artística proveniente de fuera.

Desde el primer momento aprecié en aquella obra un punto de afinidad con mi persona. No podía precisar qué era, en qué consistía, pero presentía una misteriosa relación, taimada y latente.

Frecuentemente me entretenía dando vueltas al pequeño objeto entre mis dedos. Una tarde adiviné inesperadamente el nexo palpitante entre mi vida y la minúscula corbeta prisionera en el frasco. Yo también poseía en mi interior una corbeta deforme, menos gallarda y airosa que aquélla. El monstruoso prejuicio que me roía había perforado mi ser de la misma manera que la corbeta la botella, paulatinamente, por partes que en sí independientemente no eran ni significaban nada.

Me sentí muy tranquilo después del descubrimiento. En lo sucesivo traté a mi botella «posesa» con más blandura; con cariño casi...

Capítulo III

En todo este tiempo respeté mi decisión meditada hondamente años antes. Evité el dar continuidad a mis relaciones personales e incluso el profundizar en el alma de aquellos que por alguna razón estaban en constante conexión conmigo. Huía de toda posible afinidad. Vivía una vida autónoma, obscura, huraña. El mundo rebotaba en mí; ni yo pasaba de su costra ni él rebasaba la superficie de mi piel. En el último año de la guerra terminé mis prácticas, y ya con el título de piloto me incorporé a la dotación de un nuevo barco que hacía un servicio regular transoceánico. Recuerdo que en esta nueva etapa únicamente con una persona me aferré a un trato relativamente continuado. Y lo hice así a conciencia, convencido de que entre él y yo jamás podría existir una corriente de cordialidad, simplemente porque su conversación me divertía. Le conocí en un café de Málaga de una manera curiosa. Era un café que yo frecuentaba con alguna constancia y que me seducía precisamente por su ausencia de tumulto, por la seriedad de sus clientes habituales. Un día aquel hombre se me acercó. Llevaba una carpeta debajo del brazo y un lápiz blando encaramado en la oreja. Vestía pobremente y desarrapado.

—Voy a hacerle a usted una caricatura psicológica —me dijo tomando el lápiz de su oreja y un pliego de la carpeta.

Le miré con curiosidad. Era un tipo raro. Tenía una nuez prominente que se estremecía cada vez que hablaba. El pelo le montaba por encima de las orejas y por detrás le caía espeso y largo formando una especie de corta coleta. Tendría aproximadamente cincuenta años. De su persona desvié la mirada sobre el blanco papel en que dibujaba. Vi que pintaba un círculo a pulso y que luego se entretenía en rellenarle de negro. Me lo enseñó, riéndose sin ambages...

—Éste es usted por dentro; no ha quedado mal del todo, ¿verdad?

Esperó un momento para medir el efecto de su audacia. Su risa era tan sincera, tan limpia, tan desprovista de mala intención, que yo sonreí también. Debió estimar mi sonrisa por asentimiento...

—Le gusta, ¿no?

—No la entiendo.

—Es fácil; usted se mueve dentro de un círculo negro, sin ilusiones... ¿acierto?

Reconozco que le admiré, aunque por entonces al menos no solté prenda.

—Pero usted qué es, ¿adivino o dibujante?

—Un poco de las dos cosas; una y otra se complementan... Estas caricaturas rara vez se me resisten. Mire, ¿ve usted aquella señorita que toma chocolate con sus padres en la mesa de enfrente...?

—Sí, ¿por qué?

Movió ágilmente su mano sobre la inmaculada cuartilla y transcurrido medio minuto me la enseñó.

—Mírela.

Había pintado como el capullo de una flor a punto de estallar, ávido de distender sus pétalos, de irrumpir en la vida con toda su plenitud.

—Ésta es «ella» por dentro. Se la nota que está enamorada...

Debió de advertir en mi gesto una sombra de duda. Se explicó:

—Se la nota simplemente en que, desde que ha entrado aquí sus ojos dan vueltas a compás de la puerta giratoria. Sin duda espera ver entrar a alguien. Probablemente su prometido. El día que se case se hará flor del todo. Aunque quizá después de casada deje de ser una flor...

Se rió gruesa, sonoramente:

—No me haga caso; esto son tonterías. Es una manera de criticar a esos que hablan de caricaturas psicológicas, que dicen plasmar en una cuartilla los rasgos anímicos del caricaturizado... Afortunadamente, hoy por hoy, y que yo sepa, el alma no tiene rasgos...

Hizo un rebujo con las dos cuartillas y lo tiró debajo de la mesa. Luego añadió:

—Hablando seriamente, quiero hacerle a usted una caricatura de verdad. Tenga la bondad.

Me torció levemente la cara para que le ofreciera el perfil izquierdo. Acto seguido extrajo de la carpeta una nueva cuartilla y se quedó observándome con la punta del lápiz apuntando a la blanca superficie, describiendo pequeños circulitos en el aire...

—Usted tiene caricatura...

Trazó airosamente varias líneas sobre el papel. Después se detuvo otra vez, dibujando en el aire círculos invisibles mientras me observaba.

—Un momento... Esto está ya para terminar... —me miraba nuevamente y otra vez dibujaba unas líneas o enmendaba algún trazo anterior con una raya más gruesa— ...así... así... —de repente me la tendió—. Mire, a ver si se conoce...

Sinceramente, no me reconocí. Jamás me había picado la curiosidad por conocer mi rostro de lado y la imagen figurada, tomando como punto de referencia cualquiera de mis escorzos no coincidía en modo alguno con aquélla.

—Los interesados se reconocen a sí mismos pocas veces. Luego, a fuerza de mirarla, acaban convenciéndose de que efectivamente son ellos los de la cuartilla. Pero, si he de decirle la verdad, yo me conformo con que el «paciente» no se ofenda. En ocasiones he pasado verdaderas calamidades por este motivo tan tonto. En una de mis exposiciones...

Se detuvo, me miró y sonrió:

—Me parece que estoy poniéndome pesado —dijo de pronto—. Si se queda usted con ella son cinco reales...

Le pagué inmediatamente.

—Por mí no tenga prisa —le advertí.

Me tomó por la palabra.

Volvió a sentarse, colocándose en la misma postura de antes.

Echó una ojeada por el salón y añadió en tono confidencial:

—Aquí hay poco que hacer; son siempre las mismas

172

caras... pero siquiera me dejan entrar y todas las tardes tomo café gratis...

Me quedé contemplando la caricatura. Ciertamente, no sé si sugestionado, me iba pareciendo que los rasgos se combinaban hasta lograr un indudable parecido conmigo. La línea de la nariz era osada, de un solo trazo, vigorosa y expresiva en su rotundidad. Casi todas las líneas poseían esta cualidad: la audacia y la limpieza, una coincidencia exacta entre lo que se había hecho y lo que se había pretendido hacer.

—Es usted valiente...

Me miró levantando los ojos de una manera sintomática.

—El que no tiene nada que perder tiene más de la mitad del camino andado para ser valiente...

Aquel hombre tenía la habilidad de expresarse en frases redondas y concisas, como caricaturas del mismo lenguaje.

—¿Es que cree usted —continuó— que si yo tuviera una firma consagrada y cotizada me arriesgaría en estas audacias? Decididamente, no. Entonces yo sólo me preocuparía de sacar bellos a mis «pacientes». En última instancia ésa es la clave del éxito: dar al mundo por el gusto, halagarle su tonta vanidad.

Pasó por allí el camarero y le llamé. De repente había sentido la rara impresión de que yo formaba parte del mundo que estaba explotando al artista, de que con los miserables cinco reales que le había dado no tendría ni para mal comer aquella noche.

—¿Qué quiere usted tomar?

Me observó un momento con una chispa de recelo. En seguida reaccionó:

—Vaya, gracias... —miró al camarero—. Tráigame café con leche.

Guardamos unos minutos de silencio. Su aspecto bohemio iba ganando mi curiosidad. Y su buen conformar. Y, sobre todo, su consideración del mundo desde un ángulo positivamente caricaturesco. Le pregunté:

—¿Hace mucho que vive usted así?

Cruzó las piernas y me pidió un cigarrillo. Lo lió con maravillosa rapidez. Le vi paladear el humo con fruición, luego con prodigiosa facilidad le expulsó lentamente, dibujando en el aire con el humo un rostro de mujer.

—Vea... Yo puedo dibujar hasta dormido. Esto le demostrará que en mi vida no he hecho otra cosa...

—¿Nació usted artista?

Se sonrió:

—Nacer, nacer... El hombre crece donde le plantan, como los árboles... Yo fui el décimo hijo del portero de una academia de dibujo.

Retornó el camarero. Al colmar el vaso, el pitorro de la cafetera le golpeó, volcándole sobre el brazo del artista. Instintivamente éste se puso en pie sacudiéndose el líquido que iba empapando el antebrazo de su americana. Rió jubiloso:

—Bueno, traiga usted otro: éste ya va a ser difícil tomarle...

Se sentó a mi lado, en el diván, mostrándome la extensa mancha de humedad.

—Realmente, cuando esto se seque —dijo—, va a ser difícil saber cuál es la mancha, si esto del brazo, o el resto de la americana...

Mi deseo de sondear a aquel hombre iba acrecentándose. Le observaba con ahínco sin perder ni uno solo de sus frecuentes visajes.

—Esto de las manchas es muy relativo. Yo ahora, con esta chaqueta, puedo hacer dos cosas: quitar la mancha o mancharla toda por igual. Puede que lo segundo me resulte más barato. Y de color no es fácil que quede fea, ¿no cree?

—Tiene usted puntos de vista muy personales.

Consumió la última mitad de su cigarrillo en una sola, absorbente, intensísima chupada; arrojó la colilla al suelo y todo su párrafo siguiente salió de sus labios aureolado de humo.

—Así debe de ser; es lamentable caminar por el mundo sin ideas propias. Me horrorizan los hombres que se limitan a seguir un surco. Admiro, en cambio, a los que abren uno nuevo aunque sea torcido o imperfecto.

174

—Pero con «ideas propias» no se come...

El camarero llenó ahora con cuidado el nuevo vaso de café de mi amigo. Éste bebió un sorbo paladeándolo.

—¿Y qué de la satisfacción interior? ¿No cree usted que se puede estar satisfecho sin probar bocado y mustio con el estómago lleno? Créame, nunca me gustó hipotecar mi libertad. Prefiero ganar como uno y tener tiempo de gastarlo, y no como mil, sometido a la tiranía de un hombre o una máquina.

—No lo dirá usted por mí.

—No; lo digo por mí. Sólo por mí. En el mundo hay tipos de todos los pareceres. No hay un hombre idéntico por dentro ni por fuera. El mundo es muy complejo, ya lo creo. Mire —cogió la carpeta que había dejado en el diván, a su lado. La abrió, sacando de ella varios dibujos en papel de tamaño folio—. Tengo algunas caricaturas verdaderamente curiosas. Observe ésta —me tendió uno de los dibujos en uno de cuyos lados decía «El Mundo». El mundo, para mi reciente amigo, era como una naranja a la que unas manos afiladas, de viejo avaro, extraían el zumo. En una de las manos de avaro decía «aprovechados» y en la otra «vividores»—. Y mire ésta tambien... —ésta era una caricatura de «La Humanidad». El dibujo representaba una gallina al lado de un gigantesco montón de saneado pienso, que ella despreciaba olímpicamente para marchar a picotear las basuras de unas caballerías—. Mire esta otra, «La Política» —en el centro del papel había diseñado un monumental fonógrafo tragaperras y una fila de hombres esperando turno para, mediante su limosna, deleitarse en escuchar las frases huecas y rimbombantes que salían de la trompeta del fonógrafo. Después me enseñó otra del «Comercio», en la que un Mercurio con casco alado tomaba en su mano izquierda de un elegante señor con chistera y levita una granada que luego iba repartiendo con la derecha, grano a grano, entre un puñado de menesterosos a cambio de un billete de más valor que el que había entregado él al elegante señor de la levita por la granada entera. Me mostró seguidamente otras muchas caricaturas originalísimas, heterogéneas, de diversas formas de vida e instituciones actuales o históricas, todas ellas con un marcado sabor cáustico y cínico.

Cuando terminé de verlas me dijo, animado por mis alabanzas:

—Éstas también están a la venta; quince reales cada una.

—No me interesan.

—Pero repare usted en que estas cosas, el día que le dé a un «técnico» por decir que son cosa buena, le supondrán un dineral.

Su insistencia acabó por configurármelo como el Mercurio con casco alado de su dibujo.

—No es por eso; es que no me interesan.

Se levantó súbitamente mirando a un hombre bien vestido que acababa de entrar.

—Perdóneme, no puedo desperdiciar esta ocasión.

Me estrechó la mano efusivamente.

—Ya sabe usted, Julián Royo, siempre a su disposición. Aquí podrá encontrarme siempre que guste.

Tomó los bártulos de que se acompañaba y se dirigió directamente hacia el señor que acababa de entrar. Yo pagué nuestra consumición y salí del café llevando en la mano, cuidadosamente enrollada, mi caricatura.

Al verme en mi camarote y contemplarme otra vez, pensé si el mundo no sería realmente como le veía Julián Royo; si mi auténtico perfil no sería aquel que tenía delante y no el que ahora me rozaba tímidamente con las yemas de mis dedos; si lo que veían diariamente nuestros ojos no sería más que una sugestión creada en torno de algo inexistente; si la vitalidad de los demás sentidos no sería igualmente una mera y simple ilusión; si el mundo, en fin, carecería de un carácter objetivo, real, verdadero, para pasar a ser algo ficticio, iluminado solamente por el carácter que individualmente cada humano queríamos atribuirle.

Guardé mi caricatura con la secreta esperanza de que algún día nos convenceríamos todos de que sólo Julián Royo contaba con la verdad; de que la humanidad era así, alargada, extraña, defectuosa, tal como él la veía.

En los viajes sucesivos, cuando mi barco recalaba

en Málaga, no dejé nunca de ir a entrevistarme con mi nuevo amigo. Cada vez me convencía más de que entre él y yo no podía existir nunca un lazo de corazones. Su conversación me entretenía, me recreaba, me emborrachaba, pero no pasaba de ahí.

Una vez, catorce meses más tarde, al llegar a Málaga no pude encontrar su rastro; me aseguraron que hacía dos semanas que no se le veía por allí y que su desaparición había coincidido con tres robos audaces y espectaculares perpetrados en la ciudad. Recordé entonces lo que me había dicho Julián, meses atrás, de que «él no hipotecaría por nada su libertad». Y lo relacioné inmediatamente con su afirmación de que «en todo caso, si las cosas venían mal, contaba con el favor marinero para dar el salto». Conociendo el fondo fisiocrático de su filosofía de la vida (*Laissez faire, laissez passer, le monde va lui même*), no dudé de su participación en aquellos delitos que, cómodamente me aseguraban una existencia despejada.

Años después volví a verle en Buenos Aires. Estaba más pobre que las ratas, más hambriento y desastrado que cuando le conocí. Las cosas le habían ido de mal en peor hasta sumirle en un presente desesperado. Entendí que era un buen momento para hacerle ver la relación de causa a efecto que existía entre el trabajo y la comida, y recordando yo cuánto le debía, me las arreglé para que en adelante pudiese ganar honradamente su existencia. Jamás me falló la confianza que deposité en él. Me fue honrado y leal por siempre, aunque, eso sí, sin abandonar del todo su prurito de independencia.

Capítulo IV

Y el tiempo siguió huyendo; sin volver una sola vez los ojos. Así alcancé el grado de capitán y encontré un destino en el «Antracita», que por entonces era un barco carbonero; más tarde cambió de dueño y en consecuencia se alteró también su misión: se dedicó al comercio de altura, al comercio de corcho casi exclusivamente.

En este período y durante todas estas peripecias continué viviendo como siempre, sólo para mis adentros. La vitalidad externa no podía conmoverme porque no la conocía; rechazaba todas sus posibles tentaciones y llegó un momento en que creía cosa sencilla seguir sin titubeos la línea que me había impuesto de antemano. Soportaba una existencia obtusa, roma, sin prominencias. Claro que tampoco las añoraba. Me había hecho a vivir así y cualquier pasajera variación me desazonaba revolviendo en mi alma el poso de mi pesimismo. De esta manera casi logré el punto de estabilidad que buscaba de tantos años atrás: vivir autónomamente, sin conexiones cordiales, sin afectos... El único nexo que me ataba a mi pasado era el recuerdo de Alfredo y la casa de mi maestro con la preciosa carga de sus habitantes. Pero también esta memoria se había casi extinguido dentro de mí. Mientras permanecí en la Escuela de Náutica me carteé frecuentemente con el señor Lesmes. Después, y con premeditación, fui demorando las respuestas, hasta que aquello se extinguió poco a poco, imperceptiblemente, sin violencias. Seguramente pensarían de mí que era un egoísta, un ingrato. Y tal vez no les faltase razón, aunque ni yo, analizándome detenidamente, hubiera sabido definir mis más acusadas características. Yo me era a mí un desdibujado misterio, un confuso remolino en el seno del cual giraba vertiginosamente mi propia conciencia. Me poseía un raro sentimiento de nebulosidad que me vedaba conceptuarme de una manera positiva, convincente y radical. Tan sólo sabía que era un ser desprovisto de la sabia facultad de perder, de desposeerse, de desasirse. Y daba por posible que de aquí emergieran efectos defectuosos, efectos que, como el egoísmo y la ingratitud, ponían una barrera infranqueable a toda posible tendencia a la sociabilidad.

Mas en lo hondo de mi ser agradecía la inexpugnabilidad de esta frontera. Sincerándome conmigo mismo reconocía que mi existencia transcurría más apacible sin conocer el fin de las personas que había amado, que amaba aún. Prefería vivir a obscuras, ignorando, que palpar una felicidad que a la larga se muda y se trastrueca.

A ratos, en la soledad de mi camarote, ante la caricatura de Julián Royo y la corbeta embotellada del hijo de mi naviero, pensaba que las dos creaciones se complementaban para engendrarme a mí, a un individuo deforme, viscoso y complicado. Veía en los rasgos de Julián Royo una interpretación elemental pero sincera de mi propia deformidad; en la obra del hijo de mi antiguo naviero una realidad evidente, cuyo origen y proceso desconocía, pero que simbolizaba, con un verismo meticuloso, mi excéntrica idiosincrasia.

Poco tiempo después inauguramos el tráfico con Providencia. Acepté satisfecho este tráfico transoceánico que me permitiría intensificar mi retraída vida de mar, sin influjos de vida común, ni roces temperamentales con psicologías más o menos acordes con la mía. Seis años más tarde tomé un nuevo contacto con el mundo; ese contacto que a todos nos acecha donde menos esperamos y, que inconscientemente va erigiéndose en nervio y estímulo de nuestras existencias, constituyéndose en eje y razón de la propia vida.

Fue un mes de abril. Caía la noche sobre las cenizas de un día calinoso, sobre el océano. Las costas americanas se dibujaban en lontananza sin fijeza ni expresión, como acotadas por la turbia mirada de un miope; desvaídas y lánguidas como algo inconsciente, sin realidad ni vida. La mar se rizaba a olas tumbadas y anchas, agitadas por un movimiento interno de majestad humillada, como la tersura de una sábana quebrada en mil pliegues por la retozona actividad de un animalito apresado debajo; ondulándose aquí y allá pero sin llegar a romper del todo. Cruzaban por el espacio, hacia la costa, bandadas de aves marinas que buscaban ya para pernoctar el abrupto cobijo de las rocas. El «Antracita» cabeceaba cosquilleado en su panza por la vitalidad oculta del mar. (Se diría que la mar sentía despertarse en sus entrañas un tupido instinto maternal y se regodeaba meciendo nuestro barco como si fuese la cunita de un niño recién nacido.)

Antes de hacerse el nuevo día habríamos arribado a Providencia. Palpitaba esta conciencia en cada movimiento de a bordo; crujía y se transparentaba a pesar de la voluntad común de velar este sentimiento. El propio «Antracita» olfateaba ya en la distancia el puerto de descanso. La actividad de la marinería se incrementaba, accionada por la proximidad de unas jornadas de viciosa laxitud; bullía estimulante la esperanza de unas horas mejores, aunque escondida en la pasividad disimulada de una conducta normal. La llegada a Providencia significaba la libertad del instinto, zafarse del rígido collar de la disciplina, trocar una vida austera, sobria, encajonada, por el alborozo pintoresco y libre de la vida del puerto.

Apuraba la tarde el resplandor del día. Vivíamos ese difuso instante de transición donde algo languidece lentamente sin que nadie pueda contener su decadencia. De improviso apareció la silueta de un yate columpiándose en la línea del horizonte. Era un barquito esbelto, con más aire de pájaro que de pez; un barco formado, como los galgos, sobre el esqueleto de la más elemental arquitectura. Más que vérsele se le adivinaba buido y filiforme, cortando el mar con el pronunciado filo de su espolón. La derrota que seguía era oblicua a la nuestra, de manera que en breves minutos las estelas de los dos barcos se cruzarían dibujando en el mar un aspa gigantesca y espumosa. A poco nos dimos cuenta de que el rumbo del yate era arbitrario y desigual, como si la rueda de su timón fuese movida por un borracho. Ora se nos venía encima verticalmente, ora se alejaba de nosotros como impelido por un instintivo movimiento de repulsión.

Languidecía la tarde rápidamente. De momento observamos que el último rayo de sol era aprovechado por el heliógrafo del yate para transmitirnos un informe apresurado. Leí el mensaje: «SOS Estamos a la deriva.» Comprendí entonces el rumbo caprichoso del navío. Rápidamente di las órdenes oportunas. Deseaba aprovechar lo poco que aún restaba del día para la maniobra. Aproximé mi nave a la popa del yate. Éste había neutralizado sus energías y se mantenía erguido, quieto, borneando ligeramente a impulsos del mar de fondo. Botamos un chinchorro que se aproximó al portalón que habían descolgado los del yate. La lanchita se acercó a la escala, adhiriéndose a ella con el ansia punzante del bichero. Fue un minuto definitivo y luego, cuando uno de mis hombres saltó sobre la cubierta del buque averiado, me percaté de que todo había pasado en un instante. El hombre aseguró el yate con una estacha y un sólido cable y los tripulantes del mismo ocuparon un asiento en el chinchorro, que los portó hasta el «Antracita». Los tripulantes del yate eran cuatro, dos hombres y dos mujeres; uno de aquéllos de media edad y muy jóvenes los otros tres. Al darme las gracias me confirmé en mi primera suposición de que los cuatro eran americanos.

La noche estaba ya sobre nosotros y un esplendor rojo anunciaba que de un momento a otro el firmamento daría a luz una luna espléndida, rotunda y jovial. El «Antracita» había reanudado la marcha llevando a la zaga, como un perrito de lujo, el yate, ligero y airoso, metido en obediencia otra vez.

Navegábamos despacio para evitar cualquier posible colisión entre los dos buques. Los cuatro americanos charlaban en el puente con Luis Bolea, mi primer piloto, en tanto disponía yo su alojamiento en nuestro barco por aquella noche.

Durante la cena las dos muchachas demostraron que la avería del yate, lejos de deprimirlas, les había causado un entusiasta y agresivo alborozo. La aventura inesperada les proporcionaba un aliciente fuera de la órbita vulgar de una singladura marítima sin trascendencia. Avanzada ya la noche nuestros huéspedes se retiraron a descansar.

Yo me encaramé en la cubierta, y después de revisar la seguridad del remolque, me detuve acodado en la amura de babor.

La luna había comenzado su espectacular ascensión de globo de feria. Comunicaba sus reflejos a las cumbres de las olas, que resaltaban bajo su luz en contraste con los sombríos tumbos. La luna abandonaba en su vuelo una estela luminosa de puntos rutilantes. Me aferré la cabeza entre los dedos y me sumergí en mi mar interior, en aquel mar impetuoso, abstruso, que ofuscaba mi cerebro hasta cerrarle toda posibilidad de discurso. Me pesaba mi vida aislada, artificial, guardada como en un arcano en la oquedad de mi pecho. Me pesaba cada vez más y, sobre todo, cuando las circunstancias me ofrecían la ocasión de comportarme normalmente, cuando la vida me rozaba como a cada humano, con los acicates de las cosas normales que entraban en su posesión.

—¡Hola!

Una de las muchachas se hallaba junto a mí, acodada también en la borda.

—No apetece dormir en una noche como ésta —añadió—; dormir mucho es restarnos voluntariamente las horas que se nos dan para vivirlas.

Tenía el cabello suelto y la luna reverberaba ardiente sobre su cabeza. Hubo un silencio tremendamente largo entre nosotros. Entonces me di cuenta de que yo no estaba educado para estas cosas. Me encontraba belicoso, disconforme con toda vida de relación. Me percaté instintivamente de que mi acompañante era bella y atractiva. Hablaba un inglés sugestivo con un acentuado tono irlandés.

—No es usted muy hablador —rompió ella con una risa—; ya lo había advertido en la cena...

—Es difícil conversar cuando faltan puntos coincidentes en la historia de dos personas.

Cogió la borda con sus dos manos y se inclinó hacia atrás. Chisporroteó su mano izquierda al ser rozada por un haz de luna. Advertí entonces que llevaba en su dedo anular una sortija con un grueso brillante engarzado al aire. Levantó inopinadamente la mano enjoyada y apartó un mechón de pelo que le caía sobre la frente.

—¡Oh!, puntos comunes tenemos de sobra.

La miré enojado.

—Por de pronto no es cosa despreciable haber coincidido en el tiempo. La historia del mundo tiene muchos años de existencia.

—Sí, claro; usted y yo podíamos haber existido en Egipto en tiempo de los faraones.

—Naturalmente.

Volvió a reír y tornaron a desprenderse los extraños fulgores de su dedo anular.

—Aún hay más —continuó.

—¿Más?

—Colón.

—¿Colón?

—Cada uno estamos en una punta de su hazaña.

Sonreí y admiré a mi expresiva acompañante de reojo.

—¿Qué opina usted de Colón? —dije.

—Fue un visionario genial.

—Es poco...

—¿Poco?

—Un poco poco. ¿No cree que fue también un hombre de una audacia admirable?

—Sí, desde luego.

—¿Y admira usted en los hombres las visiones más que la audacia?

Quedó un poco confusa. Sonreí yo. No dejaba de advertir el lado cómico de esta conversación, sopesando debidamente las circunstancias en que tenía lugar.

—Según... —dijo al fin—. Si las visiones son geniales y por añadidura resultan verdad, se convierten en una cosa muy seria. ¿No lo cree así? En cambio, si Colón se hubiese confundido, con toda su audacia no hubiese salido de la nada.

—Luego su celebridad estriba en sus visiones.

—En haber acertado en sus visiones.

—De otra manera no hubiese pasado a la Historia...

—A lo mejor como loco...

Tenía una sonrisa de ironía adormecida entre sus labios gruesos. Sus manos, de dedos gráciles y blancos, continuaban agarradas a la borda y de vez en cuando dejaba caer su cuerpo hacia atrás lo que le permitían sus brazos elásticos.

—O sea, que la Naturaleza, según usted, intervino en la hazaña de Colón...

—Por lo menos le puso un continente por medio y le hizo chocar con él...

—No es ello poco.

Rió libremente.

—Como verá no faltan puntos comunes en nuestras respectivas historias.

Empezaba a encontrar un sabor insospechado en estas conversaciones fútiles que de siempre había odiado. Entreveía que para algunas gentes la vida es una broma y en broma hay que tomarla si no queremos chocar con su inquebrantable armonía. Notaba que me iba sintiendo a gusto en este pugilato insulso de sutilezas irónicas; que olvidaba temporalmente, apartándolas de mí, las sombras que perennemente cercaban a mi espíritu y que con esta fuga a regiones aéreas, sin raíz, penetraba en una zona estimulante, redonda y fértil que me ayudaba a desprenderme de mi lastre original.

Aún hablamos durante una hora de cosas indiferentes. La visión de sus antebrazos tersos y mórbidos comenzaba a obsesionarme, produciéndome un deseo creciente de acariciarlos una y otra vez con la palma de mi mano, de atusarlos de abajo arriba hasta tropezar con la agudeza de su codo. Experimentaba un afán incomprensible de entretener a aquella muchacha para prolongar nuestra inocua conversación hasta el fin del tiempo, hasta el límite de la resistencia humana.

La luna continuaba mirándonos desde arriba, arrancando fulgores vivaces de aquel brillante engarzado al aire. Llegaba a nosotros la brisa marina entreverada de olores de puerto, cargada de los aromas de una tierra extensa y propincua.

—Ya veo que cuando quiere usted también sabe hablar.

—Todo es cuestión de la habilidad de mi interlocutor.

Giró sus manos y sus brazos poniendo el dorso hacia arriba. El pigmento que coloreaba su piel perdía fuerzas por este lado, se extinguía paulatinamente para volver a acentuar sus matices en una transición sutilísima al doblar la curva dél otro extremo. Este contraste del claroscuro realzaba la redondez de sus miembros, avivando en mi pecho el afán de acariciarlos, de palpar suavemente la tersura de su piel.

—Bueno, creo que ya es hora de descansar...

Se puso en disposición de retirarse. Presentí que se me escapaba la sensación dulcemente enervante que durante unos minutos me había poseído.

—¿No dice usted que dormir es perder vida?

Me sonrió mirándome a los ojos.

—Dormir poco es perder vida también, ya que la que se vive a costa del sueño se vive sólo a medias.

Me tendió la mano, que yo estreché con la conciencia plena de que era algo mezquino para mis ocultas ambiciones aquella presión de sus cinco dedos ornados con un brillante.

—Si usted lo quiere —añadió—, podríamos vernos mañana...

Mi corazón se agitó en un galope frenético. Una voz por dentro me conminó a no aceptar.

—¿Dónde? —dije, empero.

—En el parque; frente a la estatua de Roger Williams. A las doce.

Sonrió otra vez y se desprendió de la presión de mi mano.

—Entonces hasta mañana —dije.

—Hasta mañana.

Aquella noche la caricatura de Julián Royo me pareció una burla sangrienta, una deformación estúpida, grotesca e insubstancial... Antes de dormirme tuve la impresión de que quería huir de algo sin quererlo del todo, de que mi boca deseaba decir que «no» a algo y que todas las células de mi cuerpo se ponían en pie, para gritar un «sí» estruendoso y unánime.

Jane llegó al parque dos minutos después que yo. Su silueta, a la clara luz del día, adquiría una flexibilidad singular mientras avanzaba hacia mí por el paseíllo de grava. Al saludarme observé que también su voz tomaba unas cualidades desconcertantes, distintas a las de la noche precedente. Su voz me recordaba ahora a la de la madre de Alfredo, aquella voz suave y melodiosa, casi inarticulada, que era como el gorjear de una bandada de pájaros en la profundidad de un bosque.

—¿Dónde quiere usted que vayamos?

Notaba yo que todo era indiferente fuera de ella; que cualquier rincón del mundo sería bueno si tenía ante mí la morbidez delicada de sus antebrazos y la dulzura desconcertante de su voz.

Comenzamos a andar sin rumbo determinado, como debe andarse cuando lo externo es accesorio y la fuerza de nuestro bienestar emana de la perfecta adaptación de dos almas en compañía. Algunos transeúntes se cruzaban con nosotros agazapados bajo su preocupación cotidiana. Tan sólo Jane y yo parecíamos enteramente libres de cadenas ajenas a nuestro propio impulso espiritual. De repente Jane me dijo, poniéndose seria:

—Es usted un hombre extraño.

Su andar se había hecho más pando y remiso, como si ni con sus pasos quisiese imprimir a su afirmación la idea de que fuese acelerada y sin meditar. La miré a los ojos inquiriendo de ella qué había observado en mí que la condujera a una aseveración tan tajante. Ella comprendió la intención de mi mirada.

—Va usted por la calle como pidiendo perdón a todos cuantos le rodean. Si da usted un paso atrás al cruzar una calle para que pase un automóvil, parece que con su ademán está pidiendo disculpas al conductor por haberle hecho disminuir la velocidad de su vehículo. Pisa usted la ciudad como con respeto, como con miedo a romperla, lo mismo que si visitase una casa de porcelana de la que fuese dueño un hombre con el que usted no tuviese confianza.

Sonrió al terminar, con un deje de amargura, como deseando añadir que no me preocupase por lo dicho, que en realidad no tenía demasiada importancia. Luego añadió:

—¿No lo cree usted así?

Sonreí, y para disimular mi turbación comencé a liar pausadamente un cigarrillo.

—Me parece prematuro su juicio.

—Le aseguro que bastan un par de minutos para advertir en usted esa falta de sinceridad y confianza con las cosas que le rodean.

Encendí el cigarrillo mientras continuaba caminando lentamente.

—Usted quiere decir que carezco de... ¿cómo lo diría yo?... de mundo. ¿No es eso?

—Algo parecido a eso...

Di una chupada con tal aceleración, que el fuego de la lumbre llegó a mis labios, abrasándoles. Pensé que yo le hubiese parecido aún más extraño, de advertirle que de toda su magnífica belleza eran sus brazos redondos y elásticos lo que más me turbaba; de haberle asegurado que su voz se me asemejaba al gorjeo de una bandada de pájaros enredados en la espesura de un bosque; de haberle dicho que ella era la primera mujer con quien me permitía el lujo de tener un *tête à tête* íntimo y prolongado. Me hubiera juzgado aún más extraño de haberle desmenuzado la historia de mi vida desde su génesis con todo lujo de pormenores.

—Casi conozco el mundo entero —añadí siguiendo el curso de nuestra conversación.

—Tener mundo no consiste en recorrerle.

—Siempre se pega algo.

—Aun con todo...

Jane había hecho señas a un autobús, que se detuvo pegado a la acera frente a nosotros.

—Suba —me dijo encaramándose ella primero ágilmente.

La seguí hasta la altura de un segundo piso. El ómnibus, descapotado, dejaba llegar hasta nosotros ráfagas de un aire fragante y acariciador.

—No le he consultado a usted —añadió Jane volviéndose a mí—; este autobús va por la carretera de la costa.

—¡Espléndido!

—¿De veras no le importa?

—El sitio es indiferente.

Volvió rápidamente a mí sus ojos intensamente claros. «Tal vez hayas hablado de más», me dije; pero ella recogió de nuevo su intensa mirada al tiempo que sus brazos se estiraban para aferrar el respaldo del asiento delantero.

Contemplé otra vez sus antebrazos tersos, sólidos, divinamente formados. Los acaricié con mis ojos, dejando resbalar la vista hasta la aguda curvatura del codo. Luego cerré los ojos temiendo que mi excitación se transparentase en ellos, de que Jane leyera en su expresión esta nueva anormalidad de mi carácter.

La carretera gris se extendía ante nosotros. Íbamos dejando atrás las últimas casas de Providencia. El campo empezaba a abrirse por los costados. Un campo apretado de vida en la atmósfera tibia de la primavera. Al doblar un recodo apareció a nuestra izquierda el mar; el mar rozando en un extraño aspaviento la aspereza de la costa, recortada y alta.

—¿Le parece que nos apeemos aquí?

Jane se incorporó. El autobús se detuvo a la derecha de la cinta blanca que dividía la carretera por la mitad. Descendimos. El ómnibus, al arrancar, olvidó una penetrante estela de gasolina quemada. Cuando se alejó, Jane y yo nos vimos abandonados en medio de la Naturaleza. Percibí entonces la proximidad de la mujer con mayor vigor, como si cada uno de mis poros transpirase su presencia. El sol caía sobre nosotros perpendicularmente, pero con escasa fuerza. En la cuneta se apiñaban las florecillas entre matojos y hierbajos medio asfixiados por la actividad de la carretera. Saltó Jane la cuneta izquierda y yo la seguí. Ninguno de los dos hablábamos; rumiábamos quizá la franqueza de las iniciales manifestaciones de mi acompañante.

Al descender un ribazo divisamos la frontera que América ponía en este extremo al mar. Las olas rompían con fuerza contra los riscos, hisopeando las proximidades. Saltaba la espuma blanca y rizada como una cana cabeza de negro. A lo lejos se distinguía algún pesquero o los transportes que iban buscando la entrada del puerto. El humo de los barcos colgaba del cielo como un penacho de aire negro, poco denso e inmóvil, y a intervalos breves el viento lo barría de un brochazo del espacio sin dejar rastro de su presencia anterior.

—¿Bajamos?

Empecé a descolgarme por las rocas sin contestar. Jane brincaba de roca en roca detrás de mí. Experimenté una sensación ampliamente acogedora al ver que el muro de roca iba creciendo detrás de nosotros, aislándonos del resto del Universo. Cada vez se oía trepidar el mar más cerca. Mugía como un buey acosado, tratando de vencer inútilmente el valladar que le oponía la Naturaleza. Sus aspersiones caían en su postrer esfuerzo blandamente a nuestros pies. Jane se detuvo de pronto, de pie sobre la arista de una roca. Con su mano derecha protegía su vista del destello del sol y miraba al mar, a lo lejos, a algo indeterminado y tan infinitamente lejano que parecía otear solamente por el simple placer de convencerse de que entre el cielo y el mar no cabía ni la brevedad de un beso. Así permaneció un rato en silencio expectante.

—Me gusta contemplar el mar desde aquí —dijo inopinadamente mirándome—; se palpa la influencia de algo sobrehumano en la misma fuerza y sencillez de este trozo de mundo.

Me senté en la roca, junto a ella. Ella se sentó también.

—Usted creerá en Dios, ¿verdad?

La miré sorprendido.

—¿Es usted católica?

—Sí; mi madre era irlandesa.

Estableció entre su país de origen y su religión una relación fatal de causa a efecto que me agradó. Comencé a liar un cigarrillo. Ella me alargó una minúscula petaca sonriendo:

—Fume usted del mío... si no le importa. Están hechos.

Encendimos los pitillos. Me eché hacia atrás apoyando un codo en la roca en que me sentaba.

—Aquí tiene que ser difícil ser católico.

Abrió los ojos dotando a su mirada de una expresión ingenua.

—¿Por qué?

—Son la excepción.

—La excepción es siempre lo más puro.

—¿Lo cree usted así?

—¿Por qué no? El que lucha contra corriente tiene que ser un convencido. Si no, resulta más fácil dejarse llevar.

—Más fácil... —dije.

—Pero la dificultad a que usted alude queda compensada por nuestra íntima convicción de que estamos en la verdad. Y a nadie le cuesta seguir un camino que sabe le conduce a buen fin...

—En otros lugares la excepción son los otros.

—También son convencidos y en sus prácticas, si usted quiere, más puros. Lo que no quiere decir, naturalmente, que estén en la verdad... Además, en Norteamérica los católicos somos ya muchos millones.

Cambié de postura y me quedé mirando a Jane con impertinencia.

—Es usted muy buena conmigo.

Se encendieron sus mejillas un momento. Esperó a que desapareciese su rubor para contestarme:

—No lo crea usted; en esto, como en todo, obro por egoísmo.

Sonreí.

—Hay pocas posibilidades de saber por qué se obra en la vida. Son muy complejos los móviles que informan nuestras conductas. El mismo egoísmo es muy difícil de determinar, ¿no cree?

—A veces.

—¿Sólo a veces? Yo estimo que en casi todos los casos se busca la propia satisfacción. Lo que ocurre regularmente

190

es que el egoísmo tiene, como todo, sus grados y sus matices.

Se sonrió en silencio. Probablemente guardaría su respuesta para sí. Era, desde luego, menos arriesgado y casi tan práctico.

Rompió, alocada, una ola a nuestros pies. Jane arrojó la colilla de su cigarrillo sobre el abanico de espuma y se levantó.

—Vamos; debe de ser ya hora de almorzar.

Algo me impelió en este momento para ser osado. Intenté reprimir este movimiento de audacia que brotaba inesperadamente dentro de mí, pero fue en vano.

—¿Por qué no quiere que almorcemos juntos?

—Encantada.

Ascendimos a la carretera. Los automóviles cruzaban en las dos direcciones perdida la individualidad de cada uno en la confusa vitalidad del rebaño. Una estrepitosa sinfonía de bocinazos ponía a aquella hora sobre el asfalto gris una nota de audiciones estridentes como de una Babel mecanizada.

Avanzamos Jane y yo por la orilla de la carretera. Pasados unos minutos comenzó a ceder la corriente de automóviles, transformándose en un desfile pausado y rítmico.

Jane tuvo en este instante una idea luminosa.

—¿Qué diría si almorzáramos en un merendero, al aire libre?

—Todo me parece bien.

Cruzamos la carretera. Señaló Jane una arboleda tupida, cercada por una empalizada de la que sobresalía el rojo tejado de una casa.

—Allí podremos comer y charlar tranquilamente.

Ascendimos despacio un senderillo abierto en medio de una pradera. Se agachó Jane a tomar una flor. Hirvió de nuevo un segundo en mi cabeza la antigua pesadilla del hombre avanzando por un camino, y desprendiéndose de las flores que antes tomara. Pero fue un segundo nada más. Cuando Jane colocó en su pelo la florecilla del campo todo volvió a cobrar color y vida ante mis sentidos despiertos.

Entramos en el merendero. A derecha e izquierda, en un grato desorden, se levantaban del suelo hasta una veintena de rústicas mesas de madera, rodeadas de banquetas por todas partes. Un poco al fondo se veían unos departamentos semi reservados circundados por un seto de boj. En el centro del jardín, entre los árboles, estaba la casa blanca y humeante predicando la buena disposición de la cocina. Apenas si había entre todos media docena de comensales divididos en parejas, vigiladas cada una por una curiosa mezcolanza de perros.

—Vamos allá.

Nos sentamos en uno de los departamentos cercados de boj. Sentí otra vez la confortadora sensación de aislamiento que experimenté al ver cómo la mole de rocas crecía tras nosotros al descender hasta el mar. Los reservados tenían sillas de tijera y pequeños sofás de mimbre a diferencia de las otras mesas. Me senté frente a Jane, que se arrellanó en su silla, incitada de intimidad.

—¿Qué quiere usted comer?

—Un poco de ternera con patatas.

—¿Qué más?

—¡Oh!, nada más; me disgusta comer mucho de una vez.

Se nos acercó una mujer rubia, colorada y obesa. Anotó nuestro pedido sobre un papel grasiento con cruel parsimonia, no atreviéndose a confiar a su memoria, sin duda congestionada, la poco extensa lista de nuestra consumición.

—Perdóneme —dijo Jane súbitamente cambiando la expresión de su rostro—, pero siento una terrible curiosidad por saber cómo ha sido su vida hasta ahora.

Me retrepé en mi asiento un poco aturdido. Después de meditar un instante dije, inclinando mi busto hacia ella:

—Le aseguro que fue muy poco interesante. Miro hacia atrás y no hallo en ella el menor relieve.

Se nos acercaron un par de perros, encendidos sus ojos por una golosa mirada. Me disculpé mirando hacia ellos:

—Me pone nervioso hablar con perros delante. Tienen

192

una mirada tan inteligente que parece que se están enterando de todo.

Di un puntapié a uno de ellos que escapó acobardado, cediendo el mareante penduleo de su rabo. El otro le siguió.

—Bueno; ya está usted libre de oídos indiscretos.

Puso sus antebrazos redondos, sofocantes, sobre la mesa y entrecruzó los dedos de sus manos. En su dedo anular fulgía hoy una esmeralda rodeada de pequeños brillantes.

Me quedé pensativo un instante, acalorado por la mirada curiosa de ella.

—He basado mi vida en unos principios bien simples.

—¿Tiene usted padres?

—No; ¿y usted?

—Padre; ¿pero cuáles han sido sus principios?

Volví a guardar silencio. Se abrió una pausa espesa, acaparada de atención.

—Elementales: increíblemente elementales...

Sus antebrazos se habían puesto verticales y ahora sus manos sujetaban por debajo de la barbilla medio óvalo de su cara. La contemplación de sus torneados antebrazos comenzaba a aturdirme otra vez. Ella se hizo cargo de mi embarazo.

—¿No le parece molesto sujetar toda una vida a unos principios previos por muy amplios que sean?

—A veces es necesario.

Jane se corrigió:

—Religiosos y morales de acuerdo.

—De toda índole.

Asomó entre el seto la despierta mirada de un chucho de raza indeterminada. Ladeó la cabeza observándome y al cabo se decidió a penetrar. Llegó hasta mí olfateando el suelo.

—¿Ve usted? —dije—; es expuesto hablar habiendo perros en las proximidades. Apuesto a que éste ha escuchado detrás del seto toda nuestra conversación y esta noche se morirá de risa contándosela a su dueño.

—Estos perros no tienen dueño.

Llegó la señora obesa y pigre con su mantelillo y unas servilletas a cuadros que colocó encima de la mesa después de largar al perro un afilado punterazo de sus zapatos. El animal aulló, abandonándonos con tanta presteza como si fuera perseguido por el demonio. Marchó también la señora moviendo su humanidad a pasitos tardos y perezosos.

—Siga usted.

Intenté hacerme el distraído:

—¿De qué hablábamos?

—De los principios.

—¡Ah!

—Decía usted que su conducta ha obedecido siempre a unos principios elementales porque los considera indispensables.

—¿Usted no?

—No, fuera de algunos aspectos; en lo demás juzgo más agradable vivir a lo que venga.

—Es arriesgado.

—No tanto como usted cree. Y usted, ¿no se la ha jugado nunca a sus principios?

—¿Qué quiere decir?

—Si los ha traicionado.

Hice un silencio. Por primera vez en los últimos días, me di cuenta de que era ahora cuando me estaba traicionando a mí mismo y a mis principios. Experimenté una rara sensación, como de tener niebla dentro de la cabeza. Farfullé algo ininteligible. Después aclaré:

—Sí, alguna vez.

—¿Y no siente, en esos momentos, una sensación de bienestar?

Me dio la impresión de que Jane estaba divirtiéndose conmigo, de que veía mi cerebro a través de mis ojos con una nitidez diáfana.

—Confieso que sí.

—¿Ve usted? Los principios no son fundamentales, sólo sirven para entristecernos.

—Pero...

Otra vez surgió un perro junto a nosotros sin que

pudiera precisar por dónde llegó. Jane soltó una risa y estiró nuevamente sus brazos desnudos, maravillosos, sobre el mantel. Jugueteó un momento con la sortija.

—Me da la sensación de que también los perros ajustan su vida a unos principios. ¿No ve qué mirada tan triste tienen?

Ladró un perro detrás del seto. Me eché a reír.

—Por aquí dicen que sí.

Entró la señora con nuestro refrigerio sobre una bandeja de madera.

—La ternera para el señor, ¿verdad?

Pareció pasmarse cuando la advertimos que no. Su boca se contrajo en una mueca de resignación que equivalía a una absolución incondicionada para su torpe memoria.

—Perdonen...

Dispuso las viandas sobre la mesa, largó al otro perro otro puntapié y añadió:

—De postre les traeré un poco de fruta a los señores, ¿verdad?

—Sí...

Se retiró.

—¿Un poco de vino? —dije.

—Muy bien.

—¿Le gusta?

—Algo; pero me agrada sobre todo la sensación de sentir una copa dentro del estómago.

Comimos. Yo admiraba con disimulo el juego de sus mórbidos antebrazos al manejar los cubiertos: el halo reluciente que desprendían y que les daba una apariencia de cosa inasequible.

Cuando terminamos de comer encendimos unos pitillos. Entonces empezó a empaparme una confusa idea de deber, de que yo estaba comportándome como un ser desocupado, cuando obligaciones ineludibles me reclamaban en mi barco. Se lo comuniqué a Jane, que se mostró conforme con mi intención de marcharnos.

En la carretera tomamos de nuevo el autobús. El sol iniciaba su descenso desde lo alto. Pronto empezamos a percibir el pulso de la ciudad.

Hubo un silencio prolongado.

—¿Dónde para este autobús?

—Llega hasta el puerto.

Silencio otra vez. Sobre mí pesaba la idea de la separación como una losa gris. Me apenaba tener que decir a Jane adiós, a lo mejor para siempre.

—Mire, aquí; vamos...

Nos apeamos. La fiebre del puerto se desataba en oleadas de actividad. Ruidos de grúas, sirenas, gritos, el latido de cien motores. Al fondo, en un costado del primer muelle, estaba atracado el «Antracita».

Jane me tendió la mano.

—¿Cuándo volveremos a vernos?

Instantáneamente se reavivó todo mi ser. Una voz interior me reiteró: «nunca», pero mis labios se abrieron:

—Mañana; ¿le parece?

Y al día siguiente volvimos a vernos. Y al otro y al otro y al otro... Y comenzamos a entrar en una atmósfera de mayor confianza, de una más íntima compenetración.

Una tarde, en la penumbra de un cinematógrafo, Jane me dijo:

—Y tú, ¿no has estado nunca enamorado?

—No puedo hacerlo —le respondí.

Y dejamos sin más que los días rodasen simétricos, vivos, alucinantes. Yo, atraído por una fuerza blanda, desconocida, que no pretendía descifrar... Sin intentar siquiera prever el futuro ni relacionar mi actualidad con mis años de estudiante en Ávila. Quizá presintiese un remoto peligro, pero era mayor mi indolencia espiritual. Me dejé, pues, portar en manos de la inconsciencia, suave, sosegadamente, sin indagar motivos ni presagiar efectos, en un estado neutro, impasible, que hacía más elevado el grado de mi felicidad.

Capítulo VI

Este estado de desatención hacia los principios que de
siempre habían informado mi conducta se quebró una
noche en que, encerrado en mi camarote, tropecé con la
corbeta del hijo de mi ex naviero, olvidada desde hacía dos
semanas, en la profundidad de un armario. Al verla ante mí
me hizo el efecto de que me recriminaba por mi comportamiento de los días pasados. «Yo entré aquí a retazos
—aparentaba decir el barquito embotellado—, pero no
podré salir sin destrozar la funda que me aprisiona. O sin
destrozarme a mí, pero en este caso, la envoltura perdería
toda su substancia y su íntima razón de ser para convertirse
en un objeto inútil y despreciable. Y ¿no recuerdas que tú
eras antes igual que yo?» Reaccioné lo mismo que si saliera
de un sueño. Abrí mucho los ojos y me vi igual que quince
días antes.

El mudo reproche de la corbeta embotellada fue el
punto de partida de toda una serie de consecuencias que
me llevaron a percatarme con claridad del peligro en
que me había sumido mi indolencia. Hasta este momento
y durante los quince días anteriores sólo me había preocu-
pado de vivir, sin meterme a analizar los motivos a que
podía obedecer la alteración psíquica que compulsaba
dentro de mí. Esta noche, frente a la corbeta prisionera,
advertí que llevaba dos semanas viviendo de espaldas a mis
principios, y lo que ya era más inquietante, que me había
enamorado de Jane con la fuerza de un adolescente. Este
último hecho me ocasionó al confesármelo a mí mismo un
desasosiego pungente e inesperado. Realmente había vivido aquellos días bajo una especie de influencia hipnótica,
disfrutando el presente sin inquietarme por lo venidero,
inconsciente al riesgo que una asiduidad semejante
suponía.

Al confesarme la lamentable realidad sentí una gran
sorpresa, como si el hecho en cuestión afectase en vez de
a mí a cualquier conocido mío. Se cerraba ahora el

paréntesis que se abriera la tarde del salvamento del yate, y todo lo que quedaba entre ambos acontecimientos se me hacía tan increíble como un sueño o una fuga de la imaginación a los campos absurdos de su influencia. No podía creerlo. Me era imposible aceptar que mi voluntad, tensa y preparada a lo largo de tantos años, hubiese sido doblegada al primer ataque como una frágil caña por un impetuoso golpe de viento. Quise descubrir las razones de este fallo, induciendo de mis últimos actos las causas formales de mi conducta dócil y reiterativa de las dos semanas anteriores. Al fin creí hallar una explicación lógica: yo hubiese resistido en cualquier caso un ataque violento, pero me desarmó la sencilla ingenuidad con que Jane y yo llegamos a compenetrarnos. Jane entró en mí lo mismo que el resplandor de la luna o el lamento del mar, espontáneamente, sin ser buscada. En la elaboración de los principios a que había de constreñir mi conducta no conté nunca con el azar; y he aquí que el azar me jugaba inopinadamente una mala pasada; un yate a la deriva, un chinchorro, una estacha... y mi corazón encadenado simultáneamente con el yate metido nuevamente en obediencia. Después los frecuentes encuentros, la naturaleza, la ciudad, su voz y aquellos antebrazos torneados, tersos, inquietantes. Lo demás se hizo solo. Ella era atractiva, ingenua, instintivamente cordial; para mí era la única mujer que había tratado y, curiosamente, la única también que en su ser físico me parecía que compendiaba todos los encantos exigibles.

Me miraba la corbeta a través del vidrio verdoso de la botella: «Yo no podré salir sin destrozar la funda que me aprisiona.» Y la voz de la corbeta era idéntica a la del prejuicio empotrado en lo hondo de mi pecho. Tampoco mi obsesión podría abandonarme sin romperme yo previamente en mil pedazos. O rompiéndose mi contextura íntima, pero en ese caso sacrificando en consecuencia mi substancia y mi razón de ser y de subsistir en el tiempo.

Me alarmaba lo que había cambiado todo para mí en unas horas. Comprendí cuán fácil resultaba abstenerse antes de abrirse el apetito, qué sencillo es decir «no tomaré» cuando nada existe que nos atraiga. Ahora todo era diferente. Había algo a que renunciar; la decisión abstracta, inconcreta, tomada veinte años antes, se concrecionaba de súbito en un objeto deseable al que había que responder con una negativa.

En ocasiones, en mis encuentros con Jane, me había asaltado una difusa preocupación de estar faltando a un elemental deber. Pero mi subconsciente, igualmente de una manera difusa, me advertía para mi conveniencia que ésta era la clase de vida que precisaba; que era ésta una aventura esporádica de la que saldría sin raíces ni ataduras, con mi libertad íntegra, vigorizada, e insobornable.

Ante la corbeta prisionera vi que no; que mi subconsciente, influido por mi deseo, me había hecho tomar una ruta equivocada, que la conducta sensata en esta ocasión hubiera sido cortar la fuente del proceso, tajar la evolución en el minuto mismo en que comenzaba a gestarse.

Veía la corbeta a través del vidrio. La observaba con fijeza, agarrando la botella por sus dos extremos con mis dedos engarabitados. Le di una vuelta; otra luego y otra... ¡Siempre igual! ¡Siempre decía lo mismo! No había una solución pausada, racional, fuera de dejar las cosas como estaban, en un punto muerto desalentador, sin ir hacia adelante o hacia atrás...

Evoqué en esos momentos la figura enjuta del señor Lesmes. Y el albino resplandor de Alfredo. «Evidentemente tendrás que renunciar», me dije. «La cosa es seria y tú no puedes abrazarte a la vida sin perderte.» Saltó mi imaginación a la placita recoleta y rectangular que fuera el campo de acción de nuestra infancia. La mansión vetusta, amarilla, se erguía, allí, chata y ciega, cerrando uno de los costados de la plaza. Y la hornacina en ella con los cuatro guerreros dentro: dos vencedores y dos vencidos. Pensé que el contenido de la vida se encontraba plasmado allí, en aquella pequeña y primaria obra de arte. «También hay en la vida vencedores y vencidos —me dije—, los que triunfan y los que no pueden o no se atreven a triunfar.» «Todos nacemos con una postura, con una predisposición... unos para galopar frenéticos en sus corceles, otros para discurrir por el mundo de rodillas, humillados, prendidas las muñecas desolladas a las colas espumosas de los caballos...» «Todo debe terminar cuanto antes», pensé decididamente. Y me incorporé para salir a airearme a la cubierta.

Jane había quedado en ir a recogerme al puerto en su coche a la mañana siguiente. Después de mis reflexiones de la noche pasada comprendí que debía ser éste el último encuentro. Había que frenar las cosas antes de que el instinto precipitase un final inadmisible, para mi concepción de la vida y del mundo. Desde luego, saldría aquella mañana, me vería con Jane y remataríamos nuestra amistad de la forma menos violenta posible, cerrando en círculo, sin solución de continuidad, el proceso de nuestra breve vida de relación.

La encontré sentada en su coche, hojeando una revista de modas.

—¡Hola! —me dijo al verme, tirando la revista al asiento de atrás.

Me senté a su lado y ella puso inmediatamente el automóvil en marcha.

—¿Al parque?

—Sí, al parque.

Marchábamos por las calles recién regadas, emparedados entre una hilera de coches de distintas formas y colores. Jane conducía suavemente, sin esforzarse, sin que la grácil armonía de sus antebrazos se quebrase con la contracción de algún músculo. De repente dio un viraje y nos metimos en una calle poco frecuentada que le permitió aumentar la velocidad.

—Aunque sea más largo por aquí llegaremos sin agobios.

—Es una sabia fórmula... para todo.

—¿Te gusta rodear para llegar a un fin?

—O renunciar a este fin si son demasiados los inconvenientes.

Me lanzó una mirada de una significación extraña. Mis ojos quedaron prendidos en la admirable euritmia de sus antebrazos; obsesionados, incrédulos...

—¡Cuidado!

Jane sorteó a una niña con un zigzag ceñido.

—Los niños son peligrosos... —dijo.

—¿Crees?

—Más que los perros.

Me reía. Ella añadió:

—¿Te gustan los niños?

—No los conozco; tan sólo me he tratado a mí cuando era pequeño y confieso que no me gustaba demasiado...

—Debiste de ser un niño simpático.

—Cualquier cosa menos eso.

Jane paró el coche en una entrada lateral del parque. Descendimos. Brotaba la vegetación por este lado, alimentada por la pujanza febril de una tierra henchida. En la corta perspectiva se confundían las copas de los árboles: el álamo, el plátano, el húmedo brillo de las magnolias. La tierra, recién regada, desprendía vahos calinosos de agradecimiento. Por los macizos se combinaban las flores con profusión en un abigarrado conjunto: la suavidad humilde y blanca de las petunias, el amarillo fuerte del botón de oro, la simetría circular y mareante de la margarita, las anémonas, las rosas y los claveles...

Nos adentramos en el parque, casi vacío a aquella hora. Algunos niños jugueteaban por los paseos persiguiéndose a gritos. Algún que otro bebé se recostaba cómodamente en su cochecito impulsado por la madre. Desperdigados por los bancos se veían tres o cuatro ancianos aprovechando los rayos de sol que se filtraban entre las hojas de los árboles para templar la sangre de sus pies ya medio muertos. Caminamos lentamente por una gran avenida. Casi al final nos desviamos por un paseíllo que conducía a la zona del parque más apetecida por nosotros.

—Vamos a sentarnos.

Delante de nuestro banco, a través de un ancho macizo congestionado de árboles, se divisaban entre las hojas las piernas de la estatua de Roger Williams.

—¡Pobre Williams; le hemos decapitado!

—No lo creas, ha debido de perder la cabeza él solo al contemplar los grandiosos efectos de su obra —dije.

—¿Conoces la historia de Roger Williams?

—Sólo sé que fundó la ciudad.

Echó Jane la cabeza hacia atrás y se quedó un rato quieta, mirando las hojas de los árboles.

—Eso es lo más cómodo de lo que hizo en toda su vida.

Presentí ante Jane que mi tarea de aquella mañana estaba erizada de dificultades. Mi decisión de acabar de una vez con nuestras entrevistas se debilitaba cuanto más avanzaba el tiempo. «Comeremos juntos —pensé—, y al terminar soltaré la lengua. Habré de beber más que de costumbre para no ponerme melancólico.»

—¿Sabías que Williams fue expulsado a viva fuerza de Massachussets?

Intuí que Jane no pensaba en Williams en aquel momento, que hablaba de Williams como podía haber hablado de otra cosa para desviar mi atención de sus verdaderos pensamientos.

—Tú no estás pensando en Williams.

—¡Qué importa lo que yo piense!

Su respuesta fue rápida, incisiva, cortante. Yo me callé con la boca abierta, mirándola.

—¿Qué te ocurre?

—¿Por qué había de ocurrirme algo? No me pasa nada; estoy bien.

Se hizo un silencio violento. Se oyó a lo lejos el aullido de una de las fieras del Zoo. La actitud de Jane había variado totalmente. Ahora se comportaba como una criatura herida. ¿Sería que había intuido que era éste nuestro último paseo?

Me pasé la punta de la lengua por mis labios resecos. Ella volvió a quedar suspensa, contemplando el pendulear de las hojas encima de nosotros.

Al enderezar la cabeza un minuto más tarde su expresión era de nuevo la normal.

—Perdóname, a veces me da por pensar cosas estúpidas.

—¿Sobre Roger Williams?

Hizo un ademán picaresco con la mano:

—Tal vez se relacionen con Roger Williams; Roger Williams era baptista, ¿sabes?

Me reafirmé en mi idea de que Jane utilizaba al fundador de pantalla para ocultarme sus sentimientos. Súbitamente Jane me sobresaltó:

—Tú un día te marcharás, ¿no es cierto?

—Necesariamente.

La mirada clara de sus ojos clavados en los míos me hacía pestañear. Sentí una punzada dolorosa en mi retina.

—Aunque no fuese necesario tú te marcharías un día, ¿verdad?

Experimenté una confusión violenta. La voz de ella, sin abandonar su dulzura, tenía un timbre de interrogatorio de juez. Yo no sé dónde podía leer aquella muchacha las determinaciones de mi voluntad.

Me incorporé de un salto.

—Vámonos; hoy quiero comer contigo.

Se levantó sumisa, y caminó a mi lado hacia la salida.

—Iremos al merendero del primer día... si te parece.

No respondió. Las petunias, las rosas, los claveles cargaban de fragancia la sombra de los paseos. La tierra mojada mezclaba su aroma con el de las flores, dando a la mezcla un refrescante sabor de pétalo bañado.

Subimos al automóvil. Jane me miraba a los ojos y su sonrisa ponía dos pequeños hoyuelos en sus mejillas. Tomó el volante.

—¿Vamos directos al fin o... rodeamos?

—Rodeamos.

Arrancó suavemente el coche. Inesperadamente me vi corriendo por la cinta gris de la carretera de la costa. Jane desvió el coche poco más adelante y le detuvo junto a la empalizada del merendero.

Tampoco esta vez había demasiada gente, por más que el número de perros pedigüeños se hubiera multiplicado. Jane me dijo, al ver la jauría:

—No es éste un buen sitio para una intimidad.

—Conforme con mi teoría, desde luego.

Sin consultarnos fuimos a ocupar la misma mesa de nuestra primera excursión. Se acercó la señora obesa del pelo rubio, quien puntualizó nuestra consumición con los mismos recursos que la otra vez, como quien cumple austeramente con la severidad de un rito.

—¿Bien?

Nos miramos a los ojos con mutua reticencia. Se acercó un perro.

—Hoy vamos a hacer que no nos importen estos bichos —dije.

—Y... ¿importan en realidad?

—Cohíben un poco.

Me levanté para cambiar la silla de Jane, que cojeaba.

—Aquí te encontrarás mejor.

La señora rubia llenaba nuestros vasos de un vino transparente. Jane alzó su espléndido antebrazo con el vaso en la mano.

—Por tu gran idea.

Bebió. Bebimos los dos y yo colmé de nuevo los vasos hasta rebosar.

—¿Qué idea?

Jane seguía reticente y opaca como en el parque.

—Vas a cerrar nuestro trato en el mismo sitio que se inició. Esto es muy poético. Si algún día nos sacaran algún verso, este detalle podría servir de estribillo.

Experimenté una sensación extraña, algo así como si mi cuerpo se hubiese quedado hueco de repente. Me sujeté angustiosamente al borde de la mesa.

—¡Ha de ser así, te lo juro! —dije con una voz que parecía provenir de detrás del seto.

Regresó la mujer que nos servía y dispuso las viandas sobre el mantel a cuadros.

—La ternera para el señor, ¿verdad?

—No, no, para la señorita.

—Ah, perdonen...

Marchó. Casi lamenté su ausencia. Me daba miedo aclarar la situación, por más que Jane pareciera ya enterada de mis propósitos. Tomé el vaso y le apuré nuevamente. Jane me enviaba ahora la más dulce de sus miradas.

—¿Sabes? Se te traslucen tus decisiones como si fueras de cristal. Eres parecido a un niño... —dijo.

«Como si fueras de cristal.» Se me veía por dentro lo

mismo que a la corbeta a través del vidrio de la botella. Experimenté un vivo sentimiento de pudor al sentirme desnudo, desarropado, transparente... ¡Qué cosa tan extraña! ¡Qué sensación tan terriblemente ingrata! Me palpé con dedos nerviosos los huesos de mi cráneo y después los golpeé con los nudillos. ¿Sería verdad? ¿Sería cierto que mi cuerpo era transparente como el cristal? Jane me veía hacer con una expresión de horror en su mirada intensa. Oí inesperadamente mi voz, una voz cavernosa, metálica...

—Mírame bien, Jane, ¡mírame! ¿Crees de verdad que estoy loco?

—¡Calla!

—¿Por qué he de callar?

—Me das miedo.

—¿Miedo? Ja... ja... ja...

Era yo quien se reía sin querer. Me oía a mí mismo, pero era como si fuese el seto, el campo, la tierra, quien estremeciese sus entrañas en una carcajada siniestra. Me había puesto de pie y continuaba riéndome, sin freno ni vergüenza. Me invadía un escepticismo absoluto hacia cuanto existía o pudiese existir. Dos perros me escrutaban con sus lánguidos ojos marrones. Uno de ellos, asustado, empezó a ladrar.

—¿Miedo? Ja, ja, ja...

Veía a Jane encogerse sobre sí misma en un instintivo movimiento de defensa.

—¿Por qué he de darte miedo? ¿No ves que soy un ser inofensivo, infrahumano, cobarde?

Jane vino hacia mí y me puso las manos sobre los hombros. Se había recuperado en un esfuerzo de voluntad.

—Ven, siéntate a mi lado... No me das pizca de miedo, ¿sabes? Te quiero...

Mis nervios y músculos se relajaron, quedaron flácidos, lasos. Me senté. Jadeaba con una respiración fatigosa. Notaba la suave presión de la mano de Jane en mi frente; notaba que todo mi ser buscaba, paulatinamente, su equilibrio, su estabilidad... Había pasado el momento de la crisis. Entonces empecé a experimentar una vergüenza creciente por mi comportamiento. Todo mi profundo escepticismo del minuto anterior se metamorfoseaba en éste en un sentimiento nebuloso de insignificancia y vergüenza.

—Vámonos, ¿quieres?

—Vamos.

Caminé aturdido, colgado inconscientemente del brazo de Jane. Los escasos comensales nos miraron de reojo al pasar. Ya en el coche hice un intento de justificación:

—¿Nunca has experimentado, Jane, un choque entre lo que deseas con toda tu alma y lo que juzgas tu deber?

—Sí.

—Entonces me comprenderás.

Hubo una pausa.

—Llévame al puerto.

La cinta gris de la carretera iba desapareciendo bajo el morro del motor. Los árboles y los edificios se cruzaban con nosotros a increíble velocidad. Jane conducía fácil, diestramente, con sus antebrazos inmóviles sobre el volante en contraste con él. ¡Sus brazos! Nunca más volvería a verlos. Mi memoria perdería un día el recuerdo de sus perfiles, de la exquisitez de sus proporciones...

Entramos en el puerto y Jane detuvo el coche.

—Entonces...

Demoré un minuto el descenso del automóvil. Quería llenar mis ojos, mis sentidos todos de ella; de su aroma, de su forma, de su color. Le tendí la mano.

—Adiós, Jane.

En un movimiento impensado me incliné y besé ardientemente las carnes firmes, morenas, de su antebrazo. Al levantar los ojos la vi rígida, encampanada en su dignidad.

—Perdóname —balbucí y descendí del coche.

Aún la vi un segundo. Estaba ofendida, no por mi beso, sino por el fondo de mi conducta inexplicable. Arrancó el coche, que se perdió a los pocos instantes en el maremágnum del muelle.

Camino de mi barco me di cuenta de que tenía los labios abrasados por un ardor desconocido.

Las aguas suelen remansarse al pie de los rápidos y torrentes como si una vez pasado el peligro meditaran sobre el riesgo corrido en el minuto anterior. Al ver despeñarse nuevas y continuas cataratas, cada gota pensará: «Esa fuerza me impulsó a mí. Igual, lo mismo que a todas ésas. ¡Caramba! Quién me ha visto y quién me ve.»

Algo de esto me ocurrió a mí al separarme definitivamente de Jane. Me remansé también. Me remansé y medité: «Qué ímpetu me vigorizaba ayer y qué quietud indiferente y lasa me apabulla hoy.» Y es cierto que aquel tajo decisivo que cortó la antena que yo había lanzado al exterior, me dejó alicortado y desarticulado por dentro.

Cuando emprendimos el regreso a España mi postura ante la vida se había concretado. Ya no tenía que renunciar a todos los lazos del corazón; había simplemente de renunciar a Jane. Comprendía que contra todo lo demás estaba inmunizado, pero la atracción de Jane superaba ahora todas las tentaciones que en abstracto gravitaran antes sobre mí. Involuntariamente evocaba con frecuencia su presencia, su sutilísima perspicacia, el sentido de nuestras conversaciones... Su evocación concluía siempre en sus antebrazos, morenos, mórbidos, estrepitosamente plásticos y rotundos.

En estos días empecé a profundizar mi trato con Luis Bolea, el piloto. Me convencí entonces de que los sentimientos no pueden cortarse de un solo golpe como creía, sino que su apaciguamiento requiere un lapso de suave transición. Yo necesitaba una válvula cordial; una válvula por donde escapase esa misteriosa substancia que secreta a veces el corazón y que se llamaba afecto.

Encontré en Luis Bolea un amigo cabal. Una amistad que se me hacía precisa y que no rechacé por dos razones: la necesidad absoluta de un estímulo externo y la conciencia de que esta amistad había de ser pasajera.

Bolea era, ante todo, un hombre comprensivo. Y en segundo término uno de esos hombres para quienes la vida es una sonrisa y la sombra bajo la cual caminan es redonda, amable y feraz. Era, pues, mi antagonista. A Bolea le había conocido, sin tratarle, en el último año de los que pasé en la Escuela de Náutica de Barcelona. Empezaba él entonces la carrera y yo estaba en trance de terminarla. Pero Bolea estudió exclusivamente por amor al mar, por afición. Era un hombre rico. Al terminar sus estudios redondeó su fortuna casándose con una mujer de su posición, trocando sus días de prácticas por una prolongada luna de miel. A los dos años volvió a sentir en su pecho la llamada del mar. Entonces se decidió a cumplir sus prácticas para obtener el título de piloto. Dio un beso a su mujer, otro a su primer vástago y se fue al mar durante una buena temporada. Al finalizar sus prácticas Bolea volvió a percatarse de que no todo en el mundo ha de ser agua salada y, añorando la vida familiar, colgó otra vez la gorra y se fue unos cuantos años a disfrutar de su mujer y su hija. Pero como todos los hombres que caen en el mundo dotados de un movimiento pendular, Bolea a los pocos años pensó que no todo en la vida ha de ser una mujer y unos niños, y dando un beso a cada uno, reembarcó, precisamente, en el «Antracita», donde yo estaba de capitán.

Debido, pues, a su titubeante conducta, Bolea hizo una carrera muy lenta. A raíz de los últimos acontecimientos de Providencia, Luis Bolea y yo, como digo, profundizamos bastante nuestras relaciones. Tanto, que cuajó en una verdadera amistad. Una amistad por mi parte más bien egoísta y receptiva, sin que a cambio de sus confidencias y consejos le diera yo gran parte de lo mío.

Recuerdo que al partir aquella vez de Providencia, Bolea y yo tuvimos ocasión de encontrarnos a solas en el puente la primera noche.

—Hay nubes bajas, mal asunto —me dijo mirando el cielo—; me gustaría por esta vez poder llegar a España de un salto, aunque estos días no entrasen en el cómputo de mis prácticas.

Le miré sorprendido:

—La familia va tirando y uno, sin darse cuenta, se va haciendo viejo. No se puede remediar —añadió.

—¿Teme a la vejez?

Metió los dedos pulgares bajo las solapas de su faena.

—¿Por qué voy a temerla? La vejez es la etapa más agradable de la vida; rodeados de los que nos quieren vivimos otra vez nuestros recuerdos. Pero esta vez sin incertidumbre ni desasosiego, sabiendo que lo pasado ya pasó.

Me quedé un rato expectante. De la cubierta ascendía el suave rumor de una canción interpretada a dos voces. Los marineros daban rienda suelta a sus nostalgias de Providencia. (Tenía un alcance dulcemente melancólico aquella canción en alta mar, bajo la vaga luz de las estrellas.) Les dejé hacer un punto antes de responder a Bolea.

—A veces los recuerdos muerden.

—Pocas veces; de los acontecimientos de nuestra vida se recuerda generalmente lo mejor.

—¿Y lo malo?

—Lo malo suele olvidarse en cuanto pasa. El hombre tiene una pésima memoria para las cosas que arañan.

La canción ascendía al cielo en espirales como el humo. Admiré el especial sentido de mucha gente ruda para cantar con sentimiento.

«Bolea tiene razón», me dije. «El hombre tiene una pésima memoria para las cosas que arañan.» El hombre, en general. Por eso las excepciones no encuentran lugar en el mundo y han de sortear la vida a su manera. Bolea tenía razón al hablar así, pero a mí tampoco me faltaba.

—Lo que es una aberración es un niño o un joven viviendo de recuerdos.

Yo entonces había sido una aberración y continuaba siéndolo ahora, con una curiosa particularidad: los recuerdos me arruinaban en vez de estimularme.

—¿Y eso por qué?

—En la infancia y en la juventud es cuando se fabrican los recuerdos.

—Pero cabe en todo tiempo el recuerdo del recuerdo.

—Las vidas uniformes no dan recuerdos. Dan tal vez un

solo recuerdo, que tampoco lo es, porque el instante de la vida en que se intenta rememorar es análogo al evocado. ¿Quiere fumar?

(Otra particularidad de Luis Bolea era la de fumar siempre un ínfimo tabaco liado «porque le compensaba tener el pitillo entre los labios en la milésima de segundo en que le apetecía».)

—No, gracias; a mí me compensa hacerle.

Sonrió.

—Como quiera.

Encendió su cigarrillo y trató de esperar con el fósforo encendido hasta que yo liase el mío. La lumbre le alcanzó las uñas antes de que yo concluyese la operación.

—¡Diantre! —lo arrojó de sí.

Prendió otra cerilla y levantó la mano, dejando la llama a la altura de nuestros rostros, equidistante de ambos. El resplandor se reflejó en sus ojos.

—Es peligroso aguardar a hombre lento —dije.

—¡Bah!, lo más que puede ocurrir es que nos quememos la punta de las uñas.

Tomé lumbre. Bolea sopló el fósforo, apagándole.

—Según el tamaño del fuego —añadí.

—No sé si porque me he pasado la vida viendo agua por todas partes, pero no le temo al fuego. —El piloto cambió súbitamente de expresión—. Otra cosa, capitán, ¿por qué no se casa usted?

Un estremecimiento de recelo me sacudió.

—¿Usted conoce a Jane? —inquirí con voz obscura.

—La conocí, como usted, la noche que llegamos a Providencia. ¿Por qué?

—¿Y después?

—Nos hemos saludado en la ciudad un par de veces.

(Comprobé en mi alma un secreto y momentáneo rencor contra mi piloto. ¿Con qué motivo sacaba a relucir esta cuestión tan privativamente mía? ¿Sería que Jane había buscado en él un aliado? Me pareció problemática esta suposición conociendo a Jane. Pero, entonces, ¿en qué se cimentaba esta rara impertinencia? ¿En mi propio interés? ¿Creía Bolea que me hacía con esto un gran favor?

Me lo imaginé andando por las calles de Providencia, deteniéndose de pronto al tropezar con Jane. Y hablarían. Me desagradó la idea de que Jane hubiese hecho amistad con mi piloto. ¿Y de qué hablarían? Del mar, del yate en reparación, de Providencia... ¡Qué tontería! ¿Cómo una mujer tan inteligente como Jane iba a hablar con nadie de esas ambiguas sandeces? Pero de algo hablarían «ese par de veces que se saludaron». Hablarían quizá de mí. Me desazonó este solo pensamiento. ¿Y qué tenían ambos que decir de mí? ¿Que era un loco? ¿Que era, cuando menos, un aspirante a loco? ¡Bonita conversación para ser sostenida a espaldas de un hombre! Pero no podía ser; no era posible que Jane pensase de mí que era un loco y menos que lo comentase con nadie. ¿No me había dicho hasta que me quería? ¿Hablaría entonces con Bolea de mí para compadecerme? ¡Qué molesto ser un objeto de una conmiseración a dúo! Tampoco creía a Jane capaz de compadecerme a medias con otro hombre. De compadecerme sería ella a solas. Y esto era ya diferente. Que ella me compadeciese tenía para mí las untuosas calidades de un sedante. Se saludarían nada más. Eso. Seguramente no hicieron más que estrecharse la mano y saludarse. Esto ya era otra cosa. Aunque de todas maneras siempre era desagradable pensar que alguien había de estrechar la mano de Jane. ¿Por qué no se saludaría la gente con una simple inclinación de cabeza? ¿Es que se expresa mejor la cordialidad en un mutuo manoseo? ¿Entonces por qué se saludaban también así los hombres que se odian? Evidentemente, el apretón de manos era una vulgar reminiscencia salvaje, derivada del apretón de narices. Tan vulgar y desagradable el uno como el otro. Pero, después de todo, ¿qué me daba a mí que alguien tomase la mano de Jane? ¿Es que me sentía celoso? Me sonreí de mi propia estupidez. Celoso... Palabra estúpida de estúpidos alcances. ¿No era Jane libre? ¿No era posible que dentro de unos meses fuese, íntegra, de otro hombre? ¡Oh, qué pensamiento tan profundamente desagradable! Hasta olía mal. Posible sí era, desde luego, pero ¡diablo!, qué repugnancia me daba...)

Una vaharada del mal tabaco quemado por Bolea me reincorporó a la actualidad. Ya no guardaba rencor a Bolea. Fue una racha pasajera. Al revés, le agradecía la oportunidad que me daba de hablar de Jane, de recordarla. ¡Ah!, el recuerdo. Yo ya sí tenía recuerdos. Mejor sería olvidarla, pero... La rememoración no minaba la solidez de mis principios. Evocarla sí que me estaba permitido. Hablaría, pues, con Bolea de Jane, pero sin soltar prenda; diría sólo ambigüedades. Después de todo a nadie le interesaba la fuerza de nuestra intimidad.

—Me preguntaba usted por qué no me caso, ¿verdad?

Sonrió Bolea y tiró su nefasto pitillo a la cubierta:

—Imagino que habrá tenido usted tiempo de meditarlo.

—Tiene los ojos claros —hablé al fin.

—¿Bien?

—Nuestros hijos serían cortos de vista.

—¿Los hijos de quién?

—De Jane y míos.

—No he hablado de Jane.

—No rodeemos —dije.

—Adelante, pues.

—¿Tiene usted en ello un interés especial?

—¿En qué?

—En esa boda —aclaré.

—Me agrada pensar que las gentes de mi aprecio van elaborando recuerdos para rumiarlos el día que no tengan vida activa disponible...

—Ah... muy generoso, ¿siempre ha sido usted casamentero?

—Siempre que ha mediado un interés especial.

—¿Aquí existe?

—Evidente.

—Veamos.

Me asió con dedos crispados un antebrazo.

—¡Basta de tapujos! —bramó—. Aquí el interés es usted. Usted debe casarse... Le falta equilibrio para pasar solo la vida.

—Ya entiendo...

—Cuestión de estimación simplemente.

—Ya entiendo.

Apretó sus dedos sobre mi antebrazo haciéndome daño.

—Le conozco hace mucho tiempo y sé...

—¿Está seguro?

—Usted obra como obra porque teme a la vida.

Me impresionó el propio eco de mi negativa:

—¡No!

Me cogió rápidamente del otro antebrazo y me sujetó rápido contra el pasamano del puente. Sus ojos se clavaban en mí con una mirada larga, intensa:

—Sí; sólo por miedo a la vida no llega usted al final que apetece.

Estábamos en uno de los extremos del puente. La voz de Bolea era vigorosa, como la presión de sus manos; con un vigor contenido.

Intenté sonreír.

—No, Luis; está usted equivocado.

—¡Miedo a la vida! —machacó.

—No... lo contrario.

—¿Qué?

—A la muerte.

Aún no cedía en su presión. Descendió, en cambio, el sofoco de su voz:

—Puede entenderse como una misma cosa; la muerte no es más que una circunstancia de la vida colocada en su último extremo.

Le miré irónicamente:

—¿Y la vida?

—La gestación de la muerte.

—Ya.

—Son dos mitades de un todo.

—Ya.

Aflojó la presión de sus dedos.

—¿Por qué no quiere entenderme?

—Usted tiene la propiedad de simplificar las cuestiones más complejas.

—¡Pruebe! ¿Por qué no se casa usted?

—Tendría hijos miopes.

No le agradó mi acento burlón. Soltó mis brazos y enfundó sus manos en los bolsillos de su faena.

—A veces se empeñan los hombres en darse cabezadas contra una tapia cuando, si lo intentaran, podrían saltarla fácilmente.

—La tapia para unos puede ser de dos palmos, y llegar al cielo para otros.

—Espejismos.

—Quizá.

Se alejó un tanto de mí. Su respiración era fatigosa. Percibí que la atmósfera estaba densa y enrarecida.

—Voy a descansar un rato —me dijo—. Le ruego que no persista en su actitud; los huesos del cráneo son duros, pero a veces llega a abrirse la cabeza.

Comenzó a descender la escalera. Di unos pasos hacia él.

—Dígame, ¿dónde habló con Jane de todo esto?

—¿Eh...? ¿Cuál?

—¿Dónde vio usted a Jane?

—La saludé dos veces en Providencia.

Se perdió en la obscuridad de la cubierta. ¡Ambigüedades! ¡Abstracciones! ¿A qué este afán de no concretar? Ya no se oían las canciones de los marineros. Todos se habían acostado ya. Todos, excepto la rígida figura del timonel encerrado en su jaula de cristales. Me vio pasar ante él, indiferente. ¿Sería, en realidad, mi cráneo transparente como la cabina del timonel? ¿Tan transparente que todos podían observar lo que sucedía detrás de sus huesos? ¿O era mi actitud tan anormal que en seguida llamaba la atención, hasta a los menos observadores? ¡Oh, qué enrevesado debía de ser yo por dentro! Recordé a una pobre mujer que conocí en Barcelona de dos metros y medio de estatura. Un osteólogo le había comprado en vida el esqueleto para examinarle después de muerta. A fin de cuentas el osteólogo era un optimista, ya que ¿quién le aseguraba que aquella pobre mujer no le doblaría la vida como ahora le doblaba la talla? «Yo, por dentro, pensé, debo de ser muy semejante a aquella mujer por fuera.» Estoy seguro de que si mi anormalidad pudiese conservarse incorrupta en un frasco de alcohol, se darían de mamporros los psicoanalistas por adquirirla. ¡Habría que ver mis deformados sentimientos encerrados en un frasco! Con seguridad tendrían la forma de un pulpo plagado de tentáculos. ¡Qué repulsiva visión un tarro con un pulpo dentro! ¡Diablo, como la corbeta! ¿Como la corbeta? Y como mi cerebro. ¿Por qué no también como mi cerebro?

Capítulo VIII

Entramos en la bahía de Santander una mañana soleada de junio, con cielo despejado y brisa estimulante. Aún no había llegado el verano sobre la ciudad, pero ya se advertían en las rubias arenas de la Magdalena las manchas obscuras de los primeros bañistas.

Apenas si había gente en los muelles aguardando nuestra atracada. Era nuestro buque uno de los menos golosos de cuantos hacían el viaje transoceánico y la pacotilla por «mercancía» resultaba de poco empeño.

Algunos familiares de nuestra marinería agitaban al aire sus pañuelos blancos en su primera expresión de bienvenida. El revoloteo de pañuelos se contagió a poco a nuestro barco y una vez atracado se alzó hasta el puente el rumor de los besos y achuchones del recibimiento.

Nunca hasta entonces me pareció tan vacía una ciudad. Cuando desembarqué y tuve oportunidad de discurrir por sus calles me vino encima un mundo liso y anodino, espantosamente desnudo y desguarnecido de alicientes. Era como recorrer una tierra en barbecho, sin flores ni accidentes en toda la extensión que abarcaba la vista.

Una semana después, asfixiado por el cielo plomizo de la ciudad vacía, tomé un tren para Bilbao con el objeto exclusivo de cambiar de ambiente.

Bilbao renacía en su hondonada con una vitalidad múltiple. Estaba agitado por un febril movimiento industrial que se adivinaba en cada rostro que topaba uno por la calle. Todos, apiñaditos alrededor de la ría, laboraban por el engrandecimiento de la urbe. Pero nada alteró la sensación de soledad que me invadiera en Santander. Con gente y sin ella mi enervamiento continuaba. Me di cuenta entonces de que los agobios del alma son netamente independientes del medio que nos circunda, que sólo puede intervenir en nuestro clima interno el escenario en que nos movemos cuando nuestras facultades receptivas no están aletargadas por una preocupación interior.

En Bilbao permanecí cuatro días escasos. Bolea me aguardaba en Santander para tomarse él su descanso. Empero, las cosas adquirieron una orientación distinta a la que esperábamos. Un acontecimiento sorprendente me obligó a demorar mi regreso dos días más.

Aconteció el hecho la última noche de mi permanencia en Bilbao. Como de costumbre, salí del hotel luego de cenar con ánimo de acumular sueño callejeando por la ciudad. No me agradaba la idea de encamarme sin sentirme fatigado. Ello equivaldría a declarar una de mis frecuentes controversias cerebrales que, sobre no remediar nada, incrementaban mi debilitamiento nervioso ya de por sí paulatinamente progresivo. Me dediqué, pues, a recorrer callejuelas desconocidas, estrechas y obscuras, donde sólo muy rara vez saltaba de algún balcón colgante el detalle fresco y sonriente de unos tiestos de geranios medio marchitos. Inopinadamente empezaron a caer unos gruesos goterones. Percibí el alivio húmedo de la ciudad en el vaho refrescante que exhalaban ahora sus pulmones invisibles. Avancé de prisa tratando de volver sobre mis pasos. Pero era tal el laberinto de aquellas callejuelas simétricas y uniformes, que experimenté la necesidad de hacer un alto para evitar que el agua me llegase hasta los huesos.

En la primera esquina vi cuatro letras tentadoras combinándose para formar el genérico nombre de Café. Sentí lástima por aquel café sin apellido, dotado de una simple denominación abstracta, como un pobre inclusero. Empero, la lluvia arreciaba y el lastimoso edificio, envanecido por la necesidad, cobraba un tono y un tronío del que por sus cualidades substanciales se hallaba exento. Próximo ya, acariciaron mis tímpanos los sonidos armoniosos de una orquestina de poco fuste. Empujé la puerta de cristal esmerilado y penetré.

El local era amplio y tenía un desagradable olor a colilla de puro mezclado con el de fichas de dominó manoseadas. Las mesas, con tablero de mármol blanco, se encontraban casi totalmente vacías. Únicamente en los rincones se arrullaban unas cuantas parejas demasiado juntas y expresivas para ser tomadas por enamorados. Mi entrada pasó

217

inadvertida para todos. Hacia el centro de la sala, propincuo al mostrador, se alzaba un miserable tablado donde un trío vestido con blusas amarillas se esforzaban en combinar, arañando dos violines y aporreando un piano, las notas melancólicas de «La Bejarana».

Me sacudí un poco la lluvia y me senté frente a la orquestina en un diván estrecho y forrado de un tazado y arcaico terciopelo granate. Observé al trío con cierto detenimiento. La pianista, vuelta de espaldas, detentaba un aspecto exótico de difícil definición. A cada lado un violinista, enfundados en blusas amarillas, flamantes y llamativas, pero pregonando con las rodilleras y remiendos de los pantalones y la piel agrietada de sus zapatos que, pese a su uniforme, las notas que parían sus instrumentos apenas si les daban para vivir.

Se me acercó un camarero con una blanca servilleta colocada a horcajadas sobre el hombro. Pedí un coñac. Inopinadamente los músicos concluyeron su interpretación. La mujer quedó un rato a la expectativa, y ante los aplausos reiterados de las cuatro parejas, que sonaban pobremente en la amplitud de la sala, se inició de nuevo su tecleo. Los dos hombres, que ya se agachaban para encerrar los violines en sus estuches, se incorporaron con un aire de disgusto muy marcado en sus rostros enjutos. Desconocía la pieza en que ahora empeñaba el trío sus aceptables facultades, pero no sé en qué percibí un algo próximo, cálido y familiar.

Instintivamente me había levantado del incómodo diván y me arrimaba, paso a paso, al tablado. Entonces me percaté de que era el ritmo lo que me era familiar, el método interpretativo, el hacer.

Era lo mismo que si me estuviesen leyendo un trozo de prosa desconocido, pero que me permitía aquilatar en el ritmo especial de la lectura un sentimiento de familiaridad. Los violinistas me miraban desde su altura con reojos de dictadores. La mujer seguía volviéndome la espalda. Tan sólo cuando sus manos escapaban a los extremos del teclado podía observarlas, ver sus dedos sonrosados, gráciles como diez pantorrillas femeninas danzando un ballet. Sus yemas tiernas, coronadas por encima por uñas pintarrajeadas de rojo, se curvaban hacia arriba en una generosa entrega, incondicionada, a las exigencias de la interpretación. Impróvidamente las notas de los violines se agudizaron, las manos de la mujer escaparon a las últimas teclas, se originó ese barullo musical precursor del desenlace. Me recorrió un escalofrío. Experimenté la necesidad de gritar. Una nota rotunda cerró los compases de la melodía. Se oyeron cuatro mezquinos aplausos brotando de las esquinas más obscuras del local. Precipitadamente los violinistas clausuraron su violines en los estuches, como si con sus últimas agrias notas hubiese huido el espíritu de los instrumentos y ahora encerrasen en aquellas cajas, con corte de féretro, sus rígidos cuerpos desalmados. La mujer se mantuvo quieta con la espalda erguida, como cuando niña. Bruscamente se acodó en el piano cerrado y ocultó su cara invisible entre sus manos. Descendieron los violinistas del tablado.

—¡Martina! —grité entonces.

Giró la mujer, lentamente, como poniéndose en guardia, incorporándose al mismo tiempo que volvía su rostro hacia mí. Guiñó sus ojos un segundo, como queriendo penetrarme hasta el último plano del alma. Levantó los brazos y sus ojos adquirieron un intenso brillo.

—¡Pedro!

Con un movimiento subitáneo se dejó caer en mis brazos llorando. La apreté contra mí, conmovido, consciente de que por vez inicial en mi vida podía ser útil a un semejante.

Presentí que la poca vitalidad del café se había concrecionado sobre nosotros. Tomé a Martina por la cintura y la aparté a un rincón acotado de sombra. Oí un poco lejana una risa maliciosa. Martina me miraba incrédula, entre sonrisas y lágrimas. Se dio cuenta de pronto de que éramos el eje de la atención de la escasa concurrencia. Se incorporó.

—Espera un momento. Pedro, nos iremos a otro sitio donde podamos hablar tranquilos,

Se aproximó al tablado y regresó a mí poniéndose

encima de la blusa amarilla una desfasada chaqueta de punto.

—Vámonos.

En la calle la tomé del brazo. Entonces advertí que la mocosa Martina se había transformado en una hermosa muchacha, por más que su espléndida belleza la amustiase un prematuro gesto de cansancio.

—Aquí a la vuelta, hay otro café; ¿te parece que entremos en él?

Se detuvo en medio de la calle. Ya no llovía y el ambiente había refrescado.

—Si no te importa —rectificó— prefiero hablar contigo correteando de calle en calle.

Asentí. Al mirarla a los ojos observé que de nuevo los nublaban las lágrimas.

—Soy una malvada, ¿sabes?

Ahora fui yo quien se detuvo.

—¿Qué quieres decir?

—Sí, déjame, Pedro; déjame tirada en medio de la calle, si quieres, pero he sido una perdida...

La calle estaba desierta. De lejos llegaba el sonido apagado de un acordeón como un mensaje de vicio oculto. Me pareció que un mundo vecino a mí se desmoronaba, que me arrancaban de repente la raíz de mi propia vida. Martina, avergonzada, apretó su rostro contra mi pecho y ahogó un sollozo. Reanudamos nuestro paso. Las calles permanecían muertas, adormecidas en sus medias tinieblas. De vez en cuando partía de alguna ventana iluminada una carcajada bronca o un juramento. Pero Martina caminaba sin estremecerse, dando la sensación de que en los últimos años había amoldado su paso menudo al ritmo y tono de aquel clima sinuoso. Martina rompió bruscamente en un torrente de palabras:

—Yo no podía vivir allí... ¿Quién hubiese podido hacerlo? Mi casa, Pedro, ¿recuerdas?, era igual que un cementerio: fría, silenciosa, monótona, sin un quiebro sorprendente. Allí no había alegría, ni ilusiones, ni juventud, ni vida...

Agachó la cabeza sobre el pecho y se reiteró en su llanto

amargo y acongojado. Penetramos en una callejuela inundada de un detestable olor a desperdicios de sardina. Se cruzó con nosotros la sombra vacilante de un borracho. Martina levantó la cara, intentando alcanzar mis ojos en la espesa y fétida penumbra.

—Dime, Pedro, ¿por qué eran así mis padres?

Ahora alcanzaba a comprender la estela espeluznante del matrimonio del señor Lesmes. Don Mateo debía haberse enfrentado con la vida desatado de todo vínculo. Los hombres como él y como yo no teníamos derecho a meternos en la cadena. Habíamos de permanecer al margen de ella, rematándola en uno de sus extremos. Martina prosiguió sin que yo contestara:

—¡Mi sangre era tan distinta de la de ellos! Notaba por días que aquella casa se me venía encima, que me acuciaban unos deseos inmoderados de gritar y reírme a carcajadas, de decirle a mi madre que qué sacaba de aquel mutismo hermético, asfixiante y sobrecogedor... —Hizo una pausa—. Pero tenía que aguantarme; había de soportarlo todo mientras viviese en casa de mis padres. Ellos eran muy dueños de ser como les viniese en gana; ellos me habían traído a la vida y yo se la debía a ellos, riendo o llorando... Un día...

Se aturdió un momento. Aparentó arrepentirse de su modo de comenzar; no obstante, tras un movimiento de cabeza como el que se efectúa para desechar un mal pensamiento, recomenzó de la misma manera:

—Un día conocí a un muchacho cuando volvía de dar mi lección de piano. Se me acercó diciéndome que en tiempos, cuando yo no tenía más que un año, había dado clase con mi padre. Me acompañó hasta casa. Al despedirnos me dio su nombre, pero me rogó que nada le dijese a mi padre de todo esto, pues siempre habían tenido unos puntos de vista diferentes y, al marchar de la Academia, su padre había discutido fuertemente con el mío, precisamente por discrepancias en sus puntos de vista respectivos.

Nuevamente habíamos tomado una calle distinta; otra calle estrecha, orillada por casas de cuatro pisos, donde mirando hacia arriba se divisaba un paseíllo de cielo perforado de lunares brillantes. Pasó una pareja, muy apretada, en dirección opuesta a la nuestra. Martina continuó:

—Aquella relación secreta que aquel día se inició, forzosamente tenía que dejar en una vida tan uniforme como la mía una huella profunda. Me parecía que estaba empezando a vivir una aventura de novela; un amor desaprobado por nuestros padres era, siempre lo sería, un idilio tentador. Pensaba que en la discordancia de puntos de vista entre mi padre y Joaquín, sería éste quien tenía la razón. Los puntos de vista de mi padre eran, generalmente, turbios y sombríos, lo que me hacía sospechar que los de Joaquín serían, por lógica contraposición, diáfanos, optimistas y joviales.

Se hizo un nuevo paréntesis, que el pecho de Martina aprovechó para emitir un sollozo. Luego prosiguió:

—Yo creo que fue este ambiente de misterio de que rodeamos nuestras relaciones el que más influyó en mi tonto enamoramiento. Nos veíamos a horas extrañas, cada vez en lugares diferentes... Yo me dejaba portar en su cariño tan ingenuamente que jamás se me ocurrió preguntarle qué es lo que era, a qué se dedicaba, o en qué calle vivía... Me bastaba, al parecer, saber que no era igual que mi padre, y como en este punto coincidíamos, caí en el error de imaginar que éramos dos almas paralelas que se adaptaban hasta en el menor detalle. Así fue pasando el tiempo. Él hablaba en abstracto de «sus negocios». «Sus negocios» iban bien o le reclamaban a Madrid un par de días, no podría verme a tal hora porque había de atender a sus clientes. Una tarde, sentados delante de la cruz de Cuatro Postes, con la ciudad amurallada a nuestros pies, me dijo que puesto que «los negocios» marchaban bien, sería oportuno ir pensando en nuestro matrimonio...

Me miró Martina con ojos arrasados en lágrimas y prosiguió:

—Me dio un vuelco el corazón; aquello superaba cuanto yo hubiera podido imaginar. Joaquín era un hombre físicamente agradable; espiritualmente, entonces me tenía arrebatada. Al día siguiente, a hurtadillas, comencé a bordar unas servilletas para nuestro futuro hogar. Dos días más tarde quise sorprenderle enseñándole dos servilletas, enteramente confeccionadas por mis manos. Experimenté mi primera desilusión al ver su gesto de desagrado. «Nosotros no podemos hacer como los demás, Martina —me dijo—; quiero que te convenzas de ello. Nosotros nos casaremos de una manera apagada y sin el consentimiento de nuestros padres. Por eso todo lo que haya de hacerse lo haremos después de nuestra boda, con nuestros propios recursos.» Me callé y no le dije nada. Supongo que él, aunque poco le importase, se daría cuenta de que me había herido... Un mes después me dijo que no podía esperar más y que deseaba casarse a la semana siguiente. Le advertí que nada sospechaban aún mis padres de nuestras relaciones, que me diese tiempo para convencerles y que, sólo cuando se hubiesen opuesto decididamente, estaríamos en nuestro perfecto derecho de casarnos contra su voluntad. Él se mostró airado. «¿Y eso es lo que tú me quieres? —dijo—. ¿Sólo hasta ahí estás dispuesta a llegar por mí?» Le respondí que estaba dispuesta a llegar donde fuese necesario por su cariño, pero sin dar brincos forzados, sino por mis pasos naturales. Se enfureció bastante. Como único medio de probar mi decisión me preguntó entonces: «Y si yo te dijera que la única solución es coger el tren un día cualquiera y casarnos en Madrid o en otra parte, ¿qué dirías?» «Si los demás medios habían fallado totalmente no me opondría», respondí. «Tú no me quieres —silabeó encolerizado—; tú no estás decidida a entregarte a mí.» «De momento —terminé— y de la irregular manera que tú deseas, no.» Nos enfadamos. Dejé de verle durante dos semanas. En esos quince días me di cuenta de que todo era preferible a continuar encerrada entre aquellos tabiques de austeridad. La casa de mis padres y mi espíritu eran inconciliables, definitivamente incompatibles. «Después de todo —me decía—, Joaquín no me pedía nada contra la moral. Únicamente casarnos fuera del asentimiento paterno. Y eso, ¿qué puede tener de particular cuando la rareza está de parte de los padres?» Me arrepentí de mi negativa, pero como ignoraba dónde podría encontrarle, tuve que soportar mi tedio sin intentar mover un solo dedo para tratar de remediarlo. Una tarde, inopinadamente, tropecé con él al regresar a casa. Le vi que venía dispuesto a acercarse, pero me pareció que era yo la obligada a tomar la iniciativa y me abalancé sobre él. «Perdóname, Joaquín —le dije—; he cometido una tontería... tengo fe en ti... una fe absoluta... haremos todo cuanto tú quieras.» Nos habíamos introducido en un portal. Él me limpió las lágrimas con el dorso de su mano. La portera debió de ver nuestras inocentes efusiones, pero —pensé entonces— debía de ser una solterona resentida. «Vayan a arrullarse a otro sitio —silabeó indignada—; ésta es una casa decente y aquí no se admiten estas cosas.» Joaquín aparentó enfadarse mucho por aquello, que estimaba una ofensa a mi pudor. Le dijo, en mi presencia, unas frases atroces, que yo olvidé en seguida en la euforia de lo que juzgaba «una valiente defensa de mi honra». Huimos de allí cogidos alegremente de la mano. Al despedirnos Joaquín me dijo, besándome por primera vez: «Pasado mañana tomaremos el tren de Bilbao y allí nos casaremos.» Volvió a besarme. Yo sentí una embriaguez desconocida recorriendo mi cuerpo de extremo a extremo. Aquello significaba que iba a liberarme de una vez para siempre de aquella casa angustiosa, del frío lúgubre que aleteaba entre sus muros. Te confieso, Pedro, que no noté el menor remordimiento al abandonarla. Se me hacía que la dejaba por su propia culpa, expulsada por su actitud desabrida y hostil hacia mi juventud. Dejé a mis padres una nota en la que, poco más o menos, decía: «Me voy de esta casa donde no he encontrado nunca más que tristeza. Me casaré con un hombre que me quiere por encima de todas las cosas. Nada temáis por mí, porque soy enteramente feliz. Recibiréis noticias mías.» Y firmé.

Por la noche abandoné la casa de mis padres como un ladrón, saltando por una ventana. Joaquín me esperaba en la plaza. Tomó mi maleta y anduvimos a paso acelerado hacia la estación. A la mañana siguiente nos encontrábamos en Bilbao. Nada más apearnos del tren comencé a experimentar el primer resquemor de la culpa. Me censuraba mi conciencia, todo el aliento vital que infundía vigor a mi cuerpo. Pero no dije nada. Daba ya el hecho por consumado. Joaquín me llevó, «provisionalmente», a una sórdida pensión de una calleja apartada y maloliente. Debíamos ocultarnos, me dijo, hasta que nuestra situación se legalizase a los ojos de Dios y de los hombres. «Dentro de unos días —añadió—, podrás ocupar el mejor hotel y comprarte cuanto desees. Yo soy rico.»

Otra vez se detuvo Martina, desfallecida por el peso del relato. Yo había perdido la noción del espacio en aquel laberinto de sucias callejuelas, indignado de antemano por el desenlace que presentía a la aventura de la pequeña Martina. ¡Oh, Dios, aquella niña que nos enojase tanto a Alfredo y a mí con su «nene, nene» espantosamente desalentador! Nos habíamos detenido debajo de una bombilla de luz mortecina. Los sollozos de Martina parecía que iban a arrancarle el corazón. Me miró con sus ojos nublados por las lágrimas y continuó, entrecortadamente:

—Como imaginarás, nuestra situación jamás se legalizó. Ni cambié de residencia, ni me vestí con los mejores vestidos, ni supe nunca si él era rico o no lo era. Me engañó de la forma más miserable y me abandonó tan miserablemente como me había engañado, un día que se hastió de mí...

Calló Martina. Unos puntazos de incertidumbre empezaron a inquietarme tras haber finalizado ella la primera parte de su relato. No pude contenerme:

—¿Y después..., Martina? ¿Hubo después otros...?

Se abalanzó sobre mí como un gato, tapándome la boca con sus manos, rebelándose contra mi inexpresada suposición. Resbalaban mejilla abajo sus lágrimas incontenibles.

—¡Oh, por Dios, no; eso no! Después viví de mi trabajo, de mi propio esfuerzo, con mi sudor... ¿No era ya bastante la experiencia? Me coloqué en el cafetín en que me has visto; al principio tuve que cantar para los hombres... ¡Qué asco me daba! Luego... luego se dieron cuenta de que era verdad que yo sabía tocar el piano...

Como respondiendo a una contraseña se oyeron desde

un balcón alto las notas desafinadas de un piano enfermo. La voz cascada de un hombre ebrio ocultó por un momento los compases musicales.

—¡Qué manera de maltratar a un piano! ¡Deberían prohibirlo...!

Me encaré con Martina.

—¿Cuántos años hace que vives así?

—Dos; y los cinco meses que viví...

—Ya.

Medité unos instantes.

—Tú debes volver a casa.

Se encogió.

—No me atrevo; desde que salí de allí no les he escrito ni una línea.

Me animó una energía súbita.

—Nada importa; tú volverás allí mañana. Yo iré contigo.

—Oh, no...

Lloraba. Yo suavicé la voz.

—Iremos juntos. Conozco a don Mateo; él sabrá perdonarte...

Miré el reloj. Eran las tres menos diez de la madrugada.

—Anda, vamos, es tarde; te llevaré hasta tu casa.

Caminamos. Ella dócilmente a mi lado. Atravesamos nuevamente la calleja cargada de un insoportable hedor a desperdicios de sardina. En una calle, aún más angosta e inmunda, vertical a aquélla, se detuvo Martina ante un portal de miserable aspecto. Se aturulló levemente.

—Vivo aquí —dijo a modo de excusa.

—¿Bien?

—No puedo irme, Pedro; compréndelo.

—Mañana vendré a buscarte; a la una.

—¿Y la orquesta?

—Yo lo arreglaré todo.

—¡Oh!

Se puso de espaldas y se encorvó buscando el ojo de la cerradura. Gimieron los goznes y se abrió la puerta. Martina se encaró conmigo y me tendió las dos manos.

—¡Cuánto me alegra haberte encontrado!

Insistí.

—Hasta mañana, pues.

—Estaré.

Cerró de golpe y la oí unos segundos taconear precipitadamente escaleras arriba. Luego comencé a andar sin rumbo, desorientado en aquel laberinto de calles, todas tan semejantes. Al fin hallé el camino de mi hotel. Llegado a mi habitación me tumbé encima de la cama, sin desnudarme. Tenía una conciencia anticipada de que no podría acogerme al sueño después de los complejos sucesos del día. Se me hacía todo inverosímil, incomprensible en su febril realidad. Junto al dolor de una pérdida aquilataba el dolor de algo nuevo vitalizándome. ¡Pobre pequeña Martina! La analicé ahora fríamente, como una víctima inmolada al egoísmo pesimista de su padre. Él tuvo la culpa. Él, que trató de imponer pasivamente a cuantos le rodeaban la sombra alargada, sutil, que dividía su corazón en dos mitades. Los hombres de esa manera jamás podrán ser eslabón en el centro de la cadena. Únicamente por una apetencia egoísta podía obrarse de otra forma. El hombre que se encadena se debe primordialmente a los suyos. «No puede considerarse a un ser humano consecuencia nuestra como algo ajeno a nosotros —me decía—, como algo hacia lo que ya hemos hecho suficiente dotándolo de vida.» Había que darse a ellos, hacerles un refugio tibio amoroso, ayudarles a ver la vida desde la perfecta atalaya desde donde la contemplaban las almas sanas.

Penetraban por la ventana abierta la luz del día cuando me adormecí. A las ocho ya me había levantado. Me bañé en agua fría para entonarme, hice rápidamente mi equipaje y me lancé a la busca del cafetín inclusero donde encontrase a Martina la noche anterior.

Capítulo IX

¡Qué sentimientos tan inefables le inundan a uno cuando después de una ausencia de muchos años se vuelve a poner el pie en el lugar por donde discurrió la primera infancia! Parece como que hasta el más mísero hierbajo —ese hierbajo reseco, cuitado, que surge junto a una tapia de adobes— se vuelve para vernos pasar e inquirirnos por las causas de nuestro retorno: «¡Hombre!, ¿tú por aquí? Ya te habíamos echado de menos. Lo mismo no te acuerdas ya de mí...»

Pero yo sí me acordaba de ellos. Me acordaba de todos: de los baldosines del andén; de los rieles; de las fondas que a un lado y otro de la carretera hacen calle para llegar a la estación; de las piedras de los conventos; del mirador de aquellas inefables señoritas de Regatillo; del balcón del abuelo; de todos y cada uno de los vanos de la muralla... Llevaba a Ávila tan metida en el corazón que al descender del tren y pisarla me pareció que jamás había salido de ella. Era una sensación dilatadamente acogedora, como si cada calle, cada casa, cada piedra, cada átomo de polvo que participara en la existencia real de la ciudad me expresase jubilosamente su cordial bienvenida.

Martina avanzaba a mi lado menos esperanzada en apariencia que yo. En el tren apenas si habíamos cambiado cuatro frases. Ella, encogida en su asiento, humildemente retrepada, como un ser que desea expiar una culpa por la que considera ofendida a la humanidad entera.

Al cruzar la muralla, Martina se humilló aún más, como si quisiera a fuerza de encogerse diluirse en una inapreciable insignificancia. Pasamos por delante del Palacio Arzobispal. (Comprobé la febril diligencia de mi corazón encerrado en la caja de las costillas.) Ya podía tocar con mis dedos la añosa mansión que prolongándose formaba uno de los lados de la plaza donde habitaba el señor Lesmes. Al desembocar en ésta me detuve escéptico. Alguien había absorbido a aquella placita rectangular de tan viejo sabor gran parte de sus esencias tradicionales. ¿Dónde estaban los centenarios y copudos álamos, la arcaica fuente, el elemental pretil que de siempre bordeara la prominencia de la meseta central? El hombre había pasado por allí con su piqueta demoledora. Había por lo visto que buscar una rima con la voz «civilización» para versificar aquella placita recoleta, y no se encontró otro mejor que la de «destrucción». Nada importaba que el rincón se viese privado de su íntima substancia si a cambio se lograba entreverarlo en el siglo sin que nadie advirtiese el disimulado remiendo. Pero no se fijaron que para matar del todo la prestancia arcaica de aquel pedazo de mundo hubiera sido preciso arrasarlo, sin dejar una piedra montada sobre otra, demolerlo íntegro a golpe de piqueta y sembrarlo posteriormente de sal, por si aún se le ocurría al viejo espíritu, que de fijo alentaría entre aquellas piedras amarillas, salir a la luz y predicar un día a la posteridad la tala infame. No; todavía respiraba la Historia en aquel apacible rincón. Respiraba a pesar de los golpes de muerte que le habían asestado, por encima del deseo de la absorbente civilización. El hombre no podía con la Historia, ni en su misma significación, ni en su parpadeo intangible por encima de las cosas.

Nos adentramos en la plaza. Entonces fue cuando experimenté un desasosegado temor de que hubieran desaparecido también los muñecos de la hornacina, aquel relieve ahíto de tradición, bajo cuyo amparo discurriese toda mi infancia. Adelanté a Martina constreñido por una impaciencia encabritada. De lejos le vi ya destacarse sobre la uniformidad parda del caserón. Resistía igual, sin acusar sobre sí el peso de plomo de los años: firme, erguido, inmutable. «Mientras esto permanezca, pensé, no podrá prevalecer el instinto de borrón y cuenta nueva que inspira al hombre de nuestros días.» Y me sentí tan rejuvenecido, tan remozado, tan seguro sobre mis antiguas raíces, que volviendo sobre mis pasos tomé a Martina de la mano y nos metimos sin más en el portal de su casa.

Yo no sé hasta qué ocultos repliegues y reconditeces del alma puede llegar en ocasiones el gemido de una puerta, un tiznón en la pared o el eco retumbante de un llamador al pedir paso en una casa. Sólo sé que al tomar en mi mano la vieja aldaba de bronce que pendía de la puerta de don Mateo, percibí una emoción intensa, que luego se incrementó al resonar la casa toda bajo los ecos de mis dos golpes.

Toda una historia pasada se atropelló en mi memoria. Aquel primer día de mi presentación en aquella casa. La entrada de Alfredo... La llegada de su madre cuando el alma de mi amigo había volado ya... Todo cuanto representaba un jalón de mi antigua vida cabía en las dimensiones minúsculas de aquel viejo y mohoso llamador. Por la puerta, cuyo franqueo.pedía aquél, penetró un día Alfredo y salió otro, dejando su historia engarzada entre los dos chirridos de unos goznes herrumbrosos.

Se oyó un andar pausado detrás de la puerta. Martina temblaba. A mí me colmaba una emoción retrospectiva, concentrada y enervante. Oí agarrar el picaporte y la puerta —¡aquella puerta tan definitiva en mis recuerdos!— comenzó a ceder. De pronto nos vimos frente a frente doña Gregoria y yo.

—¿Qué deseaba?

(¡Dios mío! ¿Es posible que la vida se estabilice para algunos mientras para otros se desborda? ¿Es creíble que exista alguien capaz de resistirse en sus hábitos y modos al ímpetu avasallador del tiempo? Allí, frente a mí, estaba doña Gregoria secándose las manos en las puntas de su delantal. La misma doña Gregoria de los tiempos pasados. Tal vez un poco más enjuta, más corvada, más reseco aún su busto siempre mezquino... Y con los dedos en las puntas de su delantal; igual, lo mismo que veinte años antes.)

Me aparté un poco y madre e hija quedaron encaradas, una frente a la otra. Contra lo que esperaba, todo fue muy sencillo y natural.

—¡Madre!

Había un perdón sangrante entreverado entre aquellas dos sílabas; había una pasión desbordada, impenetrable, estremecida.

Doña Gregoria la tomó de las manos:

—Hola, hija.

La besó fríamente en la frente en tanto Martina se ahogaba en sollozos contra su hombro.

Por la puerta del fondo del pasillo apareció un hombre pálido, vestido de negro. Avanzó hasta nosotros y aparentó pasmarse de la escena que tenía lugar ante un desconocido. Martina se irguió al oír las próximas pisadas de su padre.

—Bienvenida, Martina; me alegra que hayas vuelto.

Bruscamente don Mateo me conoció.

—Usted es Pedro, ¿verdad? ¿Cómo está usted?

Me alargó ceremoniosamente la mano, que yo sacudí entre la mía pretendiendo transmitirle un poco de cordialidad. Doña Gregoria se limitó a tenderme su diestra, sin palabras.

—Pase usted.

Se cerró la puerta en pos de nosotros y su gemido tornó a impresionarme más aún que los dos seres vivos que tenía delante.

—Pase, pase...

Me precedían todos. Noté en mi pecho la violencia de cualquier visita de cumplido. Allí no quedaba un rescoldo de buen amor. «Qué dura escuela he tenido —pensé—; ¿tiene algo de extraño que mi alma siga una senda tan tortuosa? El señor Lesmes y su esposa han admirado tanto a los muñecos de la hornacina que al fin han logrado asimilar su indiferencia y su rigidez de piedra.»

Me pasaron a la sala isabelina de tan compactos recuerdos. ¿Era posible que también por allí hubieran desfilado veinte años de existencia? El mismo papel rameado continuaba adornando las paredes, sirviendo de fondo a la sillería de raso rojo, al arcaico piano, al espejo dorado, al velador con la caja de música y al florero de rosas de tela... Entonces comprendí que el hombre puede inmovilizar el tiempo a su capricho respecto a las cosas que le rodean; que puede estabilizarse voluntariamente en un punto de su existencia y no abandonarle ya hasta que la muerte le arrebate.

Únicamente volví a percibir el paso del tiempo rozando a las cosas cuando inquirí lo que había sido de Estefanía.

—Murió —dijo el señor Lesmes.

—¿Y Fany?

—Murió; hace trece años...

Martina había escapado a su habitación. Doña Gregoria y el señor Lesmes me hacían la visita.

—Doña Leonor murió también; el jueves hará tres semanas —añadió doña Gregoria como satisfecha de poder continuar el capítulo de defunciones.

Aquí estaba el curso de la vida otra vez; una nueva riada de la vida dando fe de su paso. «Por aquí pasó la vida —me dije—; detrás, más detrás, vendrá la Historia espigando los lugares por donde la vida discurrió. Éste es el sino de los humanos; morir, desaparecer, mientras la médula de sus hechos les supervive.»

Se levantó inopinadamente doña Gregoria.

—Perdóneme —dijo. Y salió rauda en dirección a la cocina.

—Todo va desapareciendo, amigo mío —añadió el señor Lesmes como si adivinase mis pensamientos. Y me reafirmé en mi temor de que mi cráneo debía de ser transparente como el cristal.

De repente encontré a don Mateo terriblemente viejo y demacrado, cediendo ya en su tenso pulso con la vida.

—Un día le dije, Pedro, que abstenerse es un buen remedio para capear el temporal que la existencia arrastra consigo. Hoy me he dado cuenta de que el hombre siempre tiene mucho que perder, aunque él no lo crea así.

Pensé en Martina. «A este hombre le llevo yo muchos años de ventaja», me dije.

—Gracias por habernos devuelto a Martina —cambió él—; supongo que no vendrá como se fue...

—Ha sido engañada.

Se rindió todavía un poco más el señor Lesmes e hizo una pausa. Luego dijo:

—Gracias, de todas maneras.

Deseé decirle cuánta era su culpa en aquella desgracia que ahora lamentaba: que el hombre cuando se ata debe falsear, incluso, sus propios sentimientos en favor de los seres que de él dependen. Pero le vi tan gastado, tan decrépito, tan entregado a su dolor, que no osé despegar los labios en aquel sentido. Corroboré en esta oportunidad mi antigua idea de que hay ocasiones en que nuestra vitalidad se sale de madre, nos desborda, y cuando queremos reparar en los efectos de nuestros actos voluntarios, observamos que han ido bastante más lejos de lo que nosotros habíamos previsto. Sólo discurriendo así cabía justificar, explicar al menos, la falta que ahora expiaba mi antiguo maestro.

—¿Quiere usted quedarse a comer?

Don Mateo me cumplimentaba con un protocolo impropio de nuestra pasada confianza. No insistió cuando yo me negué a su invitación. Transcurridos unos minutos me despedí. Salió doña Gregoria hasta la puerta, secándose los dedos en las puntas de su delantal. Únicamente Martina puso efusividad en sus palabras al despedirme. Cuando un momento después paseaba inconscientemente por las calles de Ávila, me saltó la idea de que don Mateo y doña Gregoria no hacían más que devolverme la misma moneda que yo había utilizado anteriormente para con ellos.

Capítulo X

La revelación inesperada de Martina y mi visita, inesperada también, a Ávila me dieron motivo de meditación en los días que aún pasamos en Santander. A mi regreso a esta ciudad mi mundo interior se había alterado con la conciencia de un hecho sorprendente: la casa de don Mateo Lesmes había sufrido una honda conmoción. Me preguntaba muchas veces cómo se adaptarían sus habitantes a este penoso cambio. El matrimonio en realidad no me preocupaba lo más mínimo. Embutidos ambos en su frialdad pesimista, aceptarían su deshonor con la indiferencia lasa que los caracterizaba. Pero, ¿y Martina? ¿Sabría Martina aclimatarse definitivamente a la penumbra espiritual de su hogar? ¿No volvería a sentir de nuevo la vaharada pasional de su sangre joven y ardiente? Sinceramente creía que el escarmiento de la pequeña Martina era de esa clase de los que duran toda una vida. Incluso ahora, después de haber conocido la turbulencia, llena de remordimientos de una infidelidad a sí misma, Martina se amoldaría sin protestas a la vida monótona y a la austeridad conventual de su propia casa. El retorno del pecador a una atmósfera de paz suele dar, en punto a su rehabilitación, excelentes resultados. De aquí que tuviese fe en Martina, en su porvenir y en la sinceridad de su amargo arrepentimiento. Martina no volvería a creer en la vida ni en los hombres. Sentiría a buen seguro hacia ellos un instintivo horror que la inmunizaría contra otras posibles calamidades. El clima nauseabundo buscado por el seductor para conseguir su fin obraría como un enervante decisivo en la sangre turbulenta de Martina para ayudarla a perseverar.

Estas conclusiones solían tranquilizarme en lo atañedero a esta nueva preocupación. Había vuelto a quedarme solo en el «Antracita», ya que Bolea marchó con su familia a una finca en las proximidades de Reinosa el mismo día de mi regreso.

Su ausencia me dejó de nuevo enfrentado con mi

cerebro. Confronté, sin embargo, que la aventura de Martina, al atraer sobre mi cabeza otro cabo de atención, me desligaba con relativa frecuencia del recuerdo de Jane y, en consecuencia, hacía más soportable mi vida de retraimiento.

En lo referente al señor Lesmes y doña Gregoria me había autosugerido una explicación razonable para justificarme su actitud respecto de mi persona. Ellos habían puesto de su parte cuanto pudieron por olvidarse de mí, para zafarse de este ligamento que a la larga no podría reportarles más que nuevas pesadumbres. ¿Qué otra cosa había hecho yo en cuanto a ellos? ¿No había comenzado por favorecer su olvido y su desprecio? ¿Y no era el señor Lesmes quien había modelado a su gusto mi alma hipersensible? En cuanto a doña Gregoria, recordaba que en aquellos días en que la mitad de su barbudo padre se muriera, ella había prometido solemnemente «no querer nunca a nadie más porque le daba miedo». ¿No era también éste un cabo más de los que constituían mi temperamento complejo y turbio? No, nada debía sorprenderme de su actitud que, en última instancia, era también la mía. ¿No era yo, a fin de cuentas, una obra suya? Aparte de no haber salido de ella, ¿no era doña Gregoria mi verdadera madre?

Solía tener estos soliloquios en la intimidad de mi pequeño camarote, viendo siempre a través de la portilla abierta el mismo pequeño círculo de cielo. En las manos acostumbraba a sostener la corbeta embotellada, girándola entre las yemas de mis dedos sobre un eje invisible. A menudo el curso de mis pensamientos me conducía a vanagloriarme de haber visto antes que el señor Lesmes toda la profundidad de su teoría. El ejemplo de Martina me ponía en guardia para cualquier duda que aún me cupiera en lo referente a la conducta que con Jane había yo de seguir. Nunca sentí tan arraigada en mi pecho la decisión de no volver a verla. Me espeluznaba la idea de que algún día pudiera yo casarme y tener un hijo. La responsabilidad de un hijo pesando sobre mí sería catastrófica. Porque, ¿me cabía, por ventura, la posibilidad de mostrar a un ser que se inicia el equilibrio de la vida, con su cúmulo de cosas agradables por un lado, y el saco de los dolores en el otro? Decididamente, mi vida estaba hecha para discurrir como ahora lo hacía, libre, desligada, sin establecer entre mi corazón y otros seres los lazos tremendos de una insoslayable dependencia.

El círculo de cielo que oteaba a través de la portilla iba haciéndose gris. Merced a él conocía yo que el día marchaba. Entonces solía levantarme y dejando sobre la mesa la corbeta prisionera, ascendía a la cubierta.

Era curioso ver cómo el cielo y la tierra coincidían casi siempre en encender sus luces. Las ventanas de la ciudad y las estrellas del cielo iniciaban simultáneamente sus parpadeos, como si unas y otras se enviasen guiños de comprensión y mutuo entendimiento. Las luces del puerto y de las embarcaciones iban reflejándose en la superficie lisa de las aguas. Olía a mar y a petróleo. Una mezcla difícil, característica, que penetraba en los pulmones como un incienso ardiente y voraz.

Discurría por la cubierta mientras no me dominaba la fatiga. Algunas noches salía a tierra y deambulaba pausadamente por los lugares de la ciudad menos transitados. Hacia la una acostumbraba a regresar. Entonces ya me pesaba la actividad del día y caía en la cama con afán de desquitarme, de disfrutar unas horas de absoluto descanso cerebral, de inhibirme de mis corrosivas preocupaciones. Unas noches lo lograba, pero la inmensa mayoría no. El sueño desaparecía en cuanto mi cerebro tomaba la postura horizontal. Era la hora de repasar por el tamiz de mi cabeza todas mis preocupaciones, mis conjeturas, mis posibilidades, mis prejuicios y mis temores; de sopesar y calibrar los hechos, los mismos hechos calibrados y sopesados mil veces ya, siempre los mismos en las veinticuatro horas anteriores.

No es por tanto de extrañar que yo recibiera siempre con alegría la orden de partir. Mucho más en aquella ocasión en que a mi natural zozobra se unía la conciencia de la lejanía de Jane.

No aspiraba a volver a verla, pero cuando menos me

agradaba saber que la tenía cerca, que el sol o las nubes nos quemaban o nos llovían a los dos a un mismo tiempo. Zarpar esta vez significaba comenzar a acortar la distancia que me separaba de ella; iniciar nuestra aproximación. Cuando nos hicimos a la mar experimenté, pues, un desbordamiento de un gozo íntimo y secreto por todo mi cuerpo. Era esto a lo más que podía aspirar y su consecución, hecho a vivir en un plano de renuncias, me alborozaba de una manera efervescente.

Recuerdo que en esta travesía Luis Bolea volvió a la carga con su proverbial habilidad y diplomacia. Acostumbrábamos a hablar en el puente durante las horas de relevo. Una noche me sorprendió por lo directamente que aludió al asunto:

—¿Cuál es su fin próximo en la vida, capitán?
—Eludirle.
—Eludir, ¿el qué?
—Cualquier clase de fin.
—¡Monstruoso!
—Tal vez; pero al final descansarán mejor los cansados; los que no han tenido nada; los que nada probaron...
—Dios no manda llegar hasta ahí.
—Yo lo doy por añadidura.

En nuestras conversaciones, Bolea acababa siempre malhumorado. Le molestaba mi intransigencia, mi impenetrabilidad, el hecho de que no le ofreciese a sus disparos el menor resquicio vulnerable. Había convertido su oposición en una bandera a la que servía con la mayor e insobornable lealtad. «Es muy triste gastarnos estérilmente», solía repetirme. Y yo encontraba que, en verdad, estaba derrochando mi vida pródigamente, sin una sola desviación de la que pudiera decirse que era útil a Dios, a mí o a mis semejantes.

En Providencia mi vida discurrió sombríamente en una cerrada soledad. A veces paseaba por las calles sin un fin determinado, quizás inconscientemente para evocar más directamente a Jane apoyándome en el medio en que la había conocido. Una tarde me sorprendió la lluvia sentado frente a la estatua de Roger Williams. Aguanté sin moverme, haciéndome la idea de que el fundador transmitiría luego a Jane este sacrificio inefable que únicamente soportaba para no perder contacto con su rememoración realista y vívida. En otra ocasión comí en el mismo merendero en que lo hice meses antes con Jane, azuzado por la secreta esperanza de que su rolliza dueña pudiera recordarla y darme alguna información sobre ella. Pero nada de esto ocurrió. La pigre señora me sirvió mi consumición sin darse por enterada de nada. Tal vez se adivinase mayor intranquilidad e interés en las inteligentes marrones miradas de los perros que me observaban desde todas las esquinas.

Al reemprender el viaje de regreso a España volvió a penetrarme desde fuera una desasosegada impresión de vacío. Marchaba sin verla, sin sentirla, sin saber siquiera si su existencia seguía latiendo en Providencia. Bolea, empero, me aclaró la última parte de mis dudas la misma noche de partida:

—Ayer estuve con Jane —me anunció.

—¿Y bien?

—Me encargó que le saludara.

Sentí que me hacía daño esta comunicación indirecta, la existencia de un intermediario entre nuestros corazones. Dejé, pues, que nuestra conversación languideciera en silencio, muriera por consumición. Pero aquella misma noche, al acostarme, advertí que surgían en mi pecho con una virulencia alarmante los primeros brotes de una airada rebelión. ¿Por qué era yo distinto a los demás hombres? ¿Por qué Bolea la había visto, había estrechado su mano, y ahora podía hacer su vida normal como si nada trascendente hubiese ocurrido? Por primera vez en mi vida experimenté un sordo y sombrío rencor hacia la desaliñada persona del señor Lesmes. ¿Con qué derecho me había forjado a mí con unas características tan retorcidas y enigmáticas? Tuve la idea mezquina de que el placer más completo de un alma amargada es hacer escuela entre los que de ella dependen. Aquí se inició el desfile erizado de una serie de imágenes que terminaron por desequilibrarme. Nunca como en aquella ocasión y en los días y noches sucesivos, me vi tan abocado a la locura. Vivía como bajo los efectos de una embriaguez crónica, de una niebla pesada que se me metía hasta el eje del cerebro, impidiéndole desplegar su función normal. Fueron unos días y unas noches borrascosos, preludio de una crisis general que me sobrevino dos días antes de llegar a España. Caí en cama entonces, presa de unas fiebres delirantes, y una fuga incontrolable de mi imaginación a regiones caprichosas y abstractas. Recuerdo solamente de aquellas horas de pesadilla que los antebrazos mórbidos y torneados de Jane pertenecían a Roger Williams, a la estatua de Roger Williams, y que éste me hablaba desde su pedestal en el tono persuasivo y apasionado con que solía hacerlo mi piloto.

Cuando empecé a reponerme me comunicaron que llevábamos ya ocho días en España, ocho días encerrado yo en la sala alba y silenciosa de aquel deprimente hospital. Me encontraba débil y desmarrido, sin imperio sobre mis nervios y músculos. Cuando me levanté, Bolea me ofreció hospitalidad en su finca de la montaña.

—Allí hay niños, árboles y pájaros —me dijo—; no creo que usted precise otra cosa para reponerse.

Acepté. No podía dejarme morir ni quedar expuesto a ser encerrado en el ambiente irracional de un manicomio. Así es que en cuanto pude levantarme, Bolea y yo marchamos, dejando el barco bajo el mando del segundo piloto.

Según corría el tren mis poros iban traspirando la leve paz de la Naturaleza. En seguida me sentí mejorado. Desfilaban los prados verdes, los caseríos blancos, los bosques, por delante de los ojos. Aquello era lo que yo necesitaba. Paz, paz, paz entrándome sin límites por todos los sentidos, traspasando en oleadas la superficie de mi piel.

Descendimos a la hora y media de viaje en una pequeña estación alejada del pueblo. Dos filas de toscas escaleras comunicaban el pequeño andén con la carretera. Al llegar a ésta vimos venir a lo lejos un nutrido grupo de gente.

—Allí están —me dijo sonriente Bolea. Era su familia.

Una familia de tres generaciones latiendo al unísono. Su suegra, su esposa, sus hijos; unos hijos todos pequeños, iguales, como las cuentas de un misterio del rosario.

Caminamos todos juntos hacia la casa, que se divisaba al fondo, semiescondida entre las ramas de los árboles. Los niños cabrioleaban a nuestro alrededor, persiguiéndose, molestándose, jugando... Vi la casa ya más próxima. Empezaba a sentirme cansado. Era una casa sólida, arropada bajo una tupida y verdeante enredadera, circundada por una verja de hierro a la que se abrazaba descocadamente una apretada y ofensiva zarzamora.

Bolea me ordenó acostar apenas me vi en mi habitación. No me opuse, porque me sentía terriblemente fatigado. Tenía la cama frente a la ventana y mis ojos gozaban, desde la muelle postura, de la lozanía y plenitud del campo, recortado por el rectángulo de la ventana abierta. Del prado ondulado brotaban aislados hasta una docena de frutales casi todos distintos: una higuera, un avellano, dos manzanos, dos perales... Los pájaros empezaban a organizar su sueño entre la enramada. Oí el canto de un ruiseñor hasta tres veces. Poco a poco el rectángulo iluminado de la ventana fue perdiendo color, sumiéndose en una tibia penumbra. Subían de la planta baja los chillidos apagados de la chiquillería. Y luego la voz trepidante de la abuela acompasada por el tercer taconazo de su artificial tercera pierna: una cachavita negra con el pie un tanto aporreado. La anciana chillaba y alzaba la voz sin una exacta noción de la intensidad de sus gritos, desorientada en su sordera inviolable y obscura. Oía también la voz de Luis como un murmullo de río caudaloso. Oía, en fin, palpitar la vida de aquella casa por debajo de mí, como aislándome del contacto inmediato con la tierra...

Ya se habían callado los pájaros tras unos revoloteos inciertos y acomodaticios. Me llegó hasta el rostro el aliento perfumado de la noche; escuché, lejísimos, el eco de unos cencerros. «No des la luz; puede que esté dormido.» Y se acercaron a mí como dos sombras, pisando de puntillas.

Me daban algo a beber. Era un vaso de una leche pastosa,

sincera, espléndida... Luego volví a escuchar sus pisadas alejándose de puntillas, el crujido tenue de sus trajes al rozar los muebles... Todo quedó a obscuras en derredor. Aún se dibujaba el rectángulo de la ventana y por encima de las obscuras siluetas de los frutales brillaban las estrellas. Me invadió un sopor denso y tranquilo... Después me dormí profundamente. Me despertó un ruiseñor cantando alocadamente a dos metros de mis oídos, dejándose bañar su manojo de plumas por los primeros rayos de sol del nuevo día...

Mi total restablecimiento fue cosa de poco tiempo. Paulatinamente fueron volviéndome las fuerzas, recuperándose todo mi ser, sintiéndome nuevamente maduro para el dolor. Me atendía el médico del pueblo, un practicón campechanote y afable que trató mi caso desde el primer día con análogos remedios que si fuera una señora presa de un ataque de histerismo. Sin embargo, tengo para mí que mi restablecimiento se hubiese consumado igual prescindiendo de las atenciones de aquel galeno rural que, con suicida filosofía, nos diseñaba diariamente, y con una atención muy relativa por la dignidad de su clase, la inutilidad de la ciencia ante la muerte.

—Cuando la parca viene de veras, el médico sobra; si no viene de veras, el enfermo, sin más que un poco de paciencia, sana solo.

Nos reímos de su postura, aunque quizás en el fondo todos comprendiéramos con lástima que no existe en el mundo nada tan lamentable como un hombre desprestigiándose a sí mismo y a su clase.

Así y todo, repito, mi caso no era a estas alturas de los que precisan el concurso de la ciencia para solucionarse. Yo necesitaba únicamente aire y serenidad. Ambas cosas las tenía allí al alcance de la mano con una abundancia sin límites. Por las mañanas me tumbaba en una hamaca, situada en la zona más sombría del jardín, y allí leía o miraba los árboles u observaba distraídamente el juego de los niños. Cualquiera de estas cosas me hacía mucho bien.

Y fue en estos días, alternando la contemplación de los niños y los árboles, cuando me cercioré de la innegable relación existente entre los hombres y los árboles; entre el aspecto externo de los árboles y la conformación del alma de los hombres.

Una mañana, mientras leía, llamó mi atención el parloteo incesante de la chiquillería. Los hijos de Luis organizaban su juego con otros niños de los hoteles vecinos. El más pequeño de los hijos de mi amigo quería terciar en el juego de los mayores, impulsado por esa difusa sospecha de que cuando los mayores, que tienen más experiencia, se divierten así, será porque la cosa es mucho más divertida que cualquier otra que pudiera ocurrírsele a él. La posición de los más crecidos se hizo terminante y el niño quedó postergado, torciendo la boca en una fea mueca que presagiaba una rabieta inminente.

En este nimio detalle vi reflejarse toda mi vida. El juego de los hombres era muy semejante al de los niños. Nuestros problemas eran proporcionalmente de la misma magnitud que los que poblaban aquellas cabezas, ninguna de más de diez años. Yo en la vida había sufrido la misma postergación que el pequeño de Luis. No se me dio participación en el juego de la existencia y mi única distracción fue la de contemplar la diversión de los demás sin entenderla, pero presintiendo que, cuando la mayoría lo hacía así, el que estaba equivocado era yo y nadie más que yo, que era quien quebrantaba aquella armonía.

Ya más próxima la hora de comer, se sentaban junto a mí Luis, su mujer y las más de las veces la madre de ésta. Ellos formaban el núcleo de una familia encantadora. Tan espontánea y fluida era su amabilidad que yo no me preocupaba de que mi presencia allí pudiera resultar gravosa o molesta. Todo en ellos era natural y sincero. Se encontraban a gusto con mi visita, al menos con esa satisfacción que producen las cosas hechas con intención de obrar bien. Todo les parecía poco e incluso el haber posibilitado y activado mi resurrección lo tomaban como una menudencia de la menor gratitud.

En aquellos últimos días de mi permanencia allí todo su interés se centraba en arrancarme la promesa de que volvería.

—Pero siempre que le apetezca a usted, con la misma libertad que hubiera usado con los suyos.

Éste era el remate con que doña Sole, después de haber orientado la trompetilla en todas las direcciones y percatada a medias de la cuestión que se ventilaba, cerraba siempre los ofrecimientos de sus hijos.

Una de aquellas tardes, repuesto ya, salí con Luis, paseando por las cercanías. Hacía un día tibio con algunas nubes blancas, aparentemente inmóviles, empotradas en el azul del cielo. Advertí que Luis me apartaba de la casa para pulsarme interiormente.

—Y qué —me dijo cuando estuvimos lejos—, ¿ha tenido tiempo de ver quién de los dos está equivocado?

—No hay equivocación por ninguna parte.

—O error. Ante la verdad no caben dos posturas antagónicas. Si una es cierta, la otra, su antagonista, forzosamente tendrá que ser falsa.

—Desde su lado mi postura supone un error; la suya, desde el mío, supone igualmente una equivocación. Pero si ambos somos consecuentes con nuestra sombra interior, los dos estamos en la razón; en nuestra razón respectiva, naturalmente.

Hizo un ademán resignado.

—Bien... es usted un individuo recalcitrante.

—Tal vez.

—Pero, vamos a ver...

Bolea se había medio sentado en el pretil de un rústico puentecillo y se volvía a mí con renovadas esperanzas:

—Yo sólo voy a pedirle una cosa. Medite usted sobre el proceso evolutivo de esa obsesión que le turba. Usted no nació así. Quizá naciese con una tendencia al pesimismo que luego, mediante un proceso que desconozco, fue acentuándose hasta dejarle en el estado que hoy está... —cruzó una pierna sobre otra y continuó con vehemencia—: Deseo que usted reconstruya su vida tal como hubiese sido de no interponerse esas causas que le imprimieron la orientación que hoy tiene. Sea sincero consigo mismo. Una vez que alcance ese punto, compárele con su estado actual y saque las consecuencias lógicas...

Sonreí.

—Está bien.

—Pero apure el proceso hasta el último extremo, hasta la última consecuencia...

Se levantó del pretil y se palmoteó los pantalones manchados de polvo...

—Está bien.

—Y le prometo que con esto no volveré a meterme en lo que no me importa. Usted se queda con las conclusiones que obtenga y obra en consecuencia.

Volví a sonreírme.

—Bueno —siguió Bolea—, yo me voy hasta el pueblo de al lado dando un paseo; dentro de una hora podemos encontrarnos aquí. Mire, le recomiendo como lugar ideal para una buena meditación aquella arboleda. La llaman la Castañera, no sé por qué; pero es un buen sitio, se lo aseguro.

Me hizo una seña de despedida y se separó de mí, golpeando alternativamente a cada paso con la picona que portaba en la mano derecha las puntas de sus zapatos. Yo me quedé un rato indeciso. Al fin tomé la desviación del camino en dirección a la Castañera.

Penetré en la espesura por un senderillo derecho y empinado. En realidad sería difícil precisar por qué denominaban a estos bosques la Castañera. Allí hay árboles de cien especies distintas, con un verdor abigarrado y explosivo. Junto al castaño alzan su recubierta anatomía el arce y el nogal, el olmo y el abedul; aparte de un frondoso eucalipto que se yergue magnífico, como presidiendo el verde concilio. Es agreste y salvaje el lugar. Los arbustos, los helechos, el hiriente acebo me dificultan extraordinariamente la marcha agarrándose a mis piernas. He penetrado finalmente, en silencio, sin ruido. Nadie se ha sorprendido. Tan sólo una rendaja, siempre escamona, ha escapado veloz con sus plumas azules al viento. Una pareja de ruiseñores me contempla curiosa desde una rama sin interrumpir el iniciado concierto. Bullen y trinan al unísono los pequeños habitantes de aquella selva. El ágil verderoncillo, el armonioso jilguero, el pardo malvís y hasta el pimentonero microscópico, alzando su cabecita con aires de gran señor, mostrando vanidoso la roja mancha de su plumaje. En su desacompasada melodía hay un no sé qué de armonía perfecta.

Inevitablemente me he movido y he hecho ruido. Cada cual ha tirado por su lado, batiendo difícilmente sus alas entre el enmarañado ramaje...

El bosque se me presenta cada vez más intrincado. Las mariposas sorprendidas en su siesta se desperezan al aire, evidenciando su policromía vistosa; el saltaprados estira sus largas zancas y brinca lejos de mí: mosconean, monótonos, los abejorros en todas partes.

Discurre a mi lado el agua cristalina de un pequeño regato. De trecho en trecho se esconde entre la maleza para reaparecer más tarde custodiado por dos hileras de rígidos juncos.

El senderillo se va borrando por momentos a mis pies. Al apartar un arbusto he quedado sorprendido, ensimismado por la belleza del lugar. En fuerte contraste con el laberinto de ramas y espinos, de matas y arbustos pasados, se abre aquí la dulce apacibilidad de una braña pequeña, verde, casi redonda, aislada de la maraña del bosque circundante por una poderosa frontera de nogales y castaños. Así se me ha presentado: de improviso, lisa, llana, sin obstáculo... Se ensancha el arroyuelo al caer de una leve cascada, convirtiéndose de súbito en un tranquilo remanso, que más allá se estrecha nuevamente para escapar al fin por el extremo opuesto forzando un ancho muro de sauces, alisos, juncos y llorones.

Tres o cuatro ranas han dejado de croar y se zambullen estrepitosamente en el agua. Un tordo azabache bebe en la orilla, volviendo la cabeza desconfiado en todas direcciones. Los copudos árboles dejan sumida a la braña en una sombra casi perpetua. Tan sólo una hebra de sol se filtra por ellos y reverbera en el agua, lanzando al compás del oscilar de las hojas frecuentes guiños. Los amarillos botones de la manzanilla salpican el prado en cantidad infinita, turnando sus llamativos colores en el de las desapercibidas campanillas.

Al pisar aquella braña recoleta, llena de vida, experimenté un gran sosiego. Algo así como el placer que se experimenta al zambullir la cabeza aturullada de ideas en un recipiente de agua fría. Hubiera deseado descubrirla antes para no haber dejado pasar un solo día sin hacerle una visita... Me senté sobre la verde alfombra, recostándome en un codo. Una hormiga ascendía por el tallo de una manzanilla. Pensé que quizás el animalito precisara medicinarse, aunque de no comer hierba resultaba difícil pensar en este lugar en una indigestión, pero no debía buscar esto, porque antes de llegar a los pétalos cambió de dirección y comenzó a descender. «Una indecisa —pensé—. Y no me gustan las indecisas...» La di un papirotazo y el animal se perdió entre las briznas de hierba del suelo. Miré a mi alrededor. Verdaderamente era éste un sitio excelente para meditar. «Mahoma, de haber meditado aquí —pensé— no hubiera prohibido a los suyos el vino ni la carne de cerdo. Esas prohibiciones surgían, sin duda, de una meditación desarrollada sobre un cerro árido y pelado.» Luis me había dicho que meditase aquí; que meditase sobre mi proceso psíquico que era algo así, en relación con el alma, como el historial médico para el cuerpo. Medito...

«Soy así, veo así, siento así, porque un día, cuando mi alma era aún virgen, me dijeron: "Sé así, porque la vida es de esta manera." Y yo, que carecía de criterio propio, vi la vida como me dijeron que era; y fui y obré en consecuencia con esta manera de estimar la vida... Por descontado que yo era un espíritu hipersensible y asimilé esta lección pesimista porque se adaptaba a mi manera de ser no manifestada todavía. Después vino la corroboración de la vida misma con una lección práctica: la muerte de Alfredo. Entonces mi temperamento abandonó su estado latente y comenzó a desarrollarse. A desarrollarse en consonancia perfecta con las antiguas teorías. La vida era perder y para no perder deberíamos prescindir de ganar antes. Aquí estaba determinado el ritmo de mi conducta a lo largo de la vida. Luego la guerra. El mundo mutilado e indiferente ante la muerte. Un hecho inexplicable que terminaba por demostrarme que el mundo y yo no congeniábamos de ninguna manera... Sí, pero todo arrancaba de la influencia primera del señor Lesmes. Ahora le configuraba como un envenenador. Me chocó verme de nuevo pensando mal del señor Lesmes... Pero, ¿tenía yo en realidad algo que censurarle o que agradecerle? ¿Qué le debía yo? ¿Prefería ser como era o hubiese preferido ser un indolente, un ciego, como los que militaban en la fila de enfrente...? Bueno, y borrando al señor Lesmes de mi vida, ¿qué restaría de mi consistente temperamento actual? ¿Hubiera formado en este caso junto a los indolentes y los ciegos? ¿Y podía estimar indolente y ciego a un Luis Bolea, por ejemplo? ¿No estaría la verdad en un punto medio, entre el mundo indiferente y mi yo excesivamente subjetivo y apasionado? Bolea podía ver que no había forma de establecer un paralelo entre lo que somos y lo que pudimos haber sido. Todo se resolvía en un complejo nudo de interrogantes sin respuesta posible. No había base fija de partida y, consecuentemente, las dudas y bifurcaciones surgían ya en el origen mismo, multiplicándose después... Sólo existía un punto irrebatible, actual, aunque su proceso y evolución hubiese sido inconstante, dudoso y movedizo: Yo era ya de una manera y resultarían estériles los esfuerzos para darme la vuelta basándose en lo que pude ser. Quitando un eslabón a mi cadena vital y añadiéndole otro postizo no se conseguiría modificar la forma ni la resistencia de la cadena. Todo lo demás caía por su base. ¿No era toda mi historia una pura incógnita, una interrogación, una duda? Bolea, no se daba cuenta de lo que pedía al decirme que del paralelo extrajera hasta la última consecuencia lógica. ¿Es que era lógico el paralelo? ¿Había siquiera en él un punto de lógica, o tan siquiera de posibilidad? Yo rotundamente era así, como era, y ante mí se abrían dos caminos: tomar o abstenerse. Bolea era partidario de que tomase; yo de abstenerme. Y racionalmente todo concluía ahí. No era posible ir más lejos...»

Me abstraje contemplando la suave corriente del regato que besaba al pasar los pies de los sauces de las riberas. El tordo intentó bajar a beber, pero desechó su primitiva idea al ver que el turista proseguía descansando sobre la hierba. Croó una rana a tres metros, corriente abajo. Las copas de los árboles hacían ruido al dejar pasar el viento por sus intersticios. El clima de la tarde era templado. Advertí un punzante hormigueo en la mano. El brazo se me había dormido de soportar el peso de mi cuerpo. Me tumbé del todo y estiré mis dos brazos hacia el cielo. En este momento tuve la sensación de que mi cuerpo entraba en decadencia, de que mi vida había iniciado la curva de su descenso. Se me escapó un gruñido seco. La majestad de los árboles a mi lado incrementaba mi impresión de insignificancia. «Si en vez de estar tumbado aquí lo estuviera un metro por debajo de la hierba que aplasta mi cuerpo sería que estaba muerto. ¡Qué confortadora impresión permanecer así eternamente!» La copa de un árbol tornó a distraerme de mis reflexiones. «Los árboles son unos buenos compañeros. Tienen la ventaja sobre los hombres de que no hablan tan alto. A veces, sólo a veces, susurran.» Recordé la frase de Julián Royo en sus buenos tiempos de nómada: «Los hombres crecen donde los plantan, como los árboles.» Julián Royo era un furibundo determinista. Pero tenía razón. En su frase tal vez hubiese un átomo de verdad. Pero sólo un átomo. Por lo demás su frase era incierta... Me fijé en el árbol, que nuevamente susurraba desde la altura. Era un buen ejemplar de castaño. Sus dos primeras ramas ascendían hacia el cielo rectas y perfectamente torneadas. «Como los brazos de Jane», me dije. Y sentí la viva impresión de que Jane permanecía a mi lado. «Así y todo hay que dejarla; a pesar de sus antebrazos.» Comprendí súbitamente que mi salud renacía a pesar de haber iniciado mi cuerpo la curva de la decadencia. «¡Qué facultad tan extraña ésta mía!, pensé; un día, muy atrás, percibí que empezaba a usar de la razón, hoy aprecio con una nitidez diáfana que camino hacia mi ocaso físico.» Se escapó de mis labios otro gruñido, como una involuntaria protesta. ¡Qué le íbamos a hacer! Además, lo mejor es acabar pronto cuando se camina sin método, con una ausencia total de sistemática y de fin inmediato...

Por primera vez había cogido el gusto a la soledad. ¡Cuánto ayuda la soledad a poner en orden la cabeza! Ahora me percataba de dónde estaban las raíces de mi enrevesada psicología... Todo lo malo que dentro de mí portaba residía en la cabeza, dentro de ella. Empecé a torcerme el día que comencé a usar de la razón; mis torturas cerebrales se intensificaron en la hora en que dejé de usar de la razón para empezar a abusar de ella. Pero, claro, esto no tenía ningún arreglo. A pesar de los evidentes progresos de la cirugía. Aunque tal vez extirpando un pedacito de cerebro...

Se iba haciendo tarde. Bolea me esperaría ya en el rústico y pintoresco puente con su acitara de troncos de árbol. Me enderecé y suspiré casi simultáneamente. Esto se acaba. Como todo. Todo se acaba y en seguida. Pero, ¡qué diantre!, también había que dar lugar a las ranas y los tordos suspicaces para que disfrutasen de este paraíso. Una pena no haberlo descubierto antes. Pasado mañana todo esto se habría acabado. Otra vez el «Antracita», Providencia y... basta.

Me costó hallar el sendero entre la tupida maleza que se apretaba a mis pies. Las aguas del regato se deshacían en espuma al atravesar la ligera cascada. De nuevo el alboroto de los pájaros interrumpidos en su intensa soledad. Una soledad envuelta en el eco de mil gorjeos simultáneos... Apreté el paso. Luis me esperaría ya recostado en la acitara del rústico puentecillo. Me agradaba pensar que ya nunca me pediría explicaciones. Aunque confieso que sus conatos por romper mi indiferencia me producían una secreta satisfacción. Pero de momento prefería no tener que rendirle cuentas sobre las consecuencias deducidas del paralelo entre mi ser real y la probabilidad de haber sido...

Al salir de la espesura me sorprendió la intensidad de luz que aún conservaba el día. Vi desde lejos a mi amigo sentado en el borde del puentecillo y le hice señas. Él me respondió con un ademán semejante. Cuando nos juntamos tomamos el camino de la casa, hablándome él de cosas indiferentes.

Capítulo XII

La última tarde salí con la suegra de Luis a dar un paseo. Había llovido durante todo el día y la tregua de sol que se abrió en el cielo después de la merienda la aprovechamos para estirar las piernas. Un viento norte, muy fresco, barría la frondosa maleza de uno de los lados de la carretera y secaba el asfalto, barnizado por la lluvia, con excepción de los baches que formaban acá y allá minúsculos lagos de agua sucia. Las nubes negras cabalgaban ligeras por el cielo que, de trecho en trecho, se ofrecía a nuestra vista con su tono azul natural. Lucían los prados su verde charolado, más matizado que de costumbre, y a lo lejos se veía alguna montaña alta coronada por un desgarrón de niebla.

Doña Sole no temía a la lluvia fina ni al frío. Salió de casa con su habitual indumentaria sin otro socorro que una capita negra, de punto, que soportaban sus hombros huesudos. Su cachavita, también negra, la acompañó en este paseo. Se apoyaba en ella a cada paso, lo que hacía que nuestro caminar fuese lento y solemne como el de un desfile procesional.

Recuerdo que me extrañó su invitación a salir con ella. Jamás habíamos hablado a solas, supongo que por la imposibilidad material de darle a conocer un pensamiento propio sin que se enterasen todos cuantos nos rodeaban. A doña Sole además de la trompetilla era necesario hablarla a gritos para que entendiese. Por eso extrañé su manifestación inicial:

—Pedro —me dijo—, deseo hablar con usted.

Le sonreí como único medio de expresar mi aquiescencia. Cuando siguiéndola salimos a la carretera añadió:

—¿Le parece que demos una vueltecita?

Volví a sonreír para mostrarla de nuevo mi conformidad.

Así se inició el paseo aquella tarde. Los primeros diez minutos de camino los hicimos en silencio. Ninguno de los dos hablaba. De cuando en cuando doña Sole se detenía para retirar de la carretera, empujándoles con su cachavita negra, algún cristal o alguna piedra de gran tamaño. «En detalles tan nimios como éste se conoce a las personas», pensé; y luego me entretuve meditando si alguna vez en mi vida me había guiado este instinto de caridad hacia mis semejantes. Comprendí que no y me avergoncé de ello. Cada vez que la viejecita se detuvo después a lo largo de nuestro paseo, sentí una especie de censura interior que me sobrecogía.

Al doblar una revuelta que a pocos pasos de la casa hacía la carretera, doña Sole se detuvo, y en esta ocasión no para apartar una piedra.

—Pedro —volvió a decirme—, deseaba hablar con usted a solas; ésta es la razón de este secuestro —y rió todo lo vigorosamente que la permitían sus escasas fuerzas.

Yo reí también, pensando si querría decir que iba a hablarme sin testigos de ninguna especie. Por tercera vez le sonreí para indicar que la escuchaba. Después de una corta pausa añadió:

—Desde luego, este mundo no se ha hecho para gozar. En esto tiene usted razón. El goce es vida de otro mundo que hay que merecer sufriendo en éste.

Caían sus palabras pausadas e ingrávidas sobre mi pecho con la misma suavidad que caen del cielo los copos de nieve. También sus palabras eran blancas como sus canas, y pensé que aquella mujer iba a regalarme con un copioso maná de experiencia.

Después de otra pausa prosiguió:

—También yo sufrí en mi vida como usted y nunca pretendí orillar este suplicio violentando la voluntad de Dios. Pensé que sus designios se cumplen cabalmente entre los humanos y que es necio tratar de apartarlos por la fuerza. Hay una verdad sobre todas que se nos impone con carácter de fatalidad: Dios. Por eso, lo que viene de Él ha de aceptarse con sumisión, porque somos sus criaturas. Hacer otra cosa supondría engañar nuestro orgullo hasta autodeificarnos.

Volvió doña Sole a detenerse en su camino y en su discurso. Tan medidas eran sus palabras que casi no mentiría al decir que más allá de sus canas veía agitarse y funcionar la perfecta máquina de su cerebro. Veía las ideas en un espantoso desorden en la zona más alta de su cabeza. Luego, estas ideas pasaban goteando, una a una, por una criba tupida a una segunda cavidad, de donde después de escogidas y seleccionadas llegaban a su boca que las expresaba.

—Todo está regido por un perfecto equilibrio —continuó—. La naturaleza, las plantas, los animales, el hombre, toman y dan con una armoniosa ponderación. Junto a las altas montañas ve usted siempre los valles profundos; a la frescura lozana de la primavera sucede la yerta esterilidad del invierno; al lado del capullo están siempre las espinas; las épocas de abundancia son coronadas por épocas de escasez; la guerra sigue a la paz y la paz a la guerra, formando unos estratos semejantes a los del suelo... Ésta es la ley del contraste que rige el mundo. Pero al mismo tiempo es la razón de que todo, todo, tenga su sentido en el Universo.

Doña Sole hizo otra breve pausa y prosiguió:

—Pero este equilibrio, esta alternación de lo bueno y lo malo, no puede bastar para enfangarnos en el pesimismo. El pesimismo sólo nos deja ver las espinas en los rosales, la muerte en el hombre, la carne en el amor. Alimentados de pesimismo no vivimos la vida, la sufrimos. Todo lo malo de la vida se agiganta para el pesimista, y, además, lo bueno lo hace malo, precisamente porque de todo escoge su fachada negativa. Y aquí está el error; la contradicción con Dios; la contradicción con nosotros mismos. Cuando la vida amarga, hay que suavizarla con la representación de un Gólgota, y cuando es dulce, mitigar sus dulzuras pensando que otros sufren por lo que nosotros no sufrimos. Siempre tendiendo al equilibrio, que es el camino de la verdad.

Tornó a callar doña Sole, y de nuevo seguí a través de su cabello aquella delicada selección de ideas que tenía lugar en su cerebro. Sus palabras afluían en mi alma con la misma suavidad que las pronunciaba. No me arañaban como las palabras de los demás hombres y gustaba de dejar por una vez que alguien me acariciase el corazón. Me parecía que al igual que el impulsivo río de montaña que caminaba a nuestra izquierda en dirección contraria a nosotros, mi ser, después de golpearse contra las rocas y discurrir en alborotada corriente, entraba en un remanso apacible de serenidad y paz.

Doña Sole, luego de tomar aliento, añadió:

—Por eso es necio atentar contra ese equilibrio preestablecido. Dios no envía nunca más de lo que el hombre puede soportar. Y el hombre no debe buscar más de lo que Dios le envía. Es terrible, créame, Pedro, un espíritu atormentado; un espíritu que se adelanta a su momento y piensa en la noche cuando es de día y se reboza de antemano en la angustia de la obscuridad. Frente al sol se ha de buscar la sombra y la luz en las tinieblas. Pero ¿por qué buscar las tinieblas en el día y en la noche?

»Yo tuve una época de un cruel martirio espiritual. Me invadieron los escrúpulos de conciencia. Me sentía responsable de cuantos desastres ocurrían a mi alrededor. Siempre, en última instancia, veía mi mano pecadora moviendo el mecanismo de los pecados ajenos. Un consejo sincero me permitió escapar de este tormento. "Obra —me dijeron— como tu conciencia te ordene y aunque involuntariamente vayas sembrando de cadáveres las cuentas del camino de tu vida, cuando llegues a Dios podrás decirle serenamente: 'Señor, yo no he matado'. Y acto seguido: 'Tampoco he mentido, Señor'."»

Hubo una pausa.

—Su caso, Pedro, aunque a usted le parezca lo contrario, es muy semejante. Las sombras provienen de fuente distinta, pero es del mismo género el sufrimiento. Y tampoco el suyo cuenta con el beneplácito de Dios. La vida debe vivirse serenamente. No deben previvirse las amarguras que nos impiden vivir con serenidad. Y cuando estas amarguras lleguen, soportarlas con estoicismo sabiendo que alguien sufre más y con mayor resignación que nosotros.

—Conocí a un hombre —prosiguió— que vivía alimentando su pesimismo con desdichas que podrían acontecer.

Era un enfermo como usted. «Cómo voy a estar alegre —me decía— si, sobre lo que hoy veo, vendrá lo que me oculta el mañana.» No hizo caso de recomendaciones ni consejos. «Si yo pudiera evitarlo —solía confesarme— ¿cree usted que no lo haría? Pero es que estas negruras se me imponen. No mando en ellas como no mando en los movimientos de la Tierra. Es como un cáncer cuya maldad actual sé que va a agravarse mañana.» Varios días le hablé como hoy estoy haciéndolo con usted. Le animé a desbancar el prejuicio y a enfocar la vida por su lado alegre. Según decía, no podía hacerme caso, no por falta de voluntad, sino por imposibilidad absoluta de utilizar ningún recurso. No quería ver el infeliz que esta conclusión, esta dejadez ante el posible remedio, era la primera consecuencia nefasta de su enfermedad. Si hubiera acertado a ver que el primer paso para su curación estaba en imponerse a aquella supuesta fatalidad, tal vez se hubiese salvado. Pero el mal fue en aumento. Buscó en la bebida una solución absurda. Y lo que olvidaba en los efectos supremos de la embriaguez se recrudecía después en el lánguido decaimiento del retorno a la normalidad. Se intensificó, naturalmente, su vicio. Bebiendo quería olvidar que bebía. Se daba cuenta, no obstante, de que éste era el verdadero paso en falso de toda su existencia. Pero ya no tenía solución. Y todos aquellos presagios que le amargaran prematuramente iban realizándose uno a uno, a causa, precisamente, del remedio insensato que él tomara contra ellos cuando no eran más que una amenaza. Un hijo suyo se extravió con su ejemplo y murió violentamente en una pendencia. Falleció su mujer, martirizada, y llegó a su hogar la temida ruina. Todo aquello rebasó su capacidad de aguante y un día se mató disparándose con una pistola en la cabeza. ¿Cree usted, Pedro, que los reveses de esta vida hubieran sido tan aparatosos de haberse impuesto este hombre a su fatídica obsesión? Si este hombre hubiese luchado decididamente contra su prejuicio, su ejemplo no sería hoy un canto a la desesperación. ¿Le parece que demos la vuelta?

Doña Sole no hizo pausa entre su relato y esta pregunta, lo que me autorizó a suponer que daba por concluida su delicada misión. Dimos la vuelta como deseaba y de propósito buscó ella el lado opuesto de la carretera para purificarlo con su bastoncito de «elementos nocivos». Casi no habló nada en todo el trayecto de regreso Me dejaba rumiar en silencio las conclusiones de su discurso. Tan sólo recuerdo que al pasar junto a la cerca de un prado vimos una yegua de pelo lustroso y brillante que amamantaba a un airoso potro de poco tiempo. Doña Sole se detuvo en su lento caminar y apuntó cuidadosamente con su cachavita en dirección a la yegua y su vástago.

—Desengáñese, Pedro —me dijo—; ésta es la vida.

No habló más. Luego apoyó su bastón otra vez en el suelo y reanudamos pausadamente el paseo.

Confieso que sus consejos me impresionaron profundamente. Sabía de quién me hablaba al referirse a «un enfermo como usted». Fue un hermano de su marido, quien se suicidó después de perder un hijo violentamente. Lo que no supe hasta ahora fueron las causas de su determinación.

Mis ojos miraban hacia el infinito. Como siempre, proyectaba mi vida sobre un porvenir incierto. Sentía a mi lado el pausado caminar de los pies de doña Sole. Intenté adivinar dónde tomó aquella mujer su decisión de hablarme al corazón. Y vi, detrás de todo ello, la mano de Luis renunciando a la misión personal y colocando el asunto en otras manos, más competentes y más experimentadas.

Nuevamente me distrajo el rítmico golpear contra el asfalto del bastoncito de doña Sole. Se intercalaba entre el arrastrar de sus pisadas como un verso par sin asonante entre la rima melodiosa de los impares. Sí, sus andares eran lo mismo que un poema salpicado de versos libres, huérfanos y desorientados entre las parejas enamoradas de las rimas.

Arriba las nubes volvieron a tapizar el cielo. Únicamente entre dos montes se resistía semivencido un retazo azul. Le compadecí porque no tardaría en caer estrangulado. Las montañas altas se empinaban por encima de la niebla empujadas por un ansia de libertad. Ellas querían luz y aire como un tísico sediento de anchos horizontes. Y lo buscaban arriba, por encima de las miserias de unas nubes grises que galopaban con sus vientres pegados a la tierra. Respiré hondo porque me pareció que también a mí me presionaba una sensación de asfixia.

Doña Sole siguió caminando sin decir una palabra. De vez en cuando se detenía para empujar un guijarro con su bastón negro.

Cuando salvamos la última revuelta del camino y reapareció la casa, el pecho de doña Sole reventó en un suspiro. Después añadió:

—Prométame, hijo, que meditará sobre cuanto le he dicho. Nada perderá con ello, se lo aseguro —se pasó la cachava a la izquierda y me tendió su mano derecha para que la estrechara. En aquel cordial apretón de manos quedó solemnizada mi promesa.

Cuando aquella noche presentí en mi subconciencia que iba ganándome el sueño me di cuenta de que una sensación trepidante y monótona de verso incompleto me arrullaba. Era el andar de la viejecita, roto en su rima perfecta por el seco taconazo de la negra cachava al golpear contra el suelo...

Al día siguiente tomé por la mañana el tren de Santander, clausurando definitivamente mi estancia en aquella casa. Al perderse de vista el último pañuelo agitándose en la estación me dejé caer meditabundo sobre mi asiento, pegado a la ventanilla. Reparé entonces en que la temporada pasada en casa de doña Sole había tenido para mi espíritu las calidades que pueda encerrar un baño tibio para un cuerpo cansado. Me sentía en ciertos aspectos como remozado, excitado por un instintivo afán de perfeccionarme, de ser mejor, para que ellos se convenciesen de que por encima de mi recalcitrante actitud les concedía aún una cierta influencia sobre mi persona. Medité, dubitativo, en el extraño paseo dado con doña Sole la tarde anterior. Sin duda el hecho había sido organizado por Luis, siempre en la brecha, dispuesto a no ceder cualesquiera que fuesen las dificultades. Me sonreí interiormente recordando que dos días antes me prometiera no volver a injerirse en las cuestiones que no le importaban. «Después de todo —me dije— él no ha insistido; la que ha insistido ha sido su suegra.» Y me quedé tan satisfecho pensando que Luis sabía ser fiel y leal a su palabra...

Pronto me vi envuelto otra vez en la actividad del «Antracita», y a la semana escasa de mi reincorporación recibí orden de mi naviero de tenerlo todo listo para zarpar a la mayor brevedad. De nuevo me hallaba encerrado en esa línea sin fin que es la vida individual de casi todos los humanos.

A los cinco días partimos hacia Providencia. Mediado el viaje el contramaestre me llamó; se asomaba por la amura de estribor:

—Observe, capitán, esas olas... esas olas son las mismas que vimos en el viaje anterior. Las he conocido por la cresta...

Y comenzó a reírse con unos aspavientos tan desorbitados como sus carcajadas.

—Lo mejor que le puede suceder a un hombre es creerse ingenioso... —me dijo Bolea al oído cuando el contramaestre se alejaba congestionado de risa.

Yo me quedé en suspenso, despistado, sin ver claro lo que en mi derredor acontecía.

Y aún le oí reír a Benito otra vez cuando descendía torpemente hacia los sollados por la escotilla de popa...

Capítulo XIII

Si yo, después de la temporada pasada en casa de los Bolea, hubiese tenido la oportunidad de sondearme, tal vez hubiese apreciado que algo definitivo se había mudado en mí. Pero como desde muchos años atrás tenía el convencimiento de mi inalterabilidad, no juzgué pertinente un nuevo examen de la firmeza de mis principios fundamentales, persuadido de que proseguirían sólidos e inalterables como siempre. Sin embargo, insisto en que, de haberme sondeado entonces, me hubiese percatado de que mi resolución, no obstante ser aparentemente la misma, se hallaba minada por dentro. Mi decisión, a estas alturas de la vida —más tarde me convencí de ello—, estaba ya muy debilitada, perdida quizá su esencia íntima en aras de una apariencia resoluta, invariable y firme.

Al regresar por segunda vez a Providencia después de haber conocido a Jane, tenía yo la sensación subconsciente de que un nuevo encuentro con ella significaría el fracaso de toda mi teoría forjada a costa de muchos años de sacrificios y renunciaciones.

Yo en aquellos días gozaba engañándome a mí mismo. «Jamás volveré a verla, me decía, ni a recordarla, ni a dejarme envolver en su suave y peligrosa nostalgia.» Pero mientras pretendía que esta norma fuese mi guía, allá, en el fondo de mi ser, me sentía estremecido de añoranzas, lleno de la nueva experiencia de que el dolor termina allá donde comienza la nostalgia.

Instintivamente deseaba encontrarla, aunque me cuidase muy bien de manifestarme libremente este deseo. Me encubría a mí mismo mis propias ansias, mis supremas aspiraciones. «Si nuevamente se cruza en mi camino —me susurraba en el secreto de mis velados afanes— será que Dios lo tiene dispuesto así, y como diría doña Sole, es arriesgado contravenir sus disposiciones.»

En este estado de ánimo arribé de nuevo a Providencia. Me sentí rejuvenecido al solo pensamiento de que ambos respirábamos el mismo aire y estábamos expuestos al vaivén de unos mismos acontecimientos. «A los dos nos roza ahora la misma onda de la vida, pensaba. Si es verdad que en el mundo existe una impalpable comunicación de los espíritus, ella estará presintiendo a estas horas mi cercana proximidad.» Y el corazón se me aceleraba de una manera espontánea, eléctrica, casi dolorosa. En tanto me decía hipócritamente, para acallar mis ocultos y locos deseos: «Una vez más tendré que marchar sin verla, sin oírla, sin sentirla... despegándomela, apartándola, rechazándola de mí...»

La noche del tercer día de nuestra llegada asistí al concierto de una orquesta muy afamada. Acudí con el convencimiento de que las aristas de mis pensamientos se mitigarían con esta expansión. Para mí la música posee la virtud de crear ese dolor morboso, evocador, de ese género que se agradece al resucitarlo porque acaricia en vez de morder. Me gustaba pensar con música al fondo; oír la música sin escucharla, relegándola a un segundo plano, dejándola actuar únicamente como excitante y motor de los últimos posos de mis nostalgias.

El teatro estaba lleno, excesivamente caluroso, como si su recinto hubiera sido utilizado para almacenar las altas temperaturas estivales. La gente permanecía grave en sus sillones, inmóvil, arrobada, extática... Únicamente cobraban sus ojos una animación furiosa si algún próximo vecino estallaba en una tos contenida. Entonces todas las miradas en diez localidades a la redonda convergían en el desgraciado que no había tenido otro remedio que quebrar con un carraspeo o un estornudo el fragmento más delicado de alguna pieza. Fuera de esto la música actuó sobre mí como esperaba, excitando mis sueños y fantasías, removiendo el copioso caudal de mis nostalgias.

Cuando el concierto terminó aguardé pacientemente a que la sala se desalojara (no he llegado nunca a comprender qué es lo que ofrece la calle en los cinco minutos siguientes a la terminación de un espectáculo. La gente se agolpa en las puertas como si se hubiese establecido un apreciable galardón para los primeros que alcancen la salida. Muchas veces me he preguntado por qué tiene prisa todo el mundo que asiste a una representación. Y por qué esa prisa se desata precisamente en el instante de terminar la obra. Si la obra, por gusto del autor o de los intérpretes, hubiese durado diez minutos más, la gente no se hubiese enterado de que tenía prisa hasta diez minutos después del momento en que en realidad la experimentó).

Me levanté de mi asiento cuando la concentración humana del pasillo fue cediendo en sus apreturas. Entonces vi, cinco filas detrás de la mía, una pareja más paciente que yo, que no daba la menor muestra de premura por abandonar el local. Sentí repentinamente una paralización extraña al fijarme en ella. Era Jane. No me veía, ni me miraba, abstraída al parecer en una conversación absorbente con su joven acompañante. No sé qué profunda revolución se iba operando dentro de mí. Me había quedado como insensible, como si mi cuerpo todo se hubiera detenido en una diástole del corazón. Al ponerme a su altura interrumpieron la conversación y Jane dirigió los ojos al pasillo, posándolos en mí. Se intensificó vivamente mi aturdimiento. Ella dijo «hola» con una afectada indiferencia. No sé si respondí. Mi primera reacción consciente fue la de huir rápidamente, la de perderme entre el rebaño humano que me precedía, soslayando aquel encuentro inesperado y violento.

Creo recordar que al verme en la calle eché a correr sin una orientación determinada, doblando esquinas y recorriendo calles con una rapidez diabólica. De pronto me vi en el muelle, paralizado en su luminosa indiferencia, adormecido y quieto en su descanso nocturno. Aminoré el paso entonces y respiré profundamente. Tuve la impresión de que era la primera vez que respiraba desde que saliera del teatro. Me poseía una agitación convulsiva e incontrolable cuando me detuve al borde del agua. Reverberaban en la superficie las luces escasas de los barcos atracados. No veía a nadie a mi alrededor y sentí la tentación de sentarme, dejando a mis piernas tembleteantes oscilando en el vacío. Me senté al fin sobre el bloque de hormigón, sintiendo a mi lado la fortaleza de un férreo bolardo. Allí permanecí bastante tiempo, hasta que noté que el ritmo de mi corazón se recobraba de nuevo. Luego me incorporé dirigiéndome al «Antracita».

Todo dormía en él menos el marinero de guardia, que me dio las buenas noches al pasar a su lado. Cuando descendía la escalera me detuve un instante, agarrado con las dos manos al andarivel. Comenzaba a entrever al fondo de mi cabeza un punto de lucidez, que iba agrandándose paulatinamente. Dos minutos después me encontraba encerrado en mi camarote, tendido sin sueño en mi estrecha litera. Forzosamente ahora tendría que volver a verla. Era ésta la idea que iba cobrando cuerpo en mi interior. No podía renunciar a verla otra vez, a hablarla y a disculparme. ¿Qué tenía esto de particular? Luego volveríamos a dejar en suspenso nuestro trato, lo mismo que lo hiciéramos seis meses antes. ¿Existía algún motivo para privarme de esta inocente expansión? ¿Por qué iba a acomodarme a verla con otros hombres y renunciar yo por completo a su anhelada compañía? Esto era necio, absurdo e injustificado. ¿Por qué no podía yo decantar mi amor hasta dejarle en una limpia y sincera amistad?

Si yo me hubiese examinado interiormente con sinceridad, tal vez me hubiese sorprendido al reparar en la falsedad de estas reflexiones. Pero me interesaba más obligarme a creer que poseía todavía los suficientes arrestos de voluntad para detener mi corazón en el momento que me conviniese. El proceso de la traición requiere un movimiento paulatino para parecer menos traición.

A la mañana siguiente llamé a Jane por teléfono y nos pusimos de acuerdo para encontrarnos ante la entrada principal del parque.

La vi llegar con el mismo gesto alegre de nuestra primera cita. Nada parecía haber variado, ni por fuera ni por dentro. Cuando un tanto atropelladamente inicié minutos después mi discurso de disculpa, Jane me dejó perplejo al asegurarme que ella no se había dado por ofendida nunca. Ante la estatua de Roger Williams nos detuvimos.

—No querrás decirme que Roger Williams era baptista, ¿verdad?

Rió ella como en los mejores días.

—¿Por qué no si lo era?

—Prefiero que me hables de ti.

Y habló de ella y me inquirió a mí, y así escapó aquella mañana en la brevedad intangible de un soplo.

Por la tarde volvimos a vernos. Estuvimos en un cinematógrafo. Jane a la salida me dijo:

—No me ha gustado la película.

—¿Por qué?

—Termina mal.

—¿Y eso qué importa?

—Ya hay bastantes cosas en la vida que terminan mal. Prefiero que las historias que se inventen nos den siempre un respiro.

A la mañana siguiente Jane y yo estuvimos de nuevo en el acantilado. El mar de otoño era más bronco y ruidoso que el de la primavera. Jane miraba intensamente la mar encrespada.

—El mar se impone en otoño.

—Es más gris.

—Y más frío... y más implacable. Cuando rompe contra las rocas toma calidades de turbios presentimientos.

Me estremecí. Luego de una pausa intenté tranquilizarla:

—El mar empieza a acostumbrarse a sentirse dominado.

—Pero de vez en cuando nos humilla con alguno de sus mortales coletazos...

Sacudí la cabeza.

—Me estremece hablar veladamente de la muerte.

—¿La temes?

—Cuando apaga la vida de los que quiero.

—¿Es ése tu secreto?

—Mi peso, tal vez...

Me miró largamente a los ojos y alzó su mano apoyándola en mi hombro. Instintivamente incliné la cabeza y la besé en su suave dorso.

—¿Por qué haces eso? —preguntó ella sin moverse.

—¿Qué sé yo? En la vida hay momentos que escapan a todo control.

Por la tarde de aquel mismo día volvimos a encontrarnos. Paseamos por el parque y estuvimos remando en uno de sus lagos bajo la acariciadora media luz del crepúsculo. Después cenamos juntos en un ruidoso restaurante y nos despedimos hasta el día siguiente.

Al encontrarme solo sentí la tranquilidad de haber compartido con la persona a quien amaba el secreto de mi vida. Esta entrega de mi idea fundamental significaba que se abría ante mis ojos la dimensión atrayente de una etapa nueva, deseable y consoladora. «Ahora todo podría ser distinto si ella me ayudase a desligarme de mi vieja obsesión, si ella se empeñase en hacerme ver la vida por su faceta color de rosa», pensaba.

Tres días más tarde retornó el calor a pesar de estar mediado ya el otoño. Jane me propuso marcharnos a Boston por la mañana y regresar en el día. Cuando me vi a su lado, sentado en el coche descubierto, recibiendo en el rostro el beso de la brisa, tuve una conciencia exacta de dónde están los rincones más acogedores de la existencia. Todo a nuestro alrededor respiraba armonía y serenidad. Desde el cielo intensamente azul hasta la tierra parda poblada de verdes matojos y de perennes arboledas, dejaba en el ánimo una impresión de plácida somnolencia.

De repente me percaté de que los antebrazos de Jane volvían a aparecer gráciles y desnudos ante mi vista como en la pasada primavera. Se apoyaban ahora inmóviles sobre el volante negro, torneados y mórbidos como un eco ponderado de la maravillosa vecina naturaleza. Me quedé mudo, suspenso en su contemplación hasta que oí su voz a mi lado:

—¿Qué te hizo cambiar de opinión?

Pude contestarle que ella, sin alterarse, era capaz de despertar dos opiniones contradictorias en un mismo pecho; pude decirle que un impulso irreflexivo, que una irreflexión profunda... Pero respondí, en un tono que me sorprendió a mí mismo:

—Tus brazos.

Me miró de reojo.

—¿Sólo mis brazos?

—Y el movimiento de tus brazos.

Volvió un poco más la cabeza para mirarme.

—¿Lo demás?

—Todo se refleja en el movimiento de tus brazos.

Apenas volvimos a hablar en el corto trayecto hasta Boston. Al llegar aquí, Jane inició un largo capítulo de compras, inspirada por esa particular facultad femenina de creer que nada de cuanto se encuentra fuera existe donde habitualmente se reside.

Almorzamos en un restaurante español, donde aparte del rótulo apenas si hallé algo que justificase la legitimidad de la denominación. Cuando iniciamos el regreso caía ya la tarde, disolviéndose en una pálida penumbra. El automóvil avanzaba raudo a la luz cenicienta del atardecer. Habíamos levantado la capota y las sombras externas hacían más íntima nuestra vecindad.

Fue en una caprichosa parada de Jane en medio de la soledad del campo donde todo terminó por derrumbarse. Ella se había vuelto hacia mí, abiertos sus labios gordezuelos por la iniciación de una sonrisa. Su voz cálida, sofocante, envolvió mi rostro dejando mi cabeza en blanco. Sólo percibí en esos minutos su inmediata proximidad y los golpes incesantes de mi corazón contra la caja de las costillas. Lo poco que de humano restase en mi pecho brotó incontenible en ese instante. Tomé uno de sus antebrazos y lo cubrí de besos apasionados. Ella me dejó hacer. Sólo cuando levanté de nuevo la cabeza advertí en sus ojos una expresión indecisa.

—Qué extraño hombre eres —me dijo—; ¿por qué obras con tan poca consecuencia?

Pasé mi brazo por detrás de sus hombros y la atraje hacia mí.

—Perdóname —le dije—, pero te quiero.

Cedió instantáneamente su rígida tensión y su cabeza se apoyó confiada sobre mi hombro.

—Entonces...

Sentía el suave contacto de su pelo contra mi mejilla, su anhelante respiración rimando con la mía, estrecharse nuestras almas, acomodadas al fin en un mismo plano emocional.

—Entonces, si tú quieres, nunca más volveremos a separarnos.

Se incorporó súbitamente y puso el coche en marcha.

—Lo quiero así, Pedro... Lo estaba deseando.

Oprimió la palanquita de la luz de los faros y la carretera se iluminó por delante de nosotros.

—No es justo que en adelante sigamos caminando en las tinieblas.

Aquella noche en Providencia no pensé más que en la felicidad que se avecinaba. Al entrar en el «Antracita» me encaminé directamente a mi camarote. Encima de mi mesa se hallaba la corbeta prisionera. Tomé la botella en mis manos y salí a la cubierta, descendiendo después hasta tocar el mar por el portalón de estribor. Así la botella por el cuello y la sumergí toda ella en el agua. Escaparon de su boca unas sonoras pompas de aire. Mi obsesión se iba ahogando lentamente. Sentí que estrangulaba entre mis dedos el último obstáculo que impedía mi felicidad. Tras los angustiosos gorgoteos todo volvió al silencio; al silencio translúcido, afilado, de una noche de otoño estrellada. Sólo entonces separé mis dedos y la botella tomó el camino directo del fondo del mar. Al alcanzar el último tramo de la escalera aprecié que estaba sudando como si terminase de cometer una muerte violenta. Me pasé el pañuelo por la frente e inflé mis pulmones, librados del sortilegio, de la plenitud silente de la noche...

Contra lo que había temido, los días que siguieron a mi total rendición fueron de los más tranquilos y apacibles. Mis oscuros temores, mis sombríos presentimientos, mis presagios infundados, quedaron postergados de una manera absoluta. Tanto fue así, que llegué a convencerme de que mi vida anterior había sido una simple pesadilla, remontada gracias a la providencial aparición de Jane en el decurso de mi nublada historia. Si ahora evocaba mi pasado en Ávila, la sinuosa envergadura temperamental del señor Lesmes, o la flébil y amarga experiencia de mi amistad con Alfredo, era para jactarme de haber sabido superar ese plano de renuncias y entrar en el capítulo de una nueva existencia más humana y normal.

No me torturaba en estos días la angustia de sentirme bajo el asfixiante patrocinio de la sombra alargada y negra de un ciprés. El milagro de una transformación se había obrado y yo imaginaba que lo mismo que admirase un día en el parque de una ciudad lejana había acontecido ahora en mi corazón. En aquél admiré cómo había germinado la semilla de un pino en la corteza de una palmera. Ahora se exhibía aquello como un fenómeno vegetal, como una especie de monstruo con dos cabezas o una representación del rostro bifronte de un dios Jano. Sobre el tronco del ciprés que sombreaba mi corazón Jane había depositado igualmente una distinta simiente que había arraigado y florecido bajo el celo de sus constantes cuidados.

Sentí con esto mitigarse mi temor hacia la muerte rondadora. Sabía que en el curso del tiempo «uno de los dos habría de enterrar al otro», pero no desorbitaba esta probable realidad, antes bien, la admitía como una imposición de las leyes naturales que exigen el desprendimiento, el desencadenamiento del amor antes de transitar a una nueva vida no terrena. Había logrado, en fin, situarme en el plano ecuánime de la relatividad del dolor apartándome del estéril campo del sacrificio absoluto y de su estremecedora elaboración cerebral. Mi pasión por Jane había sido como el contrapeso a mi torcida disposición, a mi equivocada historia, a lo que hasta este momento había considerado como mi credo de principios fundamentales. Me daba cuenta ahora de que es un error en la vida guiarse sólo por el cerebro; que en la vitalidad íntima, como en la externa, como en la del mundo en que nos movemos, todo debe fundarse en el criterio de la proporción y del equilibrio; que todo lo que el uso tiene de humano, lo tiene de inhumano el abuso, el exceso y la desproporción. Había llegado a topar con esa armoniosa coincidencia de la parte en el todo, de mi yo en el mundo circundante. Rara vez me asaltaban ya las inquietantes figuraciones dibujadas por mi imaginación en la pantalla blanca de un futuro imprevisible. Y si esto me sucedía procuraba conducir esta corriente morbosa hacia una desembocadura regular y humana, estrictamente acomodaticia. «Hasta hoy he caminado a oscuras, me decía, porque nadie me enseñó antes a ver la luz; pero ahora que la conozco no la abandonaré mientras Dios no me lo exija.» Y rememoraba los consejos de Luis, las palabras de doña Sole, la espantosa experiencia por ella relatada de la historia de su cuñado. Evocaba, en una palabra, cuanto en aquellas circunstancias podía ayudarme a pensar que había obrado bien y a olvidar cuanto de traición a mis más sólidos principios significaba mi conducta actual.

En realidad era la esperanza de una próxima y definitiva unión con Jane la que ocupaba casi constantemente mi actividad cerebral en estos días. Apenas si me daba tiempo para otra cosa. Habíamos fijado nuestra boda para una semana después a partir del viaje a Boston, y los días se sucedían con una rapidez vertiginosa. Gozaba previendo los efectos de mi decisión en todos mis conocidos. ¿Qué diría don Mateo? ¿Y doña Gregoria? ¿Y qué la pequeña Martina? ¡Qué gran alegría experimentaría la buena de doña Sole con la noticia! Iría a verla personalmente llevando a Jane colgada de mi brazo. Se emocionaría, sin duda, pensando cuánta parte había tenido ella en mi decisión. ¿Y Jane? ¡Qué placer disfrutaría Jane desentrañando, detalle a detalle, el contenido substancial de cada rincón de España! ¡Y qué satisfacción para mí poder servirle de guía en cincuenta capitales totalmente ignoradas y desconocidas...!

Luis Bolea no se asombró con la noticia. Me asombró a mí su falta de asombro. Se limitó a sonreírme, diciéndome, con una sonrisa, que esperaba «esto» desde hacía varios meses. Imagino que por el «Antracita» correría también la noticia como un calambre. Empero nadie me dijo nada, a excepción del contramaestre, que aprovechó la coyuntura para intercalar uno de sus rústicos remiendos filosóficos: «Capitán —me dijo—, con lo de usted me reafirmo en mi idea de que únicamente se casan los hombres que han tratado sólo con una sola mujer.»

Yo me reía de todo y con todos. Nada me lastimaba. Me sentía despertar, amanecer a una vida risueña y extensa.

Con Jane viví intensamente las jornadas precursoras de nuestra boda. Casi no podía creer que en el breve plazo de siete días estaríamos vinculados el uno al otro indisolublemente. La indisolubilidad, que para algunos representa la única sombra de su dicha, significaba para mí la más sólida garantía. Pensar que por encima de sacrificios y desvelos, de venturas y desventuras, saldría siempre reforzado nuestro amor, me conmovía profundamente, inundando mi alma, fértil ahora, de un poroso sentimiento de ternura. En ocasiones, Jane me decía, nublada su frente por una sombra de escepticismo:

—Me parece mentira todo lo que está pasando y lo que está por venir.

Yo siempre le respondía lo mismo:

—¿Qué más vamos a pedir? Las cosas que parecen mentira, o son fabulosamente lisonjeras o terriblemente desgraciadas. Una boda siempre debe ser de las primeras...

Así fue aproximándose el día señalado. La víspera recibí un cable de mi naviero conminándome a activar mi regreso. Aquello nos enfrió un tanto. El padre de Jane era partidario de demorar la ceremonia hasta el siguiente viaje del «Antracita» a Providencia. Alegaba que puesto que en este viaje de regreso Jane no podría de ninguna manera acompañarme a España, lo aplazásemos todo para tres meses después. Pero nosotros no estábamos dispuestos a renunciar tan pronto a la serie de proyectos que últimamente habíamos forjado, aunque Jane no pudiera encaminarse a España conmigo, y aunque para nuestra definitiva reunión hubiésemos de esperar aún el próximo viaje del «Antracita» a Providencia. Decidimos, pues, ante todo, casarnos, y que luego viniesen las cosas al ritmo que quisieran.

Fuera de esto, la víspera de nuestra boda fue un día más, tranquilo y sin nervios, exento de revuelos, de carreras y de gritos, Jane hacía su matrimonio sin barullos ni histerismos. Serenamente. Agitado de impaciencia sólo el corazón.

Aquella noche, antes de cenar, Jane me dijo:

—¿Tienes interés por algún sitio determinado?

—¿Para?

—Nuestro viaje...

—Prefiero la tranquilidad.

Sonrió pausadamente:

—Entonces coincidimos...

—Siempre me han disgustado los viajes contra nervios.

—Y a mí; ¿no te importaría ir a una granja en la falda de los Apalaches? —Oprimí su mano con violencia. Jane se puso en pie, y así cogidos salimos al jardín. La noche estaba quieta y serena. Del otro lado del seto ascendía el rumor del mar. A lo lejos el cielo comunicaba el reflejo de las luces de la ciudad.

—Me gusta asomarme al jardín las noches que preceden a un día extraordinario.

—¿Para pensar?

—Sí.

—¿Y han sido muchas?

—Siempre que cumplí un año más... y algunas otras veces.

—¿Qué pensabas?

Tardó un rato en responderme. Luego dijo:

—Hoy estoy pensando una cosa extraordinaria —hizo

una pausa—. ¿Sabes lo que dijo Zoroastro sobre el matrimonio?

—No.

Se aproximó más a mí y me miró a los ojos.

—Dijo: «El matrimonio es un puente que conduce al Cielo», ¿te gusta?

—Sí...

—¿Sabes que querría grabarlo a los dos en nuestros corazones?

Apoyó repentinamente su cabeza sobre mi hombro.

—Eso no es posible —murmuré.

Se enderezó de improviso.

—¿Y por qué no en nuestros aros?, poder llevarlo con nosotros toda una vida; ¿sabes lo que eso significa?

No me dio tiempo a contestar. Me tomó impulsivamente de la mano arrastrándome dentro de la casa.

Aquella misma noche nuestras alianzas lucían por dentro la inscripción de Zoroastro: «El matrimonio es un puente que conduce al Cielo.» Y a la mañana siguiente Jane y yo entrábamos juntos por ese puente...

Capítulo XV

Salimos de Providencia la misma mañana de nuestra boda. Era un día templado y tibio y el sol acariciaba desde lo alto sin molestar, con una suavidad infrecuente.

Cuando tomamos la carretera hacia Boston me pareció que inopinadamente rompía con mi pasado cargado de oscuridades, que se abría un mundo desconocido para mí, desconectado y roto el nudo de continuidad que le unía con el resto de mi vida. Me invadió una impresión de confortabilidad agradable al sentir despeinarse mis cabellos por las rachas de aire que se cruzaban en el interior del coche abierto. La tibia vecindad de mi mujer me daba la percepción de un mundo ignorado, lanzado de súbito sobre mí con toda su cohorte de sensaciones ínsitas y humanas. Entraba en el terreno de la racionabilidad, y los neumáticos, al rodar presurosos sobre el asfalto, me ayudaban a abrir cada vez más la distancia que me separaba del ayer.

Inflé los pulmones con fruición. Las hierbecillas de los lados de la carretera alternaban su inclinación en consonancia con la dirección del aire cambiante. A lo lejos, a nuestra izquierda, se erguían, casi invisibles, las primeras estribaciones de los Apalaches. Todo, en armonioso conjunto, cantaba a Dios un himno de plenitud.

Mi esposa pareció despertar de pronto.

—¡Ya está todo hecho! —dijo.

Yo le sonreí. Después quedé con una mano en el volante y rodeé con mi brazo derecho sus fuertes hombros. Ella se inclinó sobre mí y me brindó su sonrisa.

Pasó una hora. Abandonamos la carretera general y enfilamos la cinta rojiza de un camino de arcilla a nuestra izquierda. Se empinaba allí la carretera de manera increíble y el coche jadeó y apuró sus reservas antes de cambiarle la velocidad. Después sintió el nervio del espolazo y se lanzó cuesta arriba con la energía del esfuerzo *in extremis*.

La Naturaleza alteró entonces su decoración. Los arbustos y matojos se cerraban espesos y hoscos a los lados del camino. El tono de la maleza era verde grisáceo, semejante al color del mar en los días de tempestad. Olía fuerte a tomillo y los pájaros, más libres y salvajes que en ningún otro lugar del mundo, levantaban el vuelo lejano con sus agudos pitidos de sorpresa.

En lo alto de un repecho detuve el automóvil. Súbitamente me di cuenta de que era esto lo que añoraba confusamente en toda mi vida. No era el silencio lo que añoraba, era la ausencia de humanidad; esta soledad sin ruidos monótonos de civilización... Ahora entendía las inmensas ventajas de amputar un pasado cuando supone una sombra para el porvenir. Entendía las poderosas razones de quienes me hablaron en ese sentido y me percataba, más que nada, de que el hombre, frente a la Naturaleza, está más cerca que nunca de Dios.

El perfume del aire me llegaba en oleadas fugaces y cálidas; breves y cargadas de una fragancia desconocida. Volvía a inflar mis pulmones cuando Jane se incorporó a mi lado. Sus ojos brillaban cargados de una misteriosa expresión. Se volvió hacia mí sin mediar entre los dos una palabra y rozó mis hombros con las yemas de sus dedos. La plenitud del paisaje se contagiaba a sus ojos. Los vi brillar otra vez en un momento. Luego, cuando quise volver a darme cuenta de que existía, Jane separaba sus labios ardientes de los míos.

Al doblar un pronunciado recodo vi brillar a través del parabrisas la superficie verde de una pequeña meseta. Al fondo una casa campesina con sus rústicas edificaciones anejas. Era una granjita blanca rodeada de un primitivo vallado como otras varias con las que nos habíamos cruzado anteriormente. Al adentrar el coche en el vallado de la granja saltaron las aves domésticas por todas partes, aturdidas y alborotadas en espantosa confusión. Al ruido del claxon acudió una mujer indefinida e indefinible en su expresión atolondrada. Gritó al reconocer a Jane y al descender ésta del coche la estrujó conmovida contra su pecho opulento. Un hombre apareció detrás. Era un espléndido hijo del campo, atezado y corpulento, con aspecto de roble joven. Saludó a Jane y al advertir mi presencia se detuvo un tanto aturullado. Jane me presentó. Las cejas del hombre se arquearon de sorpresa. Ignoraba que Jane se hubiera casado.

—¿Y Cristián...? ¿Dónde está Cristián? —preguntó mi mujer de pronto.

Se nubló la frente del hombre como apabullado por un mal recuerdo.

—Luego te verá... si es que quiere hablar con alguien.

La voz del hombre, con su frase de duda colgada, sabía a reproche.

—Atraviesa un mal momento —aclaró—. Se nos ha hecho un «absentista». Odia al campo; le aborrece. Yo ya le he dicho: Volver la espalda al campo es renegar de tu padre y de tu sangre.

Había una sombra de amargura en su voz. Hablaba con un tono semejante al que adquiría la voz de un general que tuviese que declarar ante el tribunal la traición de un hijo. Después se calmó. Pareció despejarse su tristeza con nuestra presencia y hasta sonrió cuando entramos en la casa.

Ésta era vieja y rústica, con una gran chimenea en aquella habitación inmensa de la planta baja, donde una gran mesa de nogal en el centro, rodeada de sillas, aireaba su prestancia. Las vigas próximas a la chimenea estaban ahumadas en una de sus aristas y unas prendas de vestir de niños pequeños pendían desmayadas de unos gruesos clavos recubiertos de óxido.

La escalera para ascender al piso superior arrancaba de uno de los rincones de la habitación. Era una escalera vacilante y quejumbrosa como una vieja aquejada de achaques indefinidos. Subimos en fila india, corriendo la conversación de boca en boca, de delante atrás, y de atrás hacia adelante, de la misma manera que si nos pasásemos un pelotón. La mujer hablaba poco. Pasados los momentos de la llegada inesperada de Jane volvió a encerrarse en su habitual castillo de soledad. Seguramente pensaría en su hijo, el «absentista».

Arriba, como si descubriese mi pensamiento, dijo, dirigiéndose a mí:

—No le extrañe que hablemos poco. En el campo sirven los brazos y sobran las palabras. Las palabras se quedan para los hombres de las ciudades, que son los que tienen que «arreglar» el mundo.

Recalcó la palabra «arreglar» como si en su apreciación el mundo estuviera verdaderamente roto. Existía un dejo de intención en aquella frase. Una intención velada, sutil, que surgía sin duda de su profundo escepticismo hacia las posibilidades humanas.

En nuestro cuarto nos dejaron solos. Se lo agradecí y creo que a mi esposa le pasó lo mismo. Jane me condujo ante la ventana abierta. La Naturaleza entraba bajo su marco pródiga, voluptuosamente, recogiendo en su nostálgico abrazo de otoño esa multitud de cosas inertes que no entienden de estaciones. Al pie de nuestra ventana picoteaban las gallinas ya un poco repuestas de su susto; más lejos se veían hasta una docena de vacas pastando indolentes sobre la alfombra verde del césped. Un poco más allá se iniciaba la vegetación de arbustos bajos y apretados como niños unidos por el terror; detrás la arboleda fresca de la falda de la montaña, y más lejos aún, la informe primera arruga de los Apalaches, repetida luego por una sombra azulada que quería esconderse entre el infinito.

Unas palomas pasaron junto a la ventana rozando nuestros rostros. Se abatieron en la corraliza entre las gallinas, y tan súbita fue su aparición que parecían llovidas del cielo...

Pocos minutos después, despojados de las incómodas vestimentas del viaje, Jane y yo descendimos hasta el camino e iniciamos un corto paseo. La arcilla de las roderas estaba endurecida. A un lado y a otro se apretaba la vegetación superviviente del verano. No se oía el menor ruido mecánico. Estábamos centrados en un ambiente despintado del siglo, propio de edades remotas. El sol, en su cenit, parecía pedir a los campos que fuesen despidiéndose de él, que sólo por favorecerles estaba faltando a su deber meticulosamente reglamentado por la Naturaleza.

Jane se percató en estos momentos de la fugacidad de nuestra luna de miel.

—¡Qué pronto se pasan dos días! —dijo.

—Tres meses no tardan tampoco demasiado...

—Al tiempo lo miden las circunstancias, no los relojes. Asentí. Ella insistió con acento melancólico:

—¿Y nuestra vida correrá así toda, en un constante fluctuar...?

—Procuraremos que nada ni nadie pueda volver a separarnos.

Repentinamente recordé algo que había permanecido adormecido detrás de la agitada actividad de los últimos días.

—¿Cuándo conociste a Luis Bolea?

—Al mismo tiempo que a ti.

—¿Le has tratado?

Sonrió con los ojos.

—Poco.

—¿Poco?

—¿He de decirte ya siempre la verdad?

—Sí.

Dio dos pasos más, preparando su respuesta:

—Ha sido mi aliado.

—Ya.

Me apretó el brazo con sus dos manos. Después se justificó:

—Yo necesitaba un aliado cerca de ti.

La besé en lo más alto de su cabeza.

—Lo creo.

—Entonces, ¿no lo has tomado a mal?

—Si de verdad lo necesitabas...

—Imprescindiblemente.

La tomé por los hombros y continuamos avanzando. Transcurridos unos minutos añadí:

—Ahora habremos de perdonarnos el uno al otro muchas cosas.

—¿Tienes muchos defectos?

—Los corrientes.

Volaron lejos unos cuantos grajos graznando gutural-
mente.

—¿Sabes la historia de los grajos? —dijo Jane evadién-
dose.

—No.

—¿No sabes por quién están de luto?

Sonreí.

—Lo ignoro absolutamente.

—Es un cuento muy bonito que me contaron de pequeña. Por lo visto el grajo padre murió en el Arca de Noé
cuando la madre estaba empollando los huevos. Todos sus
hijos fueron póstumos.

—Pobres.

—Es una lástima, ¿verdad?

—Sí, pero ha pasado ya tanto tiempo que éstos podían ir
pensando en ponerse de alivio.

Dimos la vuelta. Los grajos describían un semicírculo
a nuestra derecha. Poco después se posaron a la entrada del
monte.

En la granja habían dispuesto ya nuestra comida sobre
un velador colocado debajo de un magnolio gigantesco. Al
aproximarnos volaron de sus ramas dos vistosas oropén-
dolas. Un niño, con la cara tiznada, nos miró malhumorado, mostrándonos su tiragomas inútil ya en aquella ocasión. Era el tercer hijo del matrimonio. Junto a él un
rapazuelo de apenas dos años le brindaba nuevas presuntas
víctimas con su lengua de trapo y sus torpes ademanes. Era
el más pequeño de los hermanos. Jane le tomó en sus
brazos.

—¿Dónde está Cristián?

El arrapiezo murmuró algo ininteligible y forcejeó por
zafarse de aquellos brazos, con los ojos puestos en el
tirador de su hermano.

—E... e... o... te —dijo.

—¿En el monte?

—Sí...

Jane le dio libertad. Corrió a reunirse con su hermano
y a insistirle tercamente sobre la dirección que había de
tomar si deseaba cobrar algo.

Al atardecer conocí a Cristián. Sólo con verle se adivinaba que su adecuado soporte físico no era el campo. Ceñudo, arisco, cerrado, nos costó Dios y ayuda hacerle despegar los labios. Cuando lo conseguimos no hubiéramos podido seleccionar de entre su limitado vocabulario una sola palabra amable.

—Qué fácil es a los que no lo soportan animar a los demás a poblar el campo.

Me era difícil desde mi postura argumentarle con fundamento y vigor convincente.

—En el campo es donde se ha refugiado lo único de verdad que aún queda en el mundo.

—Prefiero la ciudad.

—Allí todo es ficticio.

—No importa.

—¿No importa?

—No.

Rechazó el cigarrillo que le tendía, con acre indignación.

—Ustedes no saben lo que es el campo. Por eso le cantan. Pero si hubiesen probado cuánta es su ingratitud pensarían como yo.

—Todo es poco, hijo, si así se consigue conservar la cabeza equilibrada.

—Si una cosa se hace a la fuerza, adiós el equilibrio de la cabeza.

—En eso puede que tengas razón.

—En todo. Además, ¿para qué?

—Para qué ¿qué?

—A qué tanto trabajar. ¿Por los demás? ¿Qué hacen los demás por mí?

Encendí un cigarrillo para disimular mi ligera turbación. Me humillaba que los que consideraba inferiores a mí se condoliesen en mi presencia de su precaria situación. Me sentía yo un poco culpable de las desdichas que lamentaban.

—Todos tenemos que hacer por todos.

—Pero cuando hay detrás una compensación. Y yo, ¿qué compensación tengo? Subir a las fiestas del pueblo dos veces por año. ¿Y qué? Tener que andar tres leguas para echar tres bailes. ¿Es esto realmente una compensación?

Desde la chimenea, que habían encendido, sus padres le miraban atemorizados; el niño pequeño se había quedado dormido contra el regazo de su madre. El otro meditaba con la cabeza entre las manos seguramente en el conato de cacería del día siguiente.

Aún insistí. Me daba la impresión que de no decir yo la última palabra parecía que me doblegaba ante aquel joven rebelde, que el «absentista» se salía con la suya en su pugilato con el hombre de la ciudad.

—¿Y no es una compensación ver crecer lo nuestro, verlo progresar, ver que va perfeccionándose todo día a día y hora a hora...?

Cristián hizo un gesto de impaciencia:

—¿Para qué?, dígame, ¿para qué? Qué me importa a mí levantarme un día a las cinco de la mañana pensando que he doblado las propiedades que empecé a trabajar treinta años atrás? Dígame, ¿de qué me habrá valido doblarlas?

Bajé la voz como avergonzándome de antemano por lo que iba a decir:

—De satisfacción... Al menos de una íntima satisfacción.

Soltó una carcajada tan potente y dolorosa que pensé que las vigas del techo habían acusado la impacción.

—Estoy harto de satisfacciones íntimas. ¿Se conforman todos con satisfacciones íntimas? No, ¿verdad? ¿Por qué había de conformarme yo? Todos queremos satisfacciones de otra clase. Más materiales si ustedes quieren, pero de esas satisfacciones que se ven y se tocan.

Se había puesto de pie. Su padre le contemplaba desde un rincón. Las llamas arrancaban de su tez arrugada y oscura brillos de cuero elaborado. Inopinadamente se colocó de un salto al lado de su hijo.

—¡Cállate ya, Cristián! Tú irás a la ciudad. Esperarás a que tu hermano tenga dos años más y entonces te marcharás...

Cedió la tensión del hijo ante el tono tajante del padre. ¿No había conseguido al fin y al cabo lo que anhelaba? Cristián bajó la cabeza.

—Hasta mañana, padre.

Comenzó a subir las escaleras. Todo quedó en silencio, un silencio donde todavía vibraban las ondas de las últimas palabras. La madre cogió al pequeño entre sus brazos y se despidió. Tenía los ojos brillantes por la proximidad del fuego. Cuando su figura se perdió en lo alto de la escalera comencé a notar que mi corazón se aceleraba.

—Vámonos nosotros también —murmuré al oído de Jane, que había permanecido silenciosa a lo largo de la escena.

Ascendimos los dos. Al cerrar la puerta de nuestro cuarto sentí bullir la sangre ardiente debajo de la piel de mi cuerpo, como si mi vida toda se hubiera concentrado de repente en el latido de aquel momento.

—Cristián es un disconforme —dije por decir algo, y maté la luz.

Jane no contestó. Por la ventana abierta entraba el soplo fresco de aquella noche de otoño. Parpadeaban en el cielo las estrellas y las montañas recortadas sobre el firmamento parecían monstruos dormidos.

Como Jane temía, aquellos dos días transcurrieron demasiado pronto. En la mañana del tercero dispusimos rápidamente nuestras cosas e iniciamos el regreso a Providencia. La vida de aquellas cuarenta y ocho horas había sido tan concentrada, tan apretada de íntimas sensaciones, que el cortar nuestro contacto con la granja se me hacía más doloroso de lo que había pensado. Jamás imaginé que una cosa pudiera en cuarenta y ocho horas arraigarse tanto en el corazón de un hombre. Se me antojaban años las horas transcurridas allí; años felices por el recuerdo múltiple de que iba impregnado; un soplo con arreglo a la más estricta cronología. De todas maneras el tiempo señalado había pasado ya y ahora nos enfrentábamos con una larga y sombría perspectiva, conforme la opinión de Jane de que el tiempo no estaba en los relojes, sino en las circunstancias.

Jane, a mi lado, arropadas las piernas en una ligera manta de viaje, no hablaba. Seguramente prolongaba nuestra breve luna de miel en su fácil imaginación. ¿Qué pasaría? Tal vez en nuestra primera comida debajo del brillante magnolio; o en la larga tertulia de la noche anterior frente a la lumbre crepitante; o en Cristián, el «absentista». O ¿por qué no en el fatigoso paseo de la tarde última, hasta la cumbre de un alto picacho? ¿No dijo ella, al ver el mundo desde allí que «la tierra, como los buenos cuadros, es conveniente verla de lejos»? Sí, seguramente su imaginación estaría en estos momentos posada en el elevado y abrupto picacho de la tarde antes. Volvería ahora a despeñar sus ojos por la ladera impresionante para ir fijando en su retina todos los obstáculos, todos los accidentes, por cuyo lado pasáramos en el ascenso y que ahora, oteados desde la inmensa atalaya, se convertirían en ridículos y mezquinos.

El coche devoraba kilómetros inmune a la nostalgia. Los árboles, a los dos lados de la carretera, me daban la impresión de que íbamos caminando tras los barrotes de una jaula. Pronto asomaron por delante las primeras casas de Providencia, las crestas de los edificios más altos destacando sobre la construcción uniforme de la ciudad.

Apenas nos detuvimos en casa de Jane. Ella me rogó esperase un instante mientras me preparaba una sorpresa. A poco se presentó con un magnífico retrato al óleo, suyo, que no había visto hasta entonces.

Me lo tendió jubilosa:

—Toma; yo me quedo, pero él se irá contigo. Te acompañará mucho durante nuestra separación. ¡Mira...!

With everlasting love... Al pie del cuadro decía *with everlasting love*. Nos abrazamos. Entonces reparé que la voz *everlasting* encerraba un vago sentido de eternidad. Veía el cuadro por encima de mi esposa, estrechamente abrazada, y mis ojos, como si no hubiera otra cosa dentro de los límites de su campo visual, se detenían absortos en la mágica palabra: *everlasting*. Era una palabra demasiado inmensa para localizar un sentimiento de este mundo. Y yo deseaba, más que nada, que ni el sentimiento de Jane ni el mío salvasen, separados, la frontera eterna. «No empieces con tus estúpidas rarezas», me dije, y me estreché más contra Jane, como si quisiera fundirnos en uno. Entonces se borró de mi vista todo objeto externo y sólo sentí a nuestras almas palpitar al unísono.

Jane me llevó hasta el muelle. Un remolcador se acercaba ya al «Antracita». Dos obreros portuarios me hicieron señas de que salvara rápidamente la plancha. Jane se lanzó impulsivamente a mis brazos.

—Vuelve muy pronto —susurró.

La besé en silencio. Luego eché a correr hacia la cubierta del «Antracita» con el cuadro debajo del brazo. Conservo un claro recuerdo de la actitud de Jane en el muelle durante la larga desatracada del «Antracita». Su mano no dejó de decirme adiós en ningún momento. Pensé que, ¿cuándo un ser tan despreciable y ruin como yo había producido en la historia del mundo una conmoción semejante en una criatura tan bella? Me consideré único en la historia de todos los tiempos. Excepcionalmente afortunado, desde luego...

Más tarde, rebasada la ostial, ante el mar inmenso, sentí en mi dedo anular la presión del matrimonio; la presión del apotegma del viejo Zoroastro. Y supuse que esta sensación debería de ser muy semejante a la experimentada por un caballo salvaje al ser arreado por primera vez.

Capítulo XVI

Lo mismo que Jane pensase de la tierra y los buenos cuadros empecé yo a pensar por esta época de los actos de los hombres. Es decir, que para verlos en toda su dimensión, ramificados en sus consecuencias, era preciso observarlos desde lejos, cuanto más mejor. Yo, sólo cuando volví a encontrarme en España, sujeto a la rueda rutinaria de siempre, me di cuenta del brusco cambio que en un momento se había operado en la estructura de mi vida. Aprecié simultáneamente que las grandes revoluciones de la humanidad o en el interior de los hombres, acaecen en un instante, aunque luego sus bifurcaciones y efectos se extendieran a veces a lo largo de los años o de los siglos.

A ratos tenía una noción diáfana de la traición consumada. Comprendía que era ésta la única vez que mi yo se había movido a impulsos y en el fondo me regodeaba de la mala pasada que le había jugado mi corazón a mi cerebro. Tampoco trataba nunca de justificarme mi matrimonio. Aceptaba la realidad consumada. La vida así era corta pero fecunda; desligado era monótona y terriblemente prolongada. ¿No había, pues, ganado algo?

Con frecuencia mi cabeza intentaba remover las antiguas ideas que me atormentaban; presentarme, para que los razonara, los posibles efectos de mi impremeditada acción. Yo la desoía. Prefería mantenerme en el plano vital elegido y aunque frecuentemente notase en mi dedo anular la presión de Zoroastro, siempre terminaba por comulgar con él en aquello de que «el matrimonio es un puente que conduce al Cielo». En estas pasajeras meditaciones llegué a una radical resolución: mirar la vida hacia adelante, sin dejarme influir por perniciosas reflexiones sobre el pasado.

Me convencí también en estos días de que el espíritu sólo está en paz cuando el cuerpo está cansado. Quizá por ello y por moverme azuzado por una inefable esperanza, mi cuerpo no halló reposo en aquellos tres largos meses. Mi primera idea apenas verme en España, fue la de visitar a doña Sole para comunicarle de palabra la buena nueva. No obstante, no pude hacerlo. Doña Sole había marchado a invernar a Sevilla buscando un clima más benigno para capear la crudeza del invierno. Hube, pues, de conformarme con escribirle una larga carta, agradeciéndole la influencia que pudiese haber tenido en la alteración de mi vieja norma. Seguidamente entré de lleno a trabajarme el asunto de mi destino. No quería en lo sucesivo más mar ni nuevas fluctuaciones. Ahora el ideal de mi vida se condensaba en arremansar el tiempo en un hogar tranquilo donde, paso a paso, pudiera ir amontonando recuerdos familiares que luego rumiaría y digeriría en mi senectud. Me asustó la extraña facilidad con que se solucionó todo. Mi naviero, después de felicitarme, encontró mi deseo perfectamente natural y me prometió, aparte de autorizarme a traer a Jane conmigo en el próximo viaje, un puesto envidiable en las oficinas de Santander.

Con relativa frecuencia recibía cartas de Jane. Ella me escribía todos los días, pero su correspondencia llegaba en montoncitos de diez o doce cartas que yo seleccionaba minuciosamente por orden de fechas antes de empezar a leerlas. Sus misivas suponían para mi impaciente soledad un gran consuelo. En el primer legajo de cartas que recibí me hablaba de la terrible sensación que se siente al ver despegar un barco de los muelles llevándose dentro una persona que amamos. «Es —me decía—, como si el remolcador tuviese sujetas las estachas al corazón del que queda y lo fuese arrancando de su sitio poco a poco.» A continuación me hablaba de sus esperanzas y proyectos; de cómo había construido un calendario con veinticuatro cuadritos blancos en cada día y del placer confortante que suponía el tachar cada mañana las nueve horas de sueño. «Es un calendario —me explicaba—, que llevo siempre conmigo y donde quiera me sorprendan las campanadas de un reloj lo saco para tachar uno de los cuadritos blancos. Es un placer tan simple y reconfortador que te lo recomiendo con toda el alma. De esta manera casi ves pasar el tiempo; y un tiempo que sería odioso normalmente, se transforma así en una cosa simpática porque te permite ir disfrutando paso a paso del camino que conduce a nuestra reunión definitiva.»

Me animaba en todas sus cartas a que tuviera paciencia «en estos pocos días que aún restaban». Insistía mucho en ello como si no confiase demasiado en mí. Sin duda recordaba mi extraño comportamiento del día de nuestra despedida en el merendero, en aquel tiempo en que mi cabeza era transparente como el cristal. «Al tiempo lo que le cuesta es empezar a andar —decía—, pero una vez hecho esto corre con la ligereza de las liebres.»

Y no le faltaba razón a Jane. Lo más costoso fueron las dos primeras semanas. Transcurridas éstas, pensé: «Otras cinco etapas iguales y todo estará vencido.»

Y los días comenzaron a desfilar acelerados ante mis ojos atónitos.

Una vez estabilizado mi destino mi primordial preocupación fue buscar una casa donde Jane y yo pudiéramos reposar nuestras vidas. Jane me hablaba de ello en todas sus cartas. Me insistía en que lo hiciese pronto y le facilitase detalles sobre nuestro hogar. Con este motivo visité varios pisos desalquilados en la ciudad, sin que ninguno fuese de mi agrado. Tenía la idea de que el amor para subsistir no precisa sólo de dos corazones afines, sino de un medio adecuado para desenvolverse. Encontraba las casas de la ciudad excesivamente sombrías y tristes, con gran abundancia de espacio pero con escasa luz. Y yo deseaba una casa donde la Naturaleza asomase constantemente su presencia, donde no estuviéramos separados de ella más que por una transparente barrera de cristales.

Al fin, después de una prolongada búsqueda, encontré lo que quería en las afueras de la ciudad. Me chocó la minuciosa adecuación de la realidad de mi deseo. La casa estaba situada en un altozano verde, orientada la fachada norte hacia el mar y la del sur hacia la montaña. No era grande, aunque las habitaciones eran bastante espaciosas. Constaba de un piso y la planta baja, y en derredor un pequeño jardín protegido por una corta verja de hierro con una puerta de barrotes también frente a la fachada principal. Cuando abrí esta puerta por primera vez y escuché su quejido lastimero pensé que muy pronto su voz herrumbrosa me sería familiar e imprescindible para mantener el tono de mi vida. Una vez examinada la casa cerré el trato rápidamente, temeroso de que aún pudiese alguien adelantárseme.

Desde allí, apoyado en la repisa de la chimenea, escribí una larga carta a Jane dándole cuenta de mi hallazgo, detallándole punto por punto la orientación, cabida y disposición de las habitaciones. Seguidamente le explicaba la forma y las dimensiones del jardín, la situación de los pocos árboles y arbustos que en él brotaban, confiándole además la esperanza de que en primavera, con un poco de cuidado por nuestra parte, se poblasen los verdes macizos de una profusión de flores detonantes y aromáticas.

En adelante gustaba de ir a pasar las tardes a mi casita deshabitada. Allí leía las cartas de Jane y allí también solía contestarlas. Poco a poco iba llenando la casa de muebles y detalles. Tenía en cuenta para ello los buenos consejos de la mujer de Luis, quien estimaba los muebles antiguos compensadores desde el punto de vista económico y del rendimiento. Así un día me presentaba con una butaca de curvas valientes forrada de terciopelo; otro con dos pequeños veladores restaurados para los dos lados del sofá que había colocado frente a la chimenea; otro después con una mesa de grueso tablero de nogal para mi despacho, y así sucesivamente hasta que aquello fue adquiriendo un sentido de confortabilidad acogedor y progresivo. Un día, hojeando una revista de muebles americanos, se me ocurrió copiar un costurero para Jane. Una vez terminado comenzaron a roerme las dudas de si aquello no estaría en contraposición con las más elementales reglas del buen gusto. Consulté con la mujer de Luis, quien aseguró que había tenido un verdadero acierto en la elección.

—La verdad es que estoy desorientado en estas cosas —le dije—; cuando pienso en algo siempre lo imagino mejor de lo que luego resulta.

—Hace usted bien en preocuparse; a veces la felicidad pende del detalle más insignificante.

En lo sucesivo me esmeré más aún en el amueblamiento

del hogar. A menudo me invadían dudas en lo atañedero a la colocación de los muebles. «Tal vez sea este sillón junto a esa mesa el que pueda truncar nuestra dicha —reflexionaba—; coloquémosle al lado de aquella lámpara de pie.» Y de nuevo ponía la casa patas arriba porque la alteración de lugar del sillón implicaba un cambio completo del mobiliario.

Con todo, la casa fue naciendo a la habitabilidad paso a paso. Y una tarde, después de recorrerla detalladamente, me dije, con un secreto fondo de alegría: «Esto está completo. Ya sólo faltan los inquilinos.» Y experimenté un pausado placer indefinible.

Por estas fechas recibí la felicitación de la familia Lesmes con un delicado obsequio. Pero debajo de sus líneas, de aparente cordialidad, se traslucía un sedimento de dolorosas reticencias. El señor Lesmes añadía a su felicitación unas líneas que en principio no entendí, y de las que sólo con el transcurso del tiempo pude extraer su equivalencia en el lenguaje vulgar: «El hombre ideal —afirmaba— sería aquel que comenzase a vivir después de haber asimilado la experiencia de todas las generaciones que le han precedido en el tiempo.»

Me enviaba una frágil estatuilla que representaba una mujer china con una especie de albardas sobre el hombro, en las que descansaban dos chinitos de pocos meses. Este obsequio, junto al de la familia de Luis y los de quienes estaban relacionados conmigo por razones profesionales, fueron los únicos que recibí por motivo de mi matrimonio. Una noche, sentado frente a la chimenea encendida de mi casa, reflexioné sobre esto:

«Verdaderamente —me dije—, es increíble que un hombre pueda alcanzar la edad media de la vida sin más contactos que éstos...»; y los contactos allí estaban, alineados encima de la chimenea: la estatuilla de porcelana, una tabaquera, otra tabaquera, un juego dd escritorio y dos pesados candelabros...

En ellos quedaba encerrada toda mi vida externa, los únicos roces que había tomado mi ser al abrirse calle por medio de una humanidad concentrada y densa.

Un día, semana y media antes de salir para Providencia, me entregaron seis cartas de Jane. Como ya era hábito en mí, esperé a la tarde para leerlas tranquilamente al amor de la chimenea de mi casa. Salí del «Antracita» dos horas después de comer. La tarde estaba lluviosa y desapacible. Quizá por ello y por el bulto cuya sensación percibía sobre el pecho, caminase hacia la casita más acelerado que de costumbre. Cuando chirrió la puerta de hierro al abrirla, su chirrido me sonó ya a bienvenida retozona y cordial. Eché de menos al perro. «Sí, tras la puerta de la verja, corriendo por el jardín, tendremos un perro que nos salude con brincos y gruñidos de satisfacción cada vez que nos vea llegar. Como Fany hacía en casa de don Mateo.» Me quedé un momento pensativo. «¿Como Fany? Bueno, no tendremos perro», murmuré entre dientes y entré en la casa.

Feli, una vieja criada que provisionalmente había tomado, me encendía el fuego todas las tardes. Ahora, cuando entré, la oí manejar los troncos y prolongar los resoplidos con ánimo de prender la húmeda leña. No advirtió mi entrada en la habitación y allí la sorprendí en cuclillas, la mejilla derecha pegada al fondo del hogar y administrando sabiamente el aire de sus pulmones por debajo de las ascuas mortecinas. Contemplé el salón desde la entrada. «La vida desde aquí tiene otra forma —me dije—; también va a resultar que la vida, como todo, es cuestión de ángulos de enfoque.» Me sonreí satisfecho interiormente. Justo en este momento un soplo acertado y rastrero de la Feli reavivó el fuego, haciendo brotar una brillante llamarada. La Feli levantó la cara y se puso de pie torpemente. Me vio:

—Buenas tardes, señor.

Crepitaba la leña en la chimenea con un chisporroteo jubiloso. La habitación se mantenía en la penumbra y el resplandor de las llamas desplazaba sobre los tabiques sombras alargadas y vacilantes. Salió la Feli hacia la cocina dejándome solo. Me acerqué a uno de los ventanales. Las gotas de lluvia resbalaban por los cristales, dejando tras sí una estela húmeda y brillante. Veía en la lejanía un blanco caserío colgado del cielo por un penacho de humo negro y retorcido que salía por su chimenea. Las montañas al fondo quedaban recortadas por un cielo gris, pesado y plomizo. Saboreé íntimamente la atmósfera tibia y recoleta de mi nuevo hogar. Inmediatamente corrí los cortinones y di la luz de la lámpara sobre el sofá de la chimenea. Extraje el fajo de cartas de mi bolsillo con una excitación extraña y me senté. Ordené las seis cartas cronológicamente por las mataduras del sello, acerqué mis pies húmedos al fuego y abrí la primera...

Sonaba en el jardín el chapoteo monótono de la lluvia... Bailaba delante de mis ojos la caligrafía de Jane y no sé por qué la descifraba despacio y con cuidado, como cuando caminamos en la oscuridad temiendo tropezar. «Lo primero que quiero anunciarte hoy es que pronto tendremos un hijo...» Me invadió una sensación tan ofuscante que tuve que releer la frase para captar su sentido. Después noté la rara impresión de que me estiraban, de que mi volumen físico se prolongaba en el tiempo hasta inmortalizarse. ¡Un hijo! ¡Un ser que era como una consecuencia mía! Y al instante se me aclaró la frase del señor Lesmes que añadía como una tonta coletilla a su fría felicitación: «El hombre ideal sería aquel que comenzase a vivir después de haber asimilado la experiencia de todas las generaciones que le han precedido en el tiempo.» Lo que en buenas palabras equivalía a decirme «que era de necios tropezar en la misma piedra en que vimos tropezar a otros». Pero ¿por qué había de juzgar esto como un tropezón? Yo ya no veía la vida de color gris, yo estaba recuperado. ¿No me había enderezado yo? Pues más fácil me resultaría no dejar de torcer a un ser que se inicia desde un estado neutro.

La dicha de Jane, concentrada en sus renglones espontáneos y nerviosos, terminó por disipar de mi cabeza el peso de una mala nube. «El niño tendría que ser parecido a mí y con el tiempo tan semejantes el uno al otro como dos gotas de agua...»

Al terminar de leer sus cartas me estiré en el diván, descansando la cabeza en uno de sus brazos. Oía caer la lluvia incesante sobre el jardín, entreverados sus leves chasquidos por el rumor crepitante del fuego en la chimenea. Aprecié que soportaba mejor la nueva emoción en esta postura voluptuosa, con ese difuso rumor por fondo. Encendí un pitillo. Por encima de mí veía la bombilla incandescente y el aro inferior de la pantalla delimitando el círculo luminoso. «La vida es bella a veces —pensaba—. Este haz de luz nos cobijará a los tres algún día. La lluvia, fuera, machacará insistentemente los campos y nosotros nos congregaremos alrededor de la lámpara. Jane hará punto, esa labor de punto que las mujeres nunca terminan, y yo le leeré en alta voz desde esta misma postura. A sus pies, sobre la alfombra, jugará el niño. Ella, de vez en vez, nos acariciará a los dos la frente alternativamente. Y fuera seguirá sonando la lluvia, golpeando en los cristales con sus dedos, delgadísimos y transparentes. Desde luego, la vida a veces sabe ser bella...»

Ignoro cuánto tiempo permanecí abismado en estas reflexiones. Como en sueños oí a la Feli despedirse y cerrar la puerta de la calle. A poco sonó el gemido herrumbroso de la puerta del jardín. Me sentí apaciblemente solo y sin gana de moverme. Más tarde, bastante más tarde, me asaltó súbitamente la conciencia de que llevaba muchas horas sumido en un abismo subconsciente y cerrado. Me incorporé con pereza, estirando mis miembros. «Por esa puerta —me dije al ver frente a mí una de las salidas del salón— entrará Jane anunciándome que podremos cenar cuando yo quiera. El niño a estas horas ya estará dormido, tal vez en este rincón, detrás del sofá. Jane me hablará con un dedo cruzando sus labios por temor a despertarlo. Y la Feli quizá le llamará "angelito"...» Me puse el impermeable y abrí la puerta de la calle. Después volví sobre mis pasos, contemplé el salón iluminado, y apagué todas las luces.

El marco de la puerta de la calle se destacaba en la oscuridad a pesar de lo sombrío de la noche. «Y por esta puerta entrará algún día el niño como un torbellino a la vuelta de la escuela. Y entrará Jane también, cargada de paquetes, al regresar de sus compras y... algún día, tal vez próximo, saldremos también llevados a hombros, encerrados en un cajón y con los pies por delante.» Sacudí frenéticamente la cabeza. ¿Por qué siempre este remate lúgubre a mis reflexiones? Eché la llave y descendí los dos escalones que me separaban del jardín. La lluvia se concentró airada sobre mi impermeable seco. ¿Cómo podía restar aún en la tierra algo sin empapar? Recorrí un trozo de camino despoblado y oscuro, metiendo los pies en todos los charcos, como si los eligiera. Olía a tierra empapada. Al fin alcancé las primeras casas. Brillaban las calles charoladas, reverberando la luz mortecina de los faroles. Sonó muy penetrante, a lo lejos, el silbido de un tren. El último tranvía había circulado ya hacía más de una hora. Anduve de prisa, automáticamente, hacia el puerto. Mis pisadas retumbaban en el húmedo silencio de la noche. Cuando las acomodé a un determinado compás me pareció que me repetían con un tono extraño y zumbón: «Vas a tener un hijo... Vas a tener un hijo... Vas a tener un hijo...»

Capítulo XVII

Sobrevino al fin el día de la partida hacia Providencia. El día, aunque frío, estaba despejado y el sol brillaba sobre la superficie azul del cielo. La desatracada se me hizo lenta y premiosa, enervado mi espíritu por la aguda excitación de mis nervios. Recordé la impaciencia de Luis, no hacía todavía un año, al abandonar Providencia: «Me gustaría por esta vez poder llegar a España de un salto... La familia va tirando y uno, sin darse cuenta, va haciéndose viejo. No se puede remediar.»

En esta ocasión me acontecía una cosa semejante. Deseaba también el salto como más rápido medio de transporte, como único medio eficaz de trasladarnos a los brazos amados en la brevedad de un instante. Por asociación de ideas recordé a doña Sole avanzando carretera adelante apoyada en su cachavita negra. Y ahora abarcaba con clarividencia su exacto sentido del ritmo vital. El mundo era un equilibrio, una sucesión alternativa de montañas y valles, donde la tierra apelmazada para engendrar un monte serviría en su caso para rellenar la oquedad del valle contiguo y dejar la superficie de la Tierra lisa, sin el menor obstáculo. «Igualmente —pensaba—; el abismo de soledad de esos tres meses transcurridos será rellenado a su tiempo por el resto de la vida en compañía de Jane.» Todo en el mundo es proporción, compensación y equilibrio. Hasta en los delitos y las penas se percibe esta correspondencia de proporción, compensación y equilibrio. «Después de todo ésta es la última razón del Universo. Dios lo ha hecho así y Dios sabe de todo más que todos los hombres reunidos.»

Cuando salimos a alta mar comencé a gustar la longitud de la estela del «Antracita». «Cuanto más larga sea más próximo estaré de mi destino.» Y aquilataba con un placer voluptuoso cada metro de aproximación, cada minuto de nuestro avance.

En sus últimas cartas Jane me decía que me diese prisa,

que con un poco de suerte aún podríamos pasar las Navidades en Providencia los dos juntos. Y yo me adelantaba a esta posible realidad. Me veía con ella recorriendo las calles nevadas, abrumados de paquetes y deteniéndonos aún ante algún escaparate forrado de golosinas. Todo el mundo era bueno en Navidad. Si los hombres fuesen siempre como en Navidad el mundo sería distinto. No tendría necesidad de arreglo porque no estaría roto como ahora, como siempre, como creía la madre de Cristián el «absentista». En Navidad los presentes recordaban a los ausentes y los vivos a los muertos. Excelente remedio. ¿No sería entonces que el mundo es frívolo fuera de la Navidad sólo por imprevisión y acorchamiento de la memoria?

Mientras pensaba, el «Antracita» continuaba acercándose a Providencia. Y así un día y otro y otro. Una noche me sorprendió el contramaestre tosiendo a mi lado. Me encontró tan ensimismado que sus palabras me dejaron un poco confuso:

—¿Qué, sintiendo la primera preocupación del hijo?

Todos a bordo sabían la noticia. No había tenido voluntad para ocultarla. ¿No era por cierto una especie de prodigio, algo que rompía la órbita de las cosas naturales?

No respondí al contramaestre, pero tampoco pareció importarle.

Soltó una risotada y añadió:

—No olvide lo que le digo, el primer hijo embaraza tanto al padre como a la madre.

Reí su tosca sentencia, la agudeza de su filosofía primitiva. Callé empero, porque sabía que la conversación con Benito se reducía, con brevísimas injerencias de la otra parte, a un mareante y reiterativo monólogo.

—Haga caso de mi experiencia...

Le miré con un gesto de burla. ¿De dónde extraía este hombre la experiencia?

Él continuó como si leyese mi pensamiento:

—Usted no ignora que hay dos clases de experiencia: la ajena y la personal. Lo bueno es cuando el hombre sabe sacar partido de la experiencia ajena; porque si aguardamos a sacarlo de la propia entonces ya es un poco tarde.

Me sonaron sus palabras muy parecidas a la coletilla de don Mateo. Y me extrañó. ¿Qué puntos coincidentes podían existir en los espíritus de dos temperamentos tan opuestos? ¿Qué fibra allá, en la región oculta de los sentimientos, vibraba igual en el uno que en el otro? ¿Y qué hacía vibrar esta fibra en cada uno? Porque, sin duda, los móviles de acción en el señor Lesmes y Benito eran absolutamente diferentes. «Quizá —me dije— exista en todos los hombres un fondo idéntico, pero que reacciona a los acicates externos de distinta manera.»

El contramaestre siguió hablándome largo rato. Siempre alrededor de la experiencia y de los hijos, encerrado en un cada vez más estrecho círculo vicioso. «Porque mi padre decía...» «El boticario de mi pueblo...» «Conocí a una mujer...» Le escuchaba, le atendía, le soportaba porque sabía que aun así el «Antracita» seguiría caminando. Y yo necesitaba distraerme, prender la cabeza en problemas ajenos, hacer más breve el vacío paréntesis de aquella eterna travesía.

Y el «Antracita» continuaba avanzando... La tarde víspera de nuestra llegada me fue imposible dominar los nervios. Me faltaba barco, aire y vitalidad. Me hacía el efecto de que, conforme me acercaba a Providencia, crecía la posibilidad de que Jane no fuera lo mismo que la dejé, que la estuviesen variando en su forma o en su substancia. Hubiera deseado hacer la postrera etapa del trayecto sujeto a la popa del «Antracita», sumergido en el mar, sintiendo por todo mi cuerpo el contacto del agua helada. No admitía conversación. Anhelaba sólo verme ante Jane, uno frente a otro, fundiéndonos en un estrecho y eterno abrazo. Todo lo demás era ambiguo y sin relieve, toscamente secundario.

Cuando me acosté aquella noche, contra lo que esperaba, quedé dormido en seguida. Soñé mucho, pero con un ritmo pausado y verosímil. Fue aquel sueño como un compendio de mi vida transcurrida. Soñé con Ávila, con el señor Lesmes, con Alfredo... Pero fue más bien un sueño evocador, una resurrección completa y vívida de todo mi ɔasado. Todo desfiló por mi imaginación sin violencias ni retorcimientos. Evoqué la casa de mi maestro con sus dos polos cordiales: Fany y la pecera verde con los dos pececitos rojos. Evoqué mi intensa amistad con Alfredo: nuestros días tranquilos, llenos, de aquellas primeras vacaciones de verano; Cuatro Postes... La Bruna; evoqué nuestros paseos dominicales cuando empezaba a sentir sobre mí la responsabilidad de la vida, la necesidad de ajustarla a nuestra íntima manera de ser y de sentir; evoqué nuestros arriesgados juegos en los marjales del Adaja, la atracción fascinadora de la fábrica de harinas... Todo iba desfilando suavemente por mi imaginación, puesta en blanco por el sueño. Las señoritas de Regatillo que «iban robando a la ciudad lo poco que aún le quedaba de incontaminado»... Doña Gregoria. Estefanía, Martina... La Martina de pocos años, sentada al piano a impulsos de una precoz afición. La hornacina, los muñecos de la hornacina, los cuatro guerreros: dos vencedores y dos vencidos... Luego la gran conmoción... La muerte soplando los candiles de nuestros incipientes entusiasmos. La marcha de Alfredo para no volver; el dolor de la separación; el peso póstumo de su cuerpo gravitando sobre mi aplanada existencia... Detrás la Escuela de Náutica, Barcelona con su febril actividad, la pelea con el «gallito», el «San Fulgencio», el «Algeciras», el «Antracita»... Martina otra vez, la Martina engañada y arrepentida y... Jane; Jane como piedra de toque de mi voluntad. Una breve lucha, un impulso... mi matrimonio. La separación; Jane aguardando impaciente mi llegada en la cortina del muelle de Providencia...

Fue al coincidir el sueño con mi actualidad cuando me desperté con un agudo sobresalto. Me incorporé en la litera. La luz entraba ya por el portillo abierto, encima de mi cabeza. Me pasé la mano por la frente. Entonces advertí que durante mi sueño no había existido el menor asomo de violencia. Me puse en pie. «Es raro —me dije—; hoy debería estar alegre como ningún otro día de mi vida. Y sin embargo no lo estoy. ¿Por qué habré tenido un sueño tan extraño?»

Me lavé apresuradamente y ascendí a la cubierta. El día ya estaba hecho y las costas de Providencia se divisaban muy próximas. Rememoré mi sueño: «Todo es muy raro —torné a pensar—; cuando el hombre evoca con todos los detalles su pasado es que le amenaza algún cambio transcendental en su existencia.»

Notaba un cosquilleo insistente por la columna vertebral. «Bah, todo son nervios.» Me calmé un poco. De repente me di cuenta de que me faltaba paciencia para contemplar cómo nos arrimábamos metro a metro a la costa. Descendí de nuevo a mi camarote e intenté distraerme con un libro. Pero mi imaginación estaba fuera de allí. «Jane seguramente estará ya esperándome en el muelle. A pesar de ser sólo las siete de la mañana...» Cerré el libro y traté de evocar su silueta tal como la dejara el día de nuestra partida: grácil, esbelta, diciéndome adiós insistentemente con la mano. Ahora vendría a esperarme con un hijo bulléndole ya en las entrañas. Desvié mi vista hacia su retrato. *With everlasting love; everlasting...* Nuevamente me desagradó este vocablo cargado de inmensidad. «Prefiero las cosas más normales; esta palabra, por más que quiera evitarlo, siempre aportará a mi cabeza la idea difusa de la muerte.» Me incorporé y di unas vueltas por mi camarote, desalentado, como un preso en su celda. Pronto me cansé de esta reciente ocupación. Me dejé caer en la litera y pensé en nuestra casa, en la casa que nos aguardaba acogedora a la otra orilla del mar. «Feli, tendrá usted buen cuidado de tenerlo todo dispuesto para cuando la señora llegue.» «Lo que más y lo que menos todo está ya en orden, señor», me había respondido.

Oí inopinadamente un aullido de la sirena. Me levanté de un salto:

—¡Diablo, esto significa que ya estamos entrando en el puerto!

Abrí la puerta de mi cabina y me encaramé por la primera escotilla. Efectivamente, la proa del «Antracita» enfilaba ya la ostial del puerto de Providencia. Ascendí en un vuelo hasta el puente. Me entró por los ojos la agitada convulsión del muelle; el ir y venir de los ligeros barquitos para distancias reducidas, el alarido aturdidor de los remolcadores, la labor chirriante de las grúas ocupándose en la carga y la descarga de los buques atracados... Un poco más allá estaba nuestro hueco esperando desguarnecido el duro contacto del «Antracita.» «Por entre esta baraúnda se encontrará Jane. ¿Cómo podré localizarla?» Cada vez se acercaban más las casas de Providencia. Por la plaza que existe frente al puerto se veían cruzar los automóviles. El cielo se mantenía cubierto con un tono tan cargado que dejaba presumir la vecindad de la nieve...

De improviso divisé su automóvil atravesando la conmoción de la plaza. Sentí una impresión tan violenta que hube de clavar las uñas en la barandilla del puente para no caer. ¿Era posible todo? Ahora sacaba Jane su mano por la ventanilla abierta y la agitaba de arriba a abajo saludándome. El práctico me dijo algo en aquel momento que no entendí. Seguía los movimientos del coche con el menor detalle. En este instante se apartaba de la cadena de automóviles, entre la que venía emparedado y se dirigía a uno de los costados del muelle. Continuaba Jane agitando su mano por fuera de la ventanilla. Me dio la impresión de que todo, por dentro y fuera de mí, se perdía en la penumbra de un plano lejano, y que sólo ella, su figura, adquiría consistencia relevante, perfiles fundamentales y macizos.

Súbitamente todo varió en un segundo. Un obrero impulsando una vagoneta cargada se interpuso en el camino que seguía Jane. Se oyó el chirrido del frenazo y se elevó en el aire una vaharada caliente de goma quemada. Coleó el automóvil y sin que nadie pudiera preverlo cayó dando tumbos sobre las sucias aguas del muelle. Aún se le vio un instante sobre la superficie, pero inmediatamente desapareció entre una serie de círculos concéntricos que iban haciéndose cada vez mayores.

Cuando extrajeron su cadáver una hora más tarde estaba nevando. Y al ver su cuerpo por última vez logré percibir sobre su rígida esbeltez la leve ondulación del hijo iniciado...

Capítulo XVIII

Con los años he concluido por convencerme de que esa
previsión de sucesos fatales, característica de mi vida, si no
diluye el dolor, sí al menos nos prepara para soportarlo
más sordamente cuando los hechos temidos llegan a realizarse. El desasimiento de Jane, como antes el de Alfredo,
me produjo la impresión de que estaba reproduciendo ante
mis ojos un momento ya vivido; que el flébil acaecimiento
no era nuevo en el curso sinuoso de mi historia.

No recuerdo apenas nada de los primeros días que
siguieron al tremendo desenlace de mi matrimonio. Era
como si alguien me hubiese horadado el cráneo y por sus
agujeros escapasen ahora hasta las más dignas facultades de
mi alma. Llevé una existencia animal, sombría, perdida la
perspectiva de dolor en la densa consistencia de la desgracia presenciada. Tan sólo guardo de aquellos primeros días
la conciencia completa del chirrido vivo, angustiado, de los
neumáticos sobre los adoquines de la calzada y el rotundo
chapuzón del automóvil al hundirse en las turbias aguas
del muelle. Además la penetrante impresión de unos
círculos alucinantes, *in crescendo,* con el centro justo en el
lugar por donde Jane y la promesa de un hijo habían
desaparecido.

Con el tiempo mi dolor cobró perfiles vigorosos, adquirió constancia, magnitud y proporciones. Ya podía pesarlo
y medirlo a mi capricho; valorar la extensión de mi
desgracia en el panorama desolador de mi mezquino
pasado. Se me demostraba que también el dolor precisa
perspectiva para poder aquilatar debidamente sus agudas
aristas. Todo, pensaba, necesitaba perspectiva en el tiempo
para abarcar sus dimensiones; los actos que nos son
externos y las convulsiones que sobrevienen dentro de
nosotros mismos. Ahora, en lo sucesivo habría de irme
resumiendo, achatando; habría de substraer mis tentáculos
sensitivos al mundo glacial que me rodeaba. Tenía que
contraer de nuevo mi vida, agazaparla en los justos límites

de su antiguo y frío caparazón. Mi espíritu precisaba un proceso de síntesis, semejante al del caracol que se resume en su concha.

Comencé a gustar de nuevo la angustia desoladora de sentirme impar sobre la costra de la tierra; de hallarme aislado, sin eslabones afectivos, sin un sólido y macizo punto de apoyo. Se intensificó sobre mí el convencimiento de que hasta en mi propio cuerpo se acentuaba la decadencia, de que mi descarnada existencia se remataba en círculo y la aguja del compás que señalaba su centro se me clavaba acerada en el corazón. Pensé que nada me quedaba fuera de mí, que la discordancia del mundo con mi yo era ahora total, absoluta, sin nada ni nadie que mitigase el desamparo de mi cerrada soledad.

Una noche, en viaje ya de regreso a España, recordé a Ávila, la Ávila única, maravillosamente pálida y alada de una noche de plenilunio. La rememoré con ansias anormales, casi bestiales de poseerla, de identificarme con ella, de relajar a su amparo mi atormentado espíritu y dejarle que se impregnase de su añeja y nostálgica substancia. Fue este deseo el único que se hizo fuerte en mí, que me poseyó con la más enérgica crudeza desde la trágica desaparición de Jane. Me convencí entonces de que también las almas precisan de un clima propicio para poder pervivir; de que era Ávila lo único que me restaba en el seno de la tierra, de que de entre sus piedras milenarias y sus nevadas almenas extraería mi decrecida vitalidad el estímulo suficiente para rehacerse.

No me incitó el suicidio en estos días. Lejos de lo que había temido, me percaté de que la adversidad aguza la fe y la esperanza en una vida ulterior que nos compense de los duros reveses sufridos en ésta. Era en esta ocasión, en esta fase mística que abrió en mi pecho la renuncia, cuando aquilaté con exactitud dentro de mí la efímera fugacidad del tránsito, la adjetividad de la vida, su tono accidental y secundario. Me embargó una clara convicción de que la vida es un disputado concurso de méritos; un lapso de prueba para ganar o perder una existencia superior. Constaté por encima de mi retorcido dolor que Dios jamás envía al hombre nada más allá de su capacidad de resistencia. Y me convencí, más que de nada, de que la facultad de desasimiento es común a todos los mortales, de que ninguno, ni el más espiritualmente desheredado, está huérfano de ella, de que yo mismo, herido y castigado, aún tenía un motivo por que alentar pese a todos los reveses e infortunios. Pensaba que el hombre que renuncia voluntariamente a la vida es simplemente por obcecado egoísmo, por haberse constituido absurdamente en eje y razón de la propia vitalidad del Universo. A mí, lentamente, me parecía que cuanto más abatido está el hombre en su equilibrio carnal, más fuerte es la necesidad que experimenta el espíritu de desligarse, de remontarse sobre la materia envilecida si estimamos a Dios como rector de este turbio desconcierto humano.

Cuando arribamos a Santander se intensificó mi dolorosa sensación de absoluto abandono y, en consecuencia, mi acuciante ansiedad por retornar a Ávila, por sentir su topografía, su consistencia física, bajo la planta de mis pies. Eran unas ansias desmesuradas, urgentes, sólo acalladas por mi decisión íntima de conectarme cuanto antes, de nuevo, con sus raíces multiseculares. Experimentaba la necesidad ineludible de palpar sus piedras, de sorber su historia, de enraizarme otra vez en su misticismo desgarrado y silencioso. En el fondo creo que lo único que anhelaba era huir de mí mismo, amputar de mi recuerdo el último peldaño de mi historia, entroncarme a mi primer dolor como postrer reducto de mi vitalidad decadente y roma.

El mismo día de nuestra llegada a Santander tomé el tren para Ávila. El breve contacto con mi casa de Santander me dejó medio enloquecido. De cada rincón extraje la dura experiencia de que el dolor más agudo brota de las cosas sobre las que mentalmente hicimos aletear la sombra del ausente. De aquella casa centrada en plena Naturaleza saqué la exasperante conclusión de que es ingrato cimentar nuestros estímulos en cosas materiales, de que el soplo de la muerte es infinitamente más funesto y doloroso cuanto más hemos coordinado la presencia del difunto con los objetos y paisajes que nos rodean. Llevaba tatuada en el alma la mirada circular, aterrorizada, de la Feli. La buena mujer no podía creer el relato entrecortado que surgía de mis labios. «Las cosas que parecen mentira, o son fabulosamente lisonjeras o terriblemente desgraciadas», había dicho yo a Jane recientemente. ¿Por qué ahora, en la inmensidad de mi zozobra, me asaltaba esta terrible verdad como una burla sangrienta?

Traqueteaba el tren entre lucecitas lejanas. Una decrépita vieja con una nietecilla de pocos años eran mis únicos compañeros de compartimiento. La niña dormitaba ahora contra el hombro de la anciana, que difícilmente conservaba energías para sostenerse sola. «He aquí otra burla de la vida —me dije—; la lozanía cimentada en la decrepitud; la pujanza apoyada en la más crítica y acusada decadencia. ¿Por qué el mundo se empeña en marchar del revés?» Otra vez la atormentadora duda: ¿O era yo quien me empeñaba en ver el mundo a través de un prisma insólito?

Dejaba atrás Santander, el «Antracita»... los habituales resortes de mi vida. Pero ¿qué se me daba ya de todo aquello? Sentí inopinadamente con la misma claridad que si fuese real el chirrido del frenazo de Jane antes de precipitarse sobre las aguas del puerto. Instintivamente me llevé las manos a los oídos, taponándolos con todas mis fuerzas. Pero el chirrido proseguía sonando dentro, con una persistencia asfixiante. De repente observé que la vieja me miraba de reojo con curiosidad morbosa, con un asomo de temor en sus pupilas medio apagadas. La expresión de su mirada ya me era familiar. Pensaba sin duda que era un loco o, como mucho, un aventajado aprendiz de loco. Retiré las manos de mis orejas e intenté sonreírla. Se incrementó su chispa de recelo y bajó los ojos en tanto apretaba entre su mano huesuda los cinco dedos rosados de la criatura que sesteaba sobre ella. Me miré las propias manos medio inconsciente. Al volver las palmas hacia arriba examiné una vez más las cuatro pequeñas cicatrices que rompían la tersura de cada una. Cerré los puños. Ésta era la evidencia tangible de mi desdicha; la huella de un pasado reciente y adverso. ¿Cómo pudo ser que mis propias uñas se incrustaban en la carne de mis manos hasta hacer saltar la sangre a borbotones? Nada recordaba de esto. Recordaba, en cambio, la estremecedora sensación de contemplar el cuerpo inanimado de Jane, deformado levemente por la iniciación del hijo. Y recordaba también cómo me lancé como un cuervo sobre su mano para arrebatarle aquel aro que encerraba la más dulce de las promesas. «El matrimonio es un puente que conduce al Cielo.» ¿Pensó seriamente en esto Zoroastro? ¿O habló por hablar, como hacen muchos hombres, a humo de pajas? «A veces parece ser la propia aprensión quien impele a realizarse los acontecimientos objeto de nuestros temores», pensaba.

Nuevamente el traqueteo agitado del tren, los ojos de la viejecita posados fijos en mí. El revisor dictatorial horadando nuestros billetes... ¿Y Ávila? ¿Dónde estaba Ávila, que tanto tardaba en aparecer? Extraje del bolsillo de mi chaleco la alianza que durante cuatro meses circundase el dedo anular de Jane. La introduje en mi dedo meñique pero no pasó de la primera articulación. Al sentir el contacto de su superficie fría sobre la yema de mi dedo me estremecí. No era Jane quien estaba fría. Era la muerte. Tal vez también el breve apotegma del viejo Zoroastro...

Cuando me apeé en Ávila y contemplé su recogida fisonomía a la luz incierta de un amanecer de febrero, sentí una cálida humedad en los ángulos internos de mis ojos. La ciudad se había rebozado de nieve para obsequiar con sus mejores galas mi llegada. Me invadía una emoción singular al recrear mis ojos en el blanco panorama. Seguramente no era mi actitud en aquellos momentos la de un hombre normal. Me hallaba detenido en la puerta posterior del edificio de la estación y mis ojos saltaban de un punto a otro continuamente con ánimo de aprisionarlo todo en mi abrazo inicial, de aspirar íntegra toda la arcaica esencia de la ciudad de mi infancia. No sentía el frío tremendo, y sólo inconscientemente intuía que estaba solo en toda la extensión que abarcaba mi vista. Me lancé a caminar carretera adelante. A un lado y a otro de la carretera te apretaban las fondas, con sus nombres detonantes, sugerentes, en evidente contradicción con sus fachadas modestas y descuidadas. El chasquido monótono de mis pisadas ponía la única nota de vivacidad sobre la ciudad muerta. Andaba de prisa, sin buscar una meta determinada. De improviso me hallé en la plaza de la Santa, con la estatua en el centro casi cubierta por la nieve. Ante la entrada principal de la muralla me invadió una vaga congoja, un difuso conocimiento de una relación latente entre Jane y aquellas añosas piedras. Me detuve otra vez y permanecí un rato absorto sin saber en qué pensaba. Luego reanudé mi camino, evitando la entrada en la ciudad amurallada, orientando mis pasos hacia el paseo del Rastro.

Volví a experimentar un anómalo sentimiento de placidez al desbocar mi vista por el nevado valle de Amblés. Su longitud uniforme penetraba en mi alma como una pausa acariciadora. Al fondo las crestas de la Sierra, albas, purísimas, con su proverbial enjundia de sólidas defensas. Avancé sin detenerme hacia el cauce del Adaja. A mi derecha se alzaba la maciza adustez de la muralla. Eché de menos los vencejos indecisos y gritadores de la primavera. En su lugar las grajillas también negras enredaban su vuelo entre las almenas, con su aletear blando, reposado, un poco fúnebre, como de grandes y enlutados copos de nieve. Evoqué nuestras antiguas andanzas en aquellos mismos parajes, las ilusorias conquistas de la ciudad... Ya tenía el Adaja ante mí; un Adaja imponente, aunque adormecido bajo una muelle colcha de nieve. Los marjales del estío servían ahora de lecho a sus aguas congeladas. Pasé junto a la fábrica sin detenerme, sin mirarla casi... Al cruzar el puente me sentí vacío de espíritu. Sólo me entraban por los sentidos los detalles más nimios e insignificantes; el chasquido crujiente de mis pies al pisar la mollar blandura de la nieve; el penduleo incesante de un mohoso cartelón del otro lado del puente, suelto en uno de sus extremos y pregonando las excelencias de un establecimiento de bebidas; el ronroneo del motor de una desvencijada camioneta detenida ante una lechería, dos puertas más allá; el vuelo rápido de una bandada de gorriones buscando el amparo de alguna corraliza llena de estiércol...

Continuaba andando automáticamente, sin determinar previamente el sentido de mis pasos. Al iniciar el ascenso de la suave colina de Cuatro Postes me encontré seriamente apurado. El jadear de mi pecho resonaba acongojado en el ambiente quieto. Experimenté una íntima alegría al pensar que mi resistencia carnal se agotaba, que mi ser físico se desmoronaba ya sin remedio... Luego, ya desde la silenciosa atalaya, oteé como en tiempos la villa amurallada. Emanaba de ella un vaho inquietante de seres y cosas en reposo, de un estatismo mineral y sugerente. Las piedras se amontonaban con un sentido arquitectónico diluido y bello, dando prestancia y solidez a un fragmento de historia ya desgraciadamente fenecido. La torre de la Catedral seguía detentando su hegemonía sobre el Mosén Rubín, la mansión de los Almarza, los Polentinos... Todo uniformado, sin embargo, bajo una geometría blanca, redondeada en sus ángulos y aristas por el amortiguador de la nieve. Hasta mí ascendía el profundo clamor de las campanas de mil conventos lanzando sus ecos, dilatados y austeros, a los albores del nuevo día.

Me vino inopinadamente a la cabeza el alcance trascendental de la pequeña cruz de Cuatro Postes en el curso de mi vida. El paisaje, contemplado desde aquí, hacía renacer en mi interior retazos truncados de mi exigente pasado. En Cuatro Postes comenzó a gestarse el ímprobo alentar de mi cerebro y ahora, vencido ya, trágicamente derrotado, buscaba nuevamente la cruz de Cuatro Postes para extraer de ella un jugo vital que avivase la morosa corriente de mi historia.

No sé cómo encadené a Jane a mis pensamientos. Y otra vez torné a adivinar una vaga relación entre su ser y la naturaleza circundante; una mutua, confortable influencia que ensartaba en una misma fibra todo el nostálgico mundo de mis recuerdos.

Ya camino del cementerio identifiqué absolutamente a Jane con Alfredo; tuve la sensación de que ambos representaban para mí una misma influencia. Se me antojaba que en mi vida me había conformado con bisar un solo número; que era uno de esos seres que nacen con una marcada predisposición, inexorable, hacia la uniformidad y cualquier alteración los desorbita y confunde.

Anduve lentamente, rumiando el poso de mis memorias. Cuando los golpes rítmicos del primer cantero hirieron mis oídos tuve un acentuado momento de estupefacción. Los doladores de hoy serían, sin duda, hijos de los antiguos, pero en su hacer conservaban en su más cabal pureza el ritmo, la entonación familiar del trepidante y monótono golpeteo. Avancé por el paseo desierto, imprimiendo sobre la nevada virgen la huella sucia de mis pasos. Conforme caminaba se incrementaba el picar de los pedreros. Sus alternativas en el golpear de las losas otorgaba al conjunto algo de una inarticulada sinfonía orquestal. «Ha de ser arduo para estos hombres —pensaba— parear su vida a las exigencias de la muerte, agotar su vigor, el empuje de sus músculos, en esta ingrata tarea.»

Inopinadamente me vi frente a la verja cerrada del camposanto. La vegetación circundante conservaba el tenso y helado agarrotamiento del invierno. No se veía a nadie a mi alrededor. Sobre la puerta de una casita contigua decía: «Conserje.» Llamé con los nudillos, embargado de un opaco sentimiento de temor. Era algo monstruoso ponerse uno frente por frente del dueño de los muertos. Me le imaginé enteco, alcoholizado, ansioso de olvidar su helada vecindad. Transcurrió bastante tiempo sin que nadie respondiera a mi llamada. Al fin escuché una voz que iba haciéndose perceptible a medida que la puerta, después de un ruidoso correr de cerrojos, iba abriéndose sin prisas.

—¿Qué desea usted?

No era un tono demasiado áspero el de la voz teniendo en cuenta el aspecto somnoliento de mi interlocutora. Respeté su indiscreto y repentino bostezo con una pausa que ella empleó, además, en restregarse concienzudamente los ojos con el dorso de sus manos.

—Quería entrar en el cementerio...

Alargué mi mano hacia la suya en una ingenua tentativa de soborno.

—No hace falta... —aulló dolorida y digna retirando su

mano—; dentro de media hora abriremos para todos.

No pude insistir, porque la puerta se cerró de golpe ante mí. Paseé entonces bajo las ramas desguarnecidas de las acacias de la entrada; de aquellas acacias que un día lejano, cuando mi dolor era sólo un presentimiento, sirvieron de testigos a los anhelos lúgubres de Alfredo... De improviso vi salir de la casa a la mujer somnolienta y abrir la verja sin dirigirme la palabra. La adiviné impregnada de compasión, movida por un impulso instintivo de afecto hacia un semejante a quien urgía la presencia de los muertos. Al atravesar la verja le di las gracias con una inclinación de cabeza. Respondió con un respingo que quería ser de extrema dignidad. Imaginé que era una de esas personas para quienes es una manera como otra cualquiera de enfrentarse con la vida la del gesto adusto y el tono desabrido, por más que su pecho encerrase un afectuoso corazón.

Cuando me contemplé desfilando entre dos hileras de muertos sentí abalanzarse sobre mí una oleada de infinita paz; me hizo el efecto de que dejaba en la puerta una insoportable carga de sinsabores y pesadumbres. «Mi sitio está aquí —me dije—; entre los vivos y mis muertos, actuando de intercesor.» Sentí agitarse mi sangre al aproximarme a la tumba de Alfredo. La lápida estaba borrada por la nieve, pero nuestros nombres —Alfredo y Pedro— fosforescían sobre la costra oscura del pino. Me abalancé sobre él y palpé su cuerpo con mis dos manos, anhelando captar el estremecimiento de su savia. Así permanecí un rato, absorto, renovando en mi mente los primeros años de mi vida, el latente sabor de mi primera amistad. Luego, casi inconscientemente, extraje de un bolsillo el aro de Jane circundado por la inscripción de Zoroastro y me aproximé a la tumba de mi amigo. Por un resquicio de la losa introduje el anillo y lo dejé caer. Experimenté una extraña reacción al sentir el tintineo del anillo al chocar contra los restos del fondo. Ahora ya estaban eslabonados, atados, mis afectos; las dos corrientes que vitalizaran mi espíritu habían alcanzado su punto de confluencia.

Cuando una hora más tarde abandonaba el cementerio

me invadió una sensación desusada de relajada placidez. Se me hacía que ya había encontrado la razón suprema de mi pervivencia en el mundo. Ya no me encontraba solo. Detrás dejaba a buen recaudo mis afectos. Por delante se abría un día transparente, fúlgido, y la muralla de Ávila se recortaba, dentada y sobria, sobre el azul del firmamento. No sé por qué pensé en aquel instante en la madre de Alfredo y en «el hombre». Y fue casualmente en el momento en que tropecé con un obstáculo oculto por la nieve. Al mirar hacia el suelo comprobé que a la nieve la hace barro el contacto del pie...

Me sonreía el contorno de Ávila allá, a lo lejos. Del otro lado de la muralla permanecían Martina, doña Gregoria y el señor Lesmes. Y por encima aún me quedaba Dios.

Este libro se acabó de imprimir
en Duplex, S.A., Barcelona
en el mes de julio de 1994